U0508983

江苏省"十五"哲学社会科学规划基金项目
江苏省教育厅自然科学基金项目

赢 得 未 来

WIN THE FUTURE

高校核心竞争力研究

成长春 ◎著

人民出版社

序 一

　　成长春同志的《赢得未来——高校核心竞争力研究》终于杀青了,厚厚的一摞书稿放在我的书案上,似乎还散发着油墨的芳香。我抽时间断断续续地拜读了这部著作,感到这是一部融开拓性和思想性于一体,既有一定学术价值也很有实践意义的有分量的专著。

　　"核心竞争力"这一概念及理论体系的产生,其实是与 20 世纪 50 年代末经济学研究和企业理论中的能力研究相伴而生的。到了 20 世纪 90 年代,这一概念被引入管理界,逐渐成为人们的日常用语,并传入中国。国内外经济理论工作者和企业家们投入了大量的精力对核心竞争力加以研究,并开始运用到企业的管理水平和竞争能力上来。受此启发,高等教育的理论工作者和管理者们开始尝试将这一理论应用到高校的战略管理之中。我认为促成这些发展最根本的原因是随着经济全球化的不断深入、中国加入世界贸易组织和知识经济时代的到来,我国高等教育面临着越来越激烈的国际竞争,以及教育大众化步伐的不断加快,使得国内高校间的竞争也日趋激烈。对我国的各高校来说,要想在这场竞争中立于不败之地,就必须增强自身的竞争优势,提升核心竞争力,这是当前和今后一个时期我国高校发展具有战略意义的必然选择。作为长期从事高校理论研究和管理工作的成长春同志对此有着切身的感受和体会,他准确地把握这一发展态势和脉络,经过多年的不懈努力,不断探索,辛勤耕耘,终于写成了《赢得未来——高校核心竞争力研究》,对高校核心竞争力进行了初步的理论探索。可以说,这是我国学术界第一部比较系统完整地研究高校核心竞争力的专著。

成长春同志在全书的"绪论"中就开宗明义地明确提出高校核心竞争力研究的总体规划和要达到的五个目标,总体规划分为三个部分:什么是真正意义上的高校核心竞争力、我国高校核心竞争力评价指标体系、我国各类高校核心竞争力的提升战略。要达到的五个目标是:1. 对高校核心竞争力这一概念及其研究现状进行综述,分析研究其走向,并从"知识——能力"角度界定其基本内涵。2. 研究高校战略管理中移植核心竞争力理论的可行性,并建立符合高校特点的、切合中国实际的研究命题和相关概念,寻求核心竞争力和高校战略管理的最佳结合点。3. 在文献研究和实证研究的基础上,构建高校核心竞争力的分析模型,寻求数字模型与图表模型之间的内在联系。4. 理清"高校竞争优势—高校核心竞争优势—高校核心竞争力"之间的发展关系,论述高校核心竞争力在高校发展中的核心作用。5. 研究高校核心竞争力是什么,对它的评价、提升等问题,以及它对后续研究的基础地位及理论支撑。而总体规划的三个部分其实也就是研究的三个阶段,从目前成书的框架体系来看,第一步的工作已圆满完成,很好地解决了"是什么"的问题。第二步的工作也已启动,即着手尝试建构我国高校核心竞争力评价指标体系,并针对各类高校核心竞争力的不同特点,在理论分析的基础上建立了高校核心竞争力模糊优劣分析模型,并进行了实证分析。通过计算结果的分析,已证明了高校核心竞争力构成要素研究的合理性和正确性,对各高校提升其核心竞争力有着较强的指导作用,能进展到这一步实属难能可贵。从理论到实践,将理论运用到实践中并取得成功,是每一个学术研究者的最大愿望和终极目标,也是一种理论趋于成熟的标志。在这个意义上,成长春同志的探索在具有理论意义的同时,也很有现实意义,这在国内外学术界尚不多见,走在了学界同行的前列。至于著者所说的第三步的工作,即我国各类高校核心竞争力的提升战略,该书仅仅提供了简要的思路,其实这也是该课题研究有待深入的最关键之所在。其原因是多方面的,但最主要的原因当是目前我国学术界对高校核心竞争力的理论研究系统性不强,研究成果的创新性不够,仅有少数理论文章具有较强的理论价值,大多数文章尚停留在某个具体的操作层面上。从类型看,研究型大学多,普通高校偏少,且理论与实践脱节,理论研究滞后实践探索,实证研究尚未起步。许多科研成果处于"纸上谈兵"阶段,究竟能否指导实践有待进一步的检验。某些理论研究缺少时代感,研究的空白点较多。诸如高校核心竞争力的内涵是直接移植还是彻底创新更适合我国高校的"校情",高校核心竞争力理论模型与评价体系,高校核心竞争力对于不同主体有无统一竞争模型,在知识经济和教育国际化的浪潮中,高校如何实施知识管理,建立"学习型组织"等问题,均有待于理论和实践工作者们展开深入的研究。也正因此,在目前尚比较薄弱的基础上,成长春同志能取得这样的成就很值得嘉许。

读完此书,我有一种极为强烈的感受,那就是教育理论研究者和高等学校的管理者们必须充分认识到提升高校核心竞争力的战略意义。因为提升高校核心竞争力是增强我国国际竞争力的战略基础,是我国高校整体迎接入世挑战的战略举措,是提高我国高校战略管理水平的战略需要,是保持高校竞争优势的战略资源。结合我长期在高校从事大学教学与管理工作的体会,我认为该书无论是选题还是内容,均有大量的创新之处,归纳起来主要有以下几个方面:1. 基于"知识——能力"结合的角度对高校核心竞争力的概念进行了重新界定,将落脚点集中于"能力"。论述了高校核心竞争力的本质特征和一般特征,并将知识性作为其本质特征。2. 基于核心竞争力的原有之义和高校内部"知识系统"和"学习系统"的矛盾运动分析,该书提出并论证了高校核心竞争力的本质是学习力的观点。3. 基于对全国高校核心竞争力四类调查方案的调查结果的分析,得出了以学习力为主线,包括 2 个二级指标(显性要素和隐性要素)、4 个三级指标(学术生产能力、人才生产能力、管理力和文化力)和 14 个三级指标的高校核心竞争力构成要素。4. 基于上述构成要素,该书建立了高校核心竞争力通用分析模型和分类分析模型,并选用模糊优选模型对教学研究型和教学型高校核心竞争力进行了实证分析,找出了制约各高校核心竞争力的瓶颈因素,并根据计算结果的对比分析证明了分析模型的正确性。

当然,这样归纳并不是就此认定成长春同志的高校核心竞争力研究已臻于完善,可以画上句号;相反我认为以后的学术之路还很漫长,即该课题的研究还需进一步的深化,诸如必须进一步深化"知识——能力"视角的高校核心竞争力的内涵和模型研究。尤其是分类模型的研究,使其真正符合我国高校实际;进一步深化高校核心竞争力评价和预警两个指标体系的开发和研究,尤其是要研究有利于排行榜的、被高校更广泛接受的评价指标体系;可以在部分高校试行提升战略的实际操作,使研究成果的应用,尤其是核心优势、核心能力培育,核心资源的整合,知识管理和学习力的提升进入实际运作阶段。

成长春同志长期在高校从事思想政治教育和高校管理工作及理论研究,所进行的高师校园文化建设、大学生集体主义教育、大学生理想信念教育、人的全面发展与高校思想政治教育创新、网络思想教育、过程思维与教育国际化等研究已在学术界产生了积极的影响。我就曾读过他的一些文章和专著。作为高校的一位主要领导,在繁忙的公务之余,能坚持学术研究,将科研与自己所从事的工作有机结合,通过科研提升自己的工作和领导水平,在工作中保持理性的思考和探索精神,做到相互促进,相辅相成,诚属不易。我认为这在一定程度上代表了新世纪高校领导干部的一种发展方向。《赢得未来——高校核心竞争力研究》是成长春同志多年思考与探索的结晶,也是他的一个新的研究方向,能有如此良好的开局,在嘉许之余,我有一个期待,即希望成长春同志能坚持自己的研究,不浮躁,不气馁,一步一个脚印地走下去,一定能取得更高的成就。是为序。

朱小蔓

2006 年 1 月 15 日

序　二

　　欣闻成长春的博士学位论文《赢得未来——高校核心竞争力研究》即将付梓，为师的首先要对他致以最诚挚的祝贺！

　　"核心竞争力"（The Core Competence）的概念首先出现在企业战略管理理论中。自普拉哈拉德（Prahalad）和哈梅尔（Hamel）提出此概念并作出经典性定义以来，"核心竞争力"问题越来越受到人们的关注。随着对该问题研究的深入，人们对于"核心竞争力"理论的运用也逐渐广泛起来。一些热心于高等教育研究的理论工作者和时刻关注着高等教育事业发展的高校管理工作者，面对高等教育全球化和大众化的态势以及高校之间日趋激烈的竞争，他们将企业核心竞争力理论创造性地运用于高校战略管理之中，提出了一系列富有远见的思想和观点。

　　作为盐城师范学院院长的成长春博士既在战略管理方向进行理论研究，又亲历高校管理，得天独厚的条件使他不仅对高校核心竞争力问题研究的意义有着极其深刻的认识，而且对高校核心竞争力的科学内涵有自己独到的见解。他在《赢得未来——高校核心竞争力研究》一书中创造性地提出，高校核心竞争力作为高校参与市场竞争所形成的融入其内质中支撑其竞争优势的、独特的、可持续的生存和发展能力，是一个由学术生产能力、人才生产能力、管理力和文化力等要素构成的复杂系统，具有显著的知识性。因此,高校核心竞争力,就其本质来说,就是学习力。

《赢得未来——高校核心竞争力研究》一著,不仅有实践经验的总结,更有理论研究的系统阐述和创新,是一部对加强高校战略管理和增强高校竞争能力具有重要指导意义的学术力作。当然,为人师者,在对学生作出的成绩进行肯定和褒奖的同时,更有责任提出诚恳的希望。望成长春博士在学术的广阔天地里继续勤奋求索,以取得更加辉煌的学术成就。

张 阳

2006 年 2 月 15 日

目 录

第一章　绪　论

　　高校的管理工作者既要关注高校今天的建设，更要关注明天的发展，寻求高校的后发优势。随着经济全球化的不断深入，中国加入世界贸易组织（以下简称 WTO），我国高等教育正面临着越来越激烈的国际竞争。伴随着知识经济的兴起，人才已成为经济和社会发展的核心资源。高等学校作为人才培养的基地，正日益融入市场经济之中，从社会经济建设的边缘走向社会经济建设的中心，并与产业、政府形成关系密切的互动组合。据世界银行提供的报告，知识的积累和应用已经成为促进经济发展的主要因素，成为一个国家参与全球经济的核心竞争优势。而在国内，随着高等教育大众化的趋势提前到来和高等教育的跨越式发展，外延发展超前和内涵建设相对滞后的矛盾相对比较突出。而高等学校外延发展和内涵建设都在寻找优质资源的支撑，在资源有限的情况下，整合校内外资源为高校发展服务，就显得尤为重要。基于这种客观背景的变化，需要我们转变思维方式，从国际竞争力发展的角度重新审视高等学校的发展定位和发展潜能，从高校内部寻找新的可持续发展的核心要素——核心竞争力。

　　本章首先分析竞争优势与核心竞争力的关系，论述高校核心竞争力研究的目标；其次对核心竞争力和高校核心竞争力及与本书研究相关的领域进行综述；再次对本书的基本思路及结构进行详细分析；最后论述研究的主要内容及分析框架、研究的方法论等。

第一节　未来的竞争优势在于核心竞争力

20 世纪 90 年代以来，世界经济在飞速发展，科学技术在不断进步，全球竞争在不断加剧。在物质资源相对匮乏的情况下，如何利用非物质资源去整合物质资源，在竞争中把握市场、把握主动，从而能形成持续竞争的优势，这成为各级组织探寻的焦点。高校是知识经济的发源地、载体和主战场，在未来社会中的地位和所承担的角色越来越重要。高校在面对经济社会的利益分配、人才结构的调整、市场对高校自组织的需求和约束等问题时感到前所未有的压力。在这样的背景下，高校如何利用知识，提升组织学习、知识管理、组织创造新知识的能力成为未来获取竞争优势的关键。随着知识成为最重要的生产和战略资源，高校能否成功越来越依赖于其生产、获取、传播知识的能力，学习力成为高校创建和维持竞争优势的决定性因素。高校的核心竞争力在于对知识的有效管理，在于学习和获取持续发展所需的组织知识，尤其是集体的显性和隐性知识，而与这些知识密切相关的学习力决定了高校的知识积累，成为赢得高校持续竞争优势的关键。

一、在市场竞争中寻求优势

（一）市场竞争与竞争优势

寻求竞争优势对于中国高等教育来说，既是个老问题又是个新问题。说是老问题，是因为高校一旦进入市场，要在国际国内市场环境中求生存，就必须具备竞争能力，这已为许多高校管理工作者所认同。说是新问题，是因为高校长期在计划经济体制中运行，刚刚跨入市场经济的大门，在不成熟的市场经济中逐步成长壮大，尚缺乏竞争优势，因而与国外强手较量时往往力不从心。虽然这可以用国情不同、发展历程不同加以解释，但是我们的差距是显而易见的，而且更为严重的是，这在许多高校中尚未引起足够的重视。

计划经济体制的最大特点就是，一切按计划进行，计划就是市场。充分领略到计划经济魅力的中国高校，几乎是计划经济的最后堡垒。在计划与市场的转轨时期，依靠计划体制的惯性还可以生存一段时间，但如果不抓紧时机将计划优势转化为市场优势，打造自身的核心竞争力，到头来只能是被淘汰出局。五年以后，中国高校将重新"洗牌"，到那时，或更长一段时间，就要看"谁笑得最好"。

随着社会主义市场经济体制的建立和我国加入 WTO，市场介入高等教育，定位于计划经济体制的高校与市场经济体制的冲突日渐明显，这种冲突主要表现在：①

1. 国家投资的一元化与市场经济多元化的冲突

在计划经济体制下的投资体制，以国家包括各级政府的财政拨款为主，表现出投资的一元化。随着市场经济体制的建立，非公有制经济成分迅速扩大，国家对高校的拨款比重迅速减少，多元化经济成分介入高等教育。我国普通高等教育规模 20 年内呈加速上升趋势，增长了 3 倍；但我国政府提供公共资源的能力却

① 以下内容参见刘光临：《论社会转型中大学核心竞争力》，《经济师》2004 年第 2 期，第 11—12 页。

一直在下降，用于教育支出的比例 20 年内仅增长了不到 4 个百分点，高等教育的财政支出比例甚至在下降。因而，政府放开了对其他资源主体投资高等教育的限制，民营机制、成本分担等相继出现，体现出竞争。

2. 办学自主权与市场经济自主原则的冲突

在计划经济体制下严格按指令性计划组织办学，甚至连开设什么课程，开设多少学时，什么时间放假，都管得很细、很死，学校更不具有法人地位，办学自主权极少。政府所颁发的有关全国高等教育的建设计划（包括高等学校的设计或停办、院系及专业设置、招生任务、基本建设任务）、财务计划、人事制度、教学计划、生产实习规程以及其他重要法规、指示和命令，全国高等学校均应执行。计划经济规定了政府在高等教育运行机制中的基础性支配作用。很显然，在计划经济体制下，高等教育系统是整个计划体制的一部分，大学隶属于政府计划部门和管理部门。学校没有办学的自主权，用人单位则是毕业生的被动接受者，学生也不能完全根据个人的特长与偏好选择适当的工作单位和职业，政府及其有关管理部门集办学权和管理权于一身。市场经济体制的建立，高校作为循环中的一个部门，必须具有相应的较完整的自主权，以适应市场需求，要想真正进入市场，参与到经济运行中去，必须使高等学校具有独立的法人资格，这种独立的法人主体本身就意味着大学处于市场竞争之中。

3. 国家垄断与市场选择的矛盾

在计划经济体制下，国家对高等教育资源垄断，办学模式高度集中。而在市场经济体制下，资源的合理配置与讲究效益是最重要的法则，以最小的投入获得最大的收益、以最少的资源达到最优的配置是市场经济运行所追求的目标。从效益角度看，两种经济运行机制的冲突在所难免，高校追求市场经济条件下的效益最大化将成为必然。

4. 不平等竞争的冲突

在计划经济体制下，这种不平等竞争不仅表现为各高校之间的不平等，也表现为高校内部竞争机制的不健全。不平等竞争极大地限制了高校自我发展的主动性和积极性。市场经济是平等竞争的经济，这种平等竞争的机制会使资源相对集中到条件好的高校和学科中去，具有"胜者全拿"（WPA）效应。依照这种市场选择机制，不断地优胜劣汰，不断提高大学的办学水平。

5. 封闭性与开放性的冲突

高等教育中墨守成规的现象主要产生于环境。现实的体制结构在左右变革方式方面起着举足轻重的作用。在计划经济体制下，大学对政府负责，自成体系，封闭办学，与市场经济要求的开放办学存在必然的冲突。一方面，面对市场经济的挑战，高校不可能回避市场经济活动，必须尽可能地释放自己的技术能量和知识能量；另一方面，市场经济的开放性，对封闭办学产生了很大的拉扯力量，总是企图撕开缺口，其他利益主体和机制介入高校运行之中。主要表现在：其一是民办高校大力发展，以其灵活的经营和管理机制，成为国有大学新的竞争对手；其二是在国有高校周围产生非国有的民营机制，不同优势高校进一步得到不同程度的发挥；其三是非国有利益主体举办高等教育层次的非学历教育，争夺生源市场。因而，高校向面向市场经济的开放式办学模式转型成为必然。

高校面临市场对人才和知识的需求而不得不介入市场竞争之中的。高校竞争平台逐步转向市场，竞争力日渐受到关注，尤其是核心竞争优势，体现了自然界适者生存的基本原理。查尔斯·达尔文指出：能够得以幸存的物种不是那些最强壮的，也不是那些最聪慧的，而是那些最能适应变化的。

（二）未来竞争优势与高校发展

研究竞争、寻求竞争优势、打造核心竞争力是高等教育理论工作者和管理工作者当前乃至今后的一项突出任务。研究"什么是高校核心竞争力"，对高校核心竞争力的评价及提升战略的实施，具有很重要的现实意义。[①]

第一，高校核心竞争力是增强我国国际竞争力的战略基础。国际竞争力是指一个国家在世界经济的大环境下，与各国的竞争力相比较，其创造增加值和国民财富持续增长的能力。[②] 它是在经济全球化发展过程中出现的反映一个国家和地区的整体国际竞争力的"量化概念"。一个国家的国际竞争力由三大部分组成：核心竞争力、基础竞争力和环境竞争力。它包括八大要素：国家经济实力、国际化、政府管理、金融体系、基础设施、企业管理、科学技术、国民素质。从一定意义上讲，这八个要素都与高校的核心竞争力相关。而科学技术、国民素质就是高校核心竞争力所要达到的主要目标。据瑞士洛桑国际管理发展学院（IMD）公布的数据，2001 年我国国际竞争力列世界第 33 位，较 2000 年下降了两个名次。而在各要素中国际竞争力最低的是教育（第 48 名）和技术基础设施（第 47 位）。[③] 这从一个侧面说明我国科教兴国战略的实施尚需进一步加强。我国要提高国际竞争力，首先必须提升教育的国际竞争力，而高等教育在人才培养的数量、质量和科学研究水平等方面对社会经济发展需要的满足度，以及

---

① 以下内容参见成长春、张阳：《提升高校核心竞争力》，《新华日报（理论版）》2003 年 6 月 15 日。

② 参见中国人民大学竞争力与评价研究中心研究组：《中国国际竞争力发展报告（2001 年）——21 世纪发展主题研究》，中国人民大学出版社 2001 年版。

③ 参见赵彦云、汪涛、王丽娟：《2001 年中国国际竞争力评价和分析》，《新华文摘》2002 年第 9 期。

在经济全球化、教育国际化的大环境下直接参与国际竞争的基本能力，都是教育国际竞争力的具体表现。而西方一些发达国家，正是通过加强高校的科学研究和使更多的国民接受高等教育来增强其国际竞争力的，如近年来美国高等院校的科研开发工作约占全国的 10％左右，其中基础研究占 62％左右，应用研究占 25％左右，开发研究占 13％左右。而在国民接受高等教育方面，美国的适龄青年入学率已超过 80％。① 经比较就可以发现，当今世界接受高等教育的国民越多，层次越高，国民素质就越高，国家的国际竞争力就越强。

知识的积累和应用已经成为促进经济发展的重要因素，成为一个国家参与全球经济的核心竞争优势。

在 21 世纪，知识将成为经济和社会发展的基础，而发展知识经济的关键是拥有大批的高素质人才。正如哈佛大学荣誉校长陆登庭（Rudenstine）在中外大学校长论坛上所说："地球上最稀缺的资源是经过人文教育和创新性培训的智力资源。当智力资源对社会的发展比其他资源所起的作用更重要时，智力资源的稀缺性表现得尤其突出。"②因此，培养和造就大批掌握高科技和现代科学管理知识，具有良好人文精神的有创新能力的人才是提升国家创新能力的根本。当今和未来综合国力的竞争，归根到底是人才的竞争，而高校是培养高素质创造性人才的摇篮。因此从争夺人才这一稀缺资源方面不难看出，高校的核心竞争力对国家国际竞争力有很大的贡献。

第二，核心竞争力是高校持续竞争优势的真正源泉。核心竞

---

① 参见中国人民大学竞争力与评价研究中心研究组：《中国国际竞争力发展报告（2001 年）——21 世纪发展主题研究》，中国人民大学出版社 2001 年版。
② 教育部中外大学校长论坛领导小组：《大学校长视野中的大学教育》，中国人民大学出版社 2004 年版，第 4—5 页。

争力是相对于高校竞争优势而言的，因此，它本身就是具有战略意义的概念。当前，我国高校正经受着日益强烈的竞争压力，竞争因素既来自国外（如国际竞争力），也来自国内高校之间。与国内许多专家所研究的内容不同，我们所说的竞争，不仅仅是与国外高校的竞争，还包括与国内同层次高校之间的竞争。因此，核心竞争力对于不同层次高校来说具有不完全相同的内涵。我国的高校如何在国际、国内竞争中赢得优势，从传统意义上说，可以通过对高校所处的内外部环境的综合分析来制定发展战略，也可以通过对外部市场结构的分析来制定竞争战略。笔者认为在外部条件相似的情况下，竞争优势主要来自自身素质的优势——核心竞争力的提升，这恰恰是高校持续竞争优势的真正源泉。高校若要保持自身的竞争优势，就必须根据人才市场和教育市场、科技市场的变化不断开发具有竞争力的"最终产品"，并在支撑"最终产品"方面具有很强的竞争能力。这是高校的"积累性学识"，即将人才和学术结合、管理与文化结合的学识。

从高校的可持续发展来看，其综合竞争力是指全球经济发展环境下，高校自身的成长和发展能力，以及对经济发展和社会进步的贡献能力。[①] 高校综合竞争力重点解决三个问题：

一要解决高等学校的内部发展问题，具体包括对高等学校发展的思想认识、高等学校发展目标定位、高等学校的创新机制，以及高等学校竞争力发展的核心资源。二要解决高等学校内部发展与外部发展的协调关系，具体包括高等学校与政府之间的关系，即资金投入与教育产出之间的关系；高等学校与企业、科研机构的关系，即合作与交流的关系；高等学校与社会的关系，即

---

① 教育部中外大学校长论坛领导小组：《大学校长视野中的大学教育》，中国人民大学出版社 2004 年版，第 4—5 页。

建立终身教育服务体系，提高国民素质与社会广泛支持高等教育发展的关系。三要解决中国高校与外国高校竞争问题，立足中国国情，在借鉴国外一流大学竞争力发展经验的同时，发展中国高等学校的核心竞争力、基础竞争力、环境竞争力，只有练好内功，才会具有强劲的国际竞争力。

第三，高校核心竞争力是我国高校整体迎接入世挑战的重要支撑。我国加入 WTO 以后，意味着我国将进入一个开放的全球市场和法制化的市场经济，意味着非歧视原则下的公平竞争。各行各业都面临着入世的考验，而与普通百姓生活有着密切联系的教育产业特别是高等教育如何应对入世挑战，是我国高校面临着的现实而严肃的问题。在 WTO 的范围内，教育是服务贸易的一部分。教育服务贸易提供的方式体现在四个方面，即通过远程教育和函授等方式实现（跨境交付）、出国求学和培训（境外消费）、国外机构在成员国内设立办学机构或合作办学（在服务消费国的商业存在）、国外教师以个人身份到成员国任教（自然人流动）。教育服务贸易的主要规则是最惠国待遇、市场准入、国民待遇和附加承诺。由此可见，教育服务贸易的提供方式和主要规则，给予我国高等教育发展的是机遇，更是挑战。面对高等教育的高度开放和走向国际参与竞争的趋势，我们既要思考如何充分利用国际化的教育资源，积极借鉴先进的教育思想和教育手段，在参与竞争中提高自己和发展自己，也要思考如何在市场准入规则给予的设立、商业存在和非设立权利下，既继承和发扬中华民族优秀文化传统和文明，办好中国的高等教育，提升中国大学的综合实力和办学水平，办出我国高等教育的特色，又走向世界，参与对外教育服务贸易。

我国入世对高等教育的影响除去通过经济发展变化而产生的人才培养规格、方向、模式等方面的间接影响外，首当其冲的就是对中国高等教育生源市场的影响。中学生出国留学的人数可能会大幅的增加；国外的高等教育机构会抢滩中国的高等教育市场；会有更多的任教教师更加便利地进入发达国家，同时国外高等教育机构中的教师和管理人员，也会更多地来到中国。对我国高校来说，如何防止优秀生源外流，如何吸引国外优秀生源，如何更利于国外优秀教师来中国工作，关键点还在于高校群体的核心竞争力水平，这对我国高校的生存与发展具有战略意义。中国高等教育要从教育大国向教育强国迈进，还有漫长的路要走。

第四，高校核心竞争力是高校战略管理的根本出发点。高等教育的战略性基础产业属性和高校的组织属性，决定了在高校必须实施战略管理。高等教育具有基础产业的属性。这是因为它能将一个只完成中等教育的人培养成为高级专门人才，变成发展生产力的第一要素，成为为社会创造更多价值的人；高等教育又是现代化的基础，为社会经济发展提供人才支撑和科技服务；高等教育还是人才强国战略和科教兴国战略的重要组成部分，"高投入、高产出、高效益"的特征和服务的特殊商品功能，以及既同于基础产业又异于基础产业的特点，使得高校的战略管理成为高校管理的核心要素。因此，必须用企业战略管理的思想和理论去指导高校提升自身的核心竞争力，增强高校的办学效益，提高高等教育服务的市场吸引力。同时高校又具有组织的属性。当今社会已逐步成为学习型社会，要将高校建设成为"学习型组织"，必须努力提升其核心竞争力。高校核心竞争力是为高校所特有的，具有不可交易性。由于高等教育的许多资源具有可流动性和共享性（如知识和学术成果），许多竞争优势易被竞争对手追赶和模仿。所以核心竞争力不能建立在具有流动性的个体的知识和技能基础之上，而要来自于高校组织内的集体学习和组织成员之间价值观和经验规范的传递与交流，它是组织内部的协调管理能力和校园文化的综合体现。高校必须确定什么样的社会服务形式是最有价值和益处的，在高校的能力、办学目标和社会需求之间找到一个合适的位置，这是高等教育目前面临的最严峻的挑战。所以，核心竞争力既是高校战略管理的出发点，又是高校战略管理的归宿。

第五，核心竞争力对于从精英教育向大众化教育转型的高等教育具有导向作用。

随着改革的日益深入，我国高等教育已开始由精英教育向大众化教育转变，这对于我国人力资源素质的提高具有十分重要的意义。同时，也给高等学校提出了新的课题，即如何在新的形势下，形成自己的核心竞争力，提高竞争实力，培养出个性化的、具有创新精神的高级复合型人才。

从 1999 年高校开始扩招到 2002 年，短短几年，中国高等教育在校生规模已经翻了一番，截至 2002 年末，全国共有高等学校 2003 所。全国共有培养研究生单位 728 个，其中高等学校408 个，科研机构 320 个。高等教育招生和在校生规模继续快速增加，2002 年全国招收研究生 20.26 万人；高等教育共招收本科、高职（专科）学生 542.82 万人，成人高等教育招生 222.32万人。[①] 在高等教育快速发展的过程中，也带来了高等教育的激烈竞争，为了适应世界高等教育发展的需要，我们应建设更具特色的高等教育。要使高等教育有特色，要做多方面努力，而最为重要的是学校要有特色，要"有所为，有所不为"，培育自己的核心能力。在资源有限的条件下，走特色办学之路，打造自身的核心竞争力。

---

①　参见教育部：《2002 年全国教育事业发展统计公报》，《中国教育报》2003 年5 月 13 日。

对高校的战略管理，不仅是生存战略，更重要的是发展战略。也就是说，不仅重视工具理性层次，更应关注价值理性层次。随着我国高等教育大众化的步伐不断加快，高校的办学规模、办学质量与特色之间的关系如何协调就显得非常突出。伯顿·R·克拉克在《高等教育系统》一书中指出："当普遍的不景气发生时，没有特色的院校除在经费预算中的固定位置外，对资源没有特殊的权利。作为一个可与其他院校相互代替的院校，可能被削减预算的官员选做多余的单位进行大手术或破产拍卖。各种公共当局更可能试图褒奖那些想办出特色的院校，而不是安于故常的院校。"① 我国学者也认为，"特色"是学校继续生存的前提，没有特色的学校常常处于"破产"的危险之中。这些论述，都说明高校的办学特色的形成作为工具理性和生存战略应该得到重视。竞争中首先要求生存，但生存只是前提，并非目的。只有将工具理性和价值理性结合起来，在关注高校的生存战略的同时更为注重发展战略，这才是高等教育发展、高校战略管理的要义所在。

二、高校未来竞争优势研究设计

（一）高校未来竞争优势核心竞争力研究的基本目标

高校核心竞争力研究的总体规划分为三个部分：什么是真正意义上的高校核心竞争力、我国高校核心竞争力评价指标体系、我国各类高校核心竞争力的提升战略。限于研究力量，本书侧重研究"高校核心竞争力是什么"的问题。具体的研究目标有以下几个：

---

① 教育部中外大学校长论坛领导小组：《大学校长视野中的大学教育》，中国人民大学出版社 2004 年版，第 16 页。

1. 对高校核心竞争力尤其是"什么是核心竞争力"研究状况进行综述，分析研究走向，并从"知识——能力"角度界定高校核心竞争力的基本内涵。

2. 研究高校战略管理中移植核心竞争力理论的可行性，并建立符合高校特点的，切合中国实际的研究命题和相关概念，寻求核心竞争力和高校战略管理的最佳结合点。

3. 在文献研究和实证研究的基础上，构建高校核心竞争力的分析模型，寻求数字模型与图表模型之间的内在联系。

4. 理清"高校竞争优势—高校核心竞争优势—高校核心竞争力"之间的发展关系，论述高校核心竞争力在高校发展中的核心作用。

5. 研究高校核心竞争力是什么，评价、提升核心竞争力的关系，以及该研究对后续研究的基础地位及理论支撑。

（二）本课题研究可行性分析

1. 理论基础

高校的"学术组织"、"第三部门"和"类企业"等多重属性决定了将"核心竞争力"引入高校战略管理是可行的。著名教育经济学家舒尔茨认为，学校可以视为专门生产学历的厂家，教育机构可以视为一种工业部门。而美国著名的高等教育学家和社会学家伯顿·R·克拉克则认为，高等教育系统是生产知识的学术组织，以高深知识为核心是高等教育的本质特征。第三部门视野中的高等教育要解决大学的资本运营、大学的收费与定价、大学的垄断和政府的反托拉斯等问题。这些决定了大学管理的本质是实现资源约束下的最优选择，学术部门和管理部门组成了大学的异质结构，知识管理是"第五代管理"的中心。以上理论支撑，使得企业核心竞争力理论应用于高校战略管理成为可能。

2. 高校管理实践现状

目前国内已有数十家高校（如宁波大学、河海大学、湛江学院等）在战略管理中引入了"核心竞争力"的理论，国内外"长寿高校"（如哈佛大学、卡耐基·梅隆大学、法国巴黎高师、南京大学、东南大学、华中科技大学等）的成功管理实践也为该课题研究提供了许多有效的经验和进一步深入研究的空间。这些成为高校核心竞争力研究的实践基础。

3. 国内外研究现状

国内外对高校核心竞争力研究尚处于起步阶段，主要有以下几个特点：（1）理论研究滞后于实践探索，尤其在国内，从目前检索的资源看，明确提出核心竞争力理论的高校仅有十多所，理论研究者数十人；（2）研究力量分散尚未形成合力，研究成果系统性不强。在国内，除了北京师范大学赖德胜、武向荣等做过系统研究外，其余都是单篇文章或是在文章中某一部分加以论述。国外研究亦是如此，所涉及的大多是在某项研究的某部分论及核心竞争力。尽管如此，现有成果也为进一步研究探索打下了基础。

发展走向：在国内，高校战略管理实践将推动高校核心竞争力理论研究向前发展，政府的推动作用不容忽视；实践研究与理论研究并重，但管理者更注重实证和可操作性成果的应用。在国外，注重核心竞争力与建立学习型组织，把内部要素整合结合起来，使研究更具时代感和可操作性。

4. 作者的研究工作基础

为了本课题研究，作者已经做了以下几方面工作：（1）文献检索。从核心竞争力、高校战略管理、高校管理创新以及学习型组织等方面检索资料近两百篇，并形成了两万多字的文献综述，综述的核心部分已在有关刊物上发表。（2）课题申报。2003年作者和导师联合申报了江苏省教育厅自然科学基金课题《江苏高校核心竞争力研究》，2004 年又成功申报了江苏省哲学社会科学规划课题《高校核心竞争力研究》。(3) 科研力量组织。作者组织了由 10 人组成的课题小组，已经运作近两年。分担除作者完成的其余两个部分的研究工作。(4) 作者已经公开发表了部分科研成果。

因此，本研究已经具备一定的基础条件，可以顺利完成总的研究任务和本书的相关任务，但仍有许多困难，仍需进一步发展和创新。

三、高校未来竞争优势的本质

波特教授于 20 世纪 80 年代对竞争优势进行了深入的研究，他认为竞争优势来源于组织为客户创造的超过其成本的价值。格兰特指出过去人们认为竞争优势源于组织较之竞争对手获得更高收益的能力。然而，尽管长期收益性被普遍用做组织较高绩效的指示器，但是这种对竞争优势的看法过于简单化。事实上，一个组织即使它的收益不比其竞争者高很多，也可能拥有竞争优势。竞争优势最初源于组织内外环境的变化，环境的变化能够使组织通过改变所面临的竞争形势引发竞争优势。

近几年，人们把注意力转移到了在培育和维持竞争优势过程中知识的作用上，知识是持续竞争优势的一个来源。事实上，在今天复杂多变的环境中，高校拥有的知识和价值仅仅能提供暂时的竞争优势。要维持持续竞争优势需要依靠高校比竞争者更快地创造、传播和使用新知识。高校利用知识创造持续竞争优势的途径有两种，首先，高校要生产其他高校几乎不可能复制的内部知识，即隐性知识；其次，高校应该形成较强的知识管理能力从而进行不断地知识创新，最终促使高校学习力的形成。

　　高校核心能力的形成要经历组织内部独特资源、知识和技术的积累与整合的过程。通过这一系列有效积累与整合，使组织具备了独特的、持久的竞争力。高校核心能力也表现为知识和经验，这些知识和经验是通过不断的组织学习得到更新的。如果把高校中的个人通过学习获得的知识和经验称为"能力基因"，那么高校中一个团队通过学习而形成的知识体系就构成了单项核心能力，而整个高校的学习则整合单项核心能力，构成了一个能力体系，形成了高校整体核心能力。也就是说，学习是使高校的个体能力向组织能力转化、最终形成核心能力的必要手段。知识的共享、经验技能和失败教训的共享，是高校组织学习的主要内容，通过知识共享可以使个人的能力、知识转化为高校的组织能力和知识。

　　高校竞争优势的一个突出表现就是高校的学习力，学习力是高校开拓新的竞争优势的根本。彼得·圣吉指出，未来惟一持久的优势，就是有能力比你的竞争对手更快地学习，高校的竞争优势来源于核心能力，核心能力表现为一些知识和技能，这些知识和技能只有通过不断的组织学习而得到更新，因此核心能力的培育和组织学习是不可分割的。与知识密切相关的个人和组织的学习能力决定了组织的知识积累，从而决定了组织的竞争优势。组织学习是一个高校获取、创造和传播知识的过程，是对存在于高校内外的知识加以收集、存储、传播、运用并融合的一系列活动。高校竞争的基础是高校获取、传播、共享知识的能力，而获取知识和能力的基本途径是学习。由于高校的知识和能力不是每一个师生员工知识和能力的简单加总，而是师生员工知识和能力的有机结合，所以通过有组织的学习，不仅可以提高个人的知识和能力，而且可以促进个人知识和能力向组织的知识和能力转化，使知识和能力聚焦，产生更大的合力。通过有组织的学习使高校内个体和群体之间能够高效率地理解和交流知识。

在知识经济时代，人们普遍认为富含知识资本的人力资本比土地、劳动力和物质资本更重要。相反，特色知识能力和优秀的知识管理能力是形成不可模仿的竞争优势的关键，特色知识可以在高校内广泛地传播而难以被其他高校模仿，较高的学习能力是迅速获取和传递新知识的基础，个人学习与组织学习成为高校构筑竞争优势的关键。

第二节　核心竞争力与高校核心竞争力

高校未来优势来源于核心竞争力。高校核心竞争力理论是借鉴企业核心竞争力理论研究成果，结合高等教育自身特点发展而成的，因此，研究文献综述是从企业核心竞争力研究和高校核心竞争力研究的最新动态入手的。

一、企业核心竞争力理论研究综述

普拉哈拉德和哈默提出"核心竞争力"概念后，国内外理论工作者和企业家投入了大量的精力进行研究，根据有的学者在SCI、SSCI 和 A&HCI（即科学引文索引、社会科学引文索引、艺术人文科学引文索引）的检索，1990—1999 年引用《企业的核心竞争力》（普拉哈拉德、哈默，《哈佛商业评论》，1990 年）的文章 533 篇，发表有关核心竞争力的论文 176 篇。[1] 研究主要集中于企业核心竞争力的定义、特征、构成要素以及提升等方

---

① 参见张炜：《核心竞争力辨析》，《经济管理》2002 年第 12 期。

面。

（一）关于企业核心竞争力的定义

国内外研究者对企业核心竞争力有着不同的定义。杜云月、蔡香梅认为：企业核心竞争力可以分为"资源论"、"能力论"、"资产、机制融合论"、"消费者剩余论"、"体制与制度论"和"创新论"等七种类型。[①] 王秉安则认为核心竞争力可以理解为"能力论"、"专长论"、"活动论"、"资源论"和"知识论"等五种类型。王毅将企业核心能力的重要理论观点归结为整合观（不同技能和技术流的整合）、网络观（技能网络）、协调观（各种资产和技能的协调配置）、组合观（各种能力的组合）、知识载体观（用各种知识载体要指示）、元件—构架观（元件能力和构架能力）、平台观（对产品平台的作用）、技术能力观（用专利指示的相对技术能力）。[②] 归纳起来，可以分为以下五种：

1. "资源能力论"

持这一类观点的研究者认为，企业核心能力是一种企业以独特方式运用和配置的特殊资源。这是经济学研究中资源观的研究焦点。[③] 也有学者认为，核心竞争力是企业一系列能力的综合。能力与资源是一对相关但作用不同的概念。[④] 以罗斯比和克里斯蒂森为代表的能力学派认为能力是确定资源组合的生产力，资源是能力发挥的基础。高知识和高技能的个人集合体并不能自动形成有效的组织。团队和经验资本基础上的人力资本方可以看做企业的能力。无形资源与企业能力的区分应以是否可交易来确定。能力的差异是企业持续竞争优势的源泉。

[①][③][④] 参见杜云月、蔡香梅：《企业核心竞争力研究综述》，《新华文摘》2002年第9期。

[②] 参见王毅：《企业核心能力：理论溯源与逻辑结构剖析》，《管理科学学报》2000年第3期。

在国内，丁开盛、周星和柳御林等学者分别撰文认为，企业核心竞争能力就是企业具有开发独特产品、发展独特技术和独特营销的能力。它以企业的技术能力为核心，通过战略决策、生产制造、市场营销、内部组织协调管理的交互作用而获得并使企业保持持续竞争优势的能力，是企业在发展过程中建立和发展的一种资产和知识的互补体系，其强弱在很大程度上受企业面临的产业技术和市场动态的影响。

李悠诚等认为企业核心能力就是无形资产。他们认为核心能力的内容包括"技术、技能和知识，它在本质上是企业通过对各种技术、技能和知识进行整合而获得的能力"。① 核心能力由无形资产构成，是通过对各种无形资产的有机整合而形成的。

谭劲松、张阳认为，公司的内部资源和能力是开发价值创造战略的基础。资源和能力作为公司拉大和对手竞争优势距离的源泉，被称为核心竞争力。核心竞争力是公司获取价值创造战略的主要决定因素。②

2."知识创新论"

持这一观点的学者将"知识"和"创新"结合起来描述核心竞争力的内涵。

普拉哈拉德将企业核心竞争力描述为"积累性学识"或"学识"，是一种资源。资源差异能够产生收益差异。企业内部的有形与无形资源及积累的知识，在企业间存在差异，资源优势能产生竞争优势，有价值性、稀缺性、不可复制性以及低于价值的价格获得的资源是企业获得持续竞争优势以及成功的关键因素。在

---

① 李悠诚等：《企业如何保护核心能力载体——无形资产》，《对外经济贸易大学学报》2000 年第 4 期。

② 参见〔美〕谭劲松、张阳：《战略管理》，中国水利水电出版社 1998 年版。

国外，纳菲尔特和潘罗斯是这一观点的主要代表。

随着知识经济时代的到来，知识经济引起了经济理论与实践的变化，对企业管理也提出了新的要求，特别是企业如何进行知识管理，即企业如何获取、创造、扩散与运用知识，在新的知识经济条件下获得持续竞争优势。许多学者，将知识创新引入核心竞争力研究。

聂夫和戴尔根据经济合作与发展组织（以下简称 OECD）的定义指出，知识经济是以知识及其产品的生产、流通和消费为主导的经济。① 知识经济最直观和最基本的特征是：知识作为生产要素的地位空前提高，知识需求成为人类实现其他一切期望的前提，知识生产本身成为社会经济生活的中心，知识经济成为继工业文明即以资本生产为中心的时代之后的又一次深刻的变革，其核心问题是：如何最大限度地发挥人的创新能力。

3. "资产、机制融合论"

程杞国认为，企业的核心能力是企业核心资产的一个重要组成部分。企业的核心资产包括人才、核心能力、核心技术、核心产品等在内的核心群因素，其中高素质的核心人才是核心资产的核心。企业的核心能力是全部核心资产的综合运用和反映，是企业多方面技能、互补性资产和运行机制的有机融合，是不同技术系统管理规定及技能的有机组合。企业具备某些核心资产却不见得一定有核心能力，有了核心能力就有了竞争优势。企业核心能力是形成核心技术和核心产品的关键，核心人才是形成核心能力的关键。王秉安认为企业核心竞争力是由核心产品、核心技术和核心能力构成的。核心竞争力指使企业能在竞争中取得可持续生

---

① 参见 Neef，Dale（ed）. *The knowledge economy*. British：Butterworth—Heinemann. 攀春良、冷民等译：《知识经济》，珠海出版社 1998 年版。

存与发展的核心性能力。它是硬核心竞争力（以核心产品形式和核心技术或核心技能为主要特征）和软核心竞争力（经营管理）的综合。[①]

4."消费者剩余论"

管益忻认为，核心竞争力是以企业核心价值观为主导的，旨在为顾客提供更大（更多、更好）的消费剩余的企业核心能力的体系。核心竞争力的本质内涵是消费者剩余。[②]

消费者剩余是顾客得到的高于竞争对手的产品或服务品质与价值。简言之，就是价廉、物美或兼而有之者，是实惠的产品或服务。

5."体制与制度论"

左建军认为，企业体制与制度是最基础的核心竞争力。企业体制和制度是生产关系，现代企业体制与制度能保证企业具有永久的活力、决策的科学性、企业发展方向的正确性，是企业最基础的核心竞争力所在，是企业发展其他竞争力的原动力和支持平台，其他竞争力只是在此平台上的延伸，与核心竞争力共同组成了核心竞争力系统。

（二）关于企业核心竞争力的特征

对企业核心竞争力的特征的认识，较多的研究者认为有价值性、异质性和延展性三个特征。[③] 此外，也有人认为，核心竞争力还具有知识性、资源集中性、动态性和非均衡性、可叠加性等特性。企业核心竞争力的特征可以归纳为四个方面：

---

① 参见王秉安：《企业核心竞争力理论探讨》，《管理科学》2000 年第 7 期。

② 参见管益忻：《论企业核心竞争力：开创战备管理新纪元的第一选择》，中国经济出版社 2000 年版。

③ 参见杜云月、蔡香梅：《企业核心竞争力研究综述》，《新华文摘》2002 年第 9 期。

1. 价值性

企业核心竞争力在提高企业效率、降低成本和创造价值方面能比竞争对手做得更好，同时也应给企业的目标顾客带来独特的价值和利益。管益忻的"消费者剩余"即是核心竞争力价值的一部分。

2. 异质性

企业不同，核心竞争力不同。核心竞争力是特定企业的特定组织结构、特定企业文化、特定企业员工群体综合作用的产物，是在企业长期经营管理实践中逐渐形成的，是企业个性化的产物。因此竞争对手在短期内很难超越。不同研究者对"异质性"有不同的表述，如"特定性"、"专有性"、"途径依赖性和累积性"、"独特性"等。这些不同的表述从其具体阐释来看，却基本上是一致的。值得注意的是，衍生出"异质性"特性的核心能力中难以用语言、文字、符号表征的部分内容，更造成了核心竞争力的不可交易与不可模仿。因此，有人将其表述为不可模仿性、"整体性"或"暗默性"。

3. 延展性

在企业能力体系中，核心竞争力是母本、是核心，有溢出效应，可使企业在原有竞争领域中保持持续的竞争优势，也可围绕核心能力进行相关市场的拓展，通过创新获取该市场领域的持续竞争优势。也有研究者将延展性表述为"持久性、衍生性"。

4. 知识性

企业核心竞争力是由企业的资源和能力升华而成的，是企业的一种特殊的智力资本。哈默和普拉哈拉德把核心竞争力定义为，组织中的积累性学识，特别是关于如何协调不同生产技能和有机结合多种技能的学识。企业是一个学习性的组织，是一个知识集合体（克努森：核心竞争力三个基本命题之一）企业积累发展过程中不断获得各种知识，包括对外部知识的吸收和自身经验的提升，并将这些知识逐步融入企业的正式组织和非正式组织中，融入企业实践过程中。

（三）关于企业核心竞争力的构成要素

在企业核心竞争力构成要素上，有不少研究者有比较一致的看法。他们认为技术是核心竞争力中很重要有时甚至是很关键的一个组成部分。这种技术被王秉安称为"核心技术"，[①] 被周星、巢来春称为"核心技术能力"，被邹海林称为"研究开发能力"和"不断创新的能力"，被李悠诚称为"企业的生产技能"等。这些研究者认为企业核心技术能力包括企业的研发（R&D）能力、产品工艺创新能力。[②] 其中研发能力是最为关键的。核心技术能力决定了企业将技术资源转换为技术优势的能力水平。

除此而外，研究者们在核心竞争力组成要素上也有不少分歧。杜云月、蔡香梅将其归纳为六种构成要素论。[③]

1. 两类竞争力构成论

王秉安认为，企业核心竞争力由硬核心竞争力和软核心竞争力两类竞争力组成。硬核心竞争力指以核心产品和核心技术或技能形成为主要特征的核心竞争力，这类核心竞争力在技术密集型行业尤为重要。软核心竞争力指企业在长期运作中形成的具有核心竞争力特征的经营管理方面的能力。[④] 这类核心竞争力更加无形，更难识别与模仿。

---

①④　参见王秉安：《企业核心竞争力理论探讨》，《管理科学》2000 年第 7 期。

②　参见李悠诚等：《企业如何保护核心能力载体——无形资产》，《对外经济贸易大学学报》2000 年第 4 期。

③　参见杜云月、蔡香梅：《企业核心竞争力研究综述》，《新华文摘》2002 年第 9 期。

2. 两维系统构成论

王毅等认为企业核心能力是由能力及能力构架与层次组成的一个两维知识系统。企业是一个能力系统，核心能力是其子系统，它蕴藏于企业所涉及的各个层次由能力元和能力构架组织，能使企业获得持续竞争优势并在动态中发展。核心能力具有系统的共性，由各要素及要素间的关系构成，各构成要素就是能力元，而能力元之间的关系属于能力构架，能力元是关于企业涉及的各层次构成元件的知识，是企业核心能力系统的基本构成要素；是掌握与运用能力的基础。能力构架是企业所涉及的各层次构成元件之间的关系、知识以及各层构成要素之间的关系知识。[①]

3. 三要素构成论

周卉萍认为核心竞争力由领先于竞争对手的三要素构成。这三要素是：技术和体现这一技术的新产品、新服务方式；管理文化氛围（上下同心同德的适应企业发展共同价值观）；新理论、新经验的学习率和传递率（从领导人开始，各阶层都不断学习和吸收国内外新理论、新经验，了解新的形势、新变化，并把新东西迅速传递出去）。[②] 王利政认为，核心竞争力是由企业文化力、学习力、创新力有机复合组成的统一体，而这三力自身都各成体系，同时它们组合在一起又相互作用。其中文化力又是由它的核——核心价值观及核的外层——企业精神这两个层面构成的。企业学习力是联系文化力和创新力的桥梁和纽带，它的结构是由学习力的核——学习精神，以及围绕核形成的学习机制、学习过

① 参见王毅：《企业核心能力：理论溯源与逻辑结构剖析》，《管理科学学报》2000年第3期。

② 参见杜云月、蔡香梅：《企业核心竞争力研究综述》，《新华文摘》2002年第9期。

程三个层面构成的。企业创新力位于核心竞争力的最外层，创新精神是企业创新力的核，创新机制、知识储备、创新过程依次围绕核共同构成了企业创新力。①

4. 多要素构成论

邹海林认为，核心竞争力应由五个要素构成。这五个要素是：研究开发能力、创新能力、将技术和发明创造成果转化为产品或现实生产力的能力、组织协调各生产要素进行有效生产的能力、应变能力。② 范徵提出的"基于知识资本的核心能力理论"认为，由"人力资本与核心员工能力"、"技术资本与核心创新能力"、"组织资本与核心组织能力"、"客户资本与核心营销能力"、"社会资本与核心关系能力"共同组成的"企业核心能力轮轴"就会整合出企业独特的核心能力。③

金碚认为，影响企业竞争力的要素分为四个层次：关系、资源、能力和知识。④

还有人认为制度是基础的核心竞争力，先进的企业体制与制度是企业最基础的核心竞争力，是企业竞争力系统的平台，体制与制度与在此平台上延伸的人才、技术创新、管理、品牌、专业化等方面共同组成核心竞争力系统。

5. 全要素构成论

管益忻认为，凡是企业特有的、足以胜过竞争对手的所有全部要素都构成企业核心竞争力的一部分。这些要素包括市场预测、研究开发、市场营销、加工制作、经营决策、人力资源开

① 参见王利政：《企业核心竞争力结构解析》，《中国软科学》2004 年第 5 期。
② 参见邹海林：《论企业核心能力及其形成》，《中国软科学》1999 年第 3 期。
③ 参见范徵：《论企业知识资本与核心能力的整合》，《经济管理·新管理》2001 年第 22 期。
④ 参见金碚：《论企业竞争力的性质》，《中国工业经济》2001 年第 10 期。

发、品牌战略、企业文化、战略管理以及企业的产业创新、制度创新等一系列关键程序、能力、资源、机制等。[①]

（四）关于企业核心竞争力战略和管理

罗海成认为，企业制定核心竞争力战略要遵循集中战略原则、特色战略原则、虚拟战略原则、动态战略原则、协同战略原则和行业匹配战略原则，以企业规模大小和参与企业数量两个维度为基本出发点拟定企业核心竞争力战略矩阵，即核心竞争力的集中差异化战略（企业在一个小范围内创造独特优势，以取得竞争主动权的战略）、核心竞争力的价值链集群规模战略（一组中小企业沿行业价值链进行生产分工，达成集群规模，获得竞争优势的战略）、核心竞争力的同心多元化战略（以企业核心竞争力为圆心，以企业多元化领域—行业所要求的行业关键能力与企业现有的核心竞争力的偏离程度大小为半径构建的战略模型）、核心竞争力的协同经营战略（即大型企业的虚拟经营战略和战略联盟战略的总称）。[②]

而对核心竞争力战略管理则有多种观点。

王秉安总结出核心竞争力对企业战略管理的十大影响：由"分配配置资源"转向"集中配置资源"，由"发展全面优势"转向"创造差异优势"，由"争夺最终产品市场份额"转向"争夺核心产品市场份额"，由"提高企业对环境的适应"转向"强化对自身素质的培育"，由"做好企业全面管理"转向"集中做好关键环节管理"，由"垂直多元化发展"转向"对价值链关键环节把握"，由"横向多元化扩张"转向"回归业主"，由"争取分

---

① 参见管益忻著：《论企业核心竞争力：开创战备管理新纪元的第一选择》，中国经济出版社 2000 年版。

② 参见罗海成：《基于企业核心竞争力的基本战略研究》，《福建行政学院福建经济管理干部学院学报》2001 年第 2 期。

散风险"转向"努力增强实力",由"产品组合管理"转向"技术组合管理",由"追求规模经济效益"转向"培育转续性竞争优势"。并在此基础提出了企业核心竞争力管理的重要环节:识别、规划、培育、部署和维护。①

吴晓波从二次创新周期理论出发提出了五种学习模式(适应性学习、维持性学习、发展型学习、过渡型学习和创造型学习)和组织学习的三层次:基础层次、操作层次和战略层次,通过组织学习核心竞争力的动态性在获取、模仿、同化、提高、危机更新等阶段提升核心竞争力。②

李相银则提出从洞察并抢占商机、进行核心要素、创新和建立学习型组织等方面着手创建核心竞争力。③ 李向波、元凤江认为,企业在当今要取得长期竞争优势应将核心竞争力的识别、培育、运用、巩固和创新作为一系统工程加以管理。韩承明、于淑莲将核心能力视为一个过程,要经过定位、造就和拓展三个阶段。④

武博从价值取向的角度研究核心竞争力的管理,认为应包括核心竞争力的识别、规划、培育、部署和维护等。⑤ 宋远方从依

---

① 参见王秉安:《核心竞争力观念对当代企业管理理念的影响》,《福建行政学院福建经济管理干部学院学报》2001年第2期。
② 参见吴晓波:《动态学习与企业的核心能力》,《管理工程学报》2000年(增)。
③ 参见李相银:《核心竞争力:从内部寻求竞争优势》,《暨南学报(哲学社会科学)》2001年第4期。
④ 参见韩承明、于淑莲:《提高企业竞争能力标准谈》,《技术经济与管理研究》2001年第2期。
⑤ 参见武博:《企业核心竞争力的价值取向与管理》,《工业企业管理》2002年第4期。

靠知识管理、[①] 张维炯从品牌资产、[②] 李国英从企业资源配置力[③]等方面探讨提升企业的核心竞争力。

袁维海提出：优化组织是提升核心竞争力的根本，技术创新是提升核心竞争力的关键，管理创新是提升核心竞争力的基础，制度创新是提升核心竞争力的保证，战略研究是提升核心竞争力的推动力量。[④] 与其观点相似的黄煦图（企业总经理）也提出企业核心竞争力培育和巩固的措施：确立与企业核心竞争力相融合的企业发展战略，以核心产品开发加快企业核心竞争力的提升，围绕企业核心竞争力的建立开展企业的战略性重组，完善企业运行机制发挥企业潜力，培养高层次企业人才保证核心竞争力的实现，重视企业文化建设，营造有竞争力的文化氛围等。[⑤]

二、高校核心竞争力研究综述

高等教育的理论工作者和管理者，将企业核心竞争力理论应用于高校战略管理，形成了初步的理论和实践成果。

（一）高校核心竞争力研究概况

我国高校核心竞争力研究是在 20 世纪末才开始的，且许多成果散见于专家学者的论文著作之中。

高校核心竞争力研究者的知识背景和工作经历往往影响其研

---

① 参见宋远方：《知识管理与企业核心竞争力培养》，《管理世界（月刊）》2002年第8期。

② 参见张维炯：《品牌资产和企业核心竞争力》，《上海管理科学》2002年第1期。

③ 参见李国英：《企业资源配置力与企业竞争力》，《理论月刊》2001年第11期。

④ 参见袁维海：《提升我国产业核心竞争力若干思想》，《管理现代化》2002年第2期。

⑤ 参见黄煦图：《论企业核心竞争力的培育》，《南方经济》2001年第10期。

究视角。第一种情况，搞管理学、经济学研究的往往倾向从规范的企业核心竞争力理论的固定范畴、概念出发，去研究高校核心竞争力的实际问题，然后再上升到理论高度，用理论指导实践。如赖德胜、武向荣的《论大学的核心竞争力》、马士斌的《战国时代：高校核心竞争力的提升》、周进的《大学中学科核心竞争力》以及李景渤的《从核心竞争力的视角看我国西部地区高校如何发挥地域特色》就是如此。第二种情况，高等教育学专家往往从高校管理实际出发，借用"核心竞争力"的概念去研究实际问题。如胡建华《试析研究型大学的本质——学问的生产力》中的观点、张卓《研究型大学的基本特征和评价体系》中的观点，以及王继华、文胜利《论大学核心竞争力》中的观点当属此类。第三种情况是许多高校管理工作者在工作实践中感悟到提升高校核心竞争力的重要性，通过讲话、报告等形式提出的理论。如宁波大学校长聂秋华的《竞争与发展——在中层干部会上的讲话》、厦门大学校长陈传鸿的《切实加强学科建设，构筑学校核心竞争力》、株洲工学院党委书记兼院长张晓琪的"扬长避短、以奇制胜"战略思想、浙江经济职业技术学院应智国的《论专业群建设与高职办学特色》等，都是根据从本校的具体情况，提出了核心竞争力的内涵和如何提升核心竞争力的措施。

此外，国内外许多校长、专家还从办学特色和优势的角度间接地阐述了核心竞争力的有关理念。

菲律宾文化学院（IPC）将核心竞争力聚焦于科学研究，由此分离出两个主要领域：竞争能力建设和知识传播。科学研究集中在两个方面：一是常规项目；二是围绕为持久难以解决的问题提供答案或解决办法的议题，在菲律宾社会和文化的基础上创立了原动力理论。①

弗吉尼亚高等教育联邦协调委员会（SCHEV）将核心竞争力设计为提供改进公众谅解信息能力和弗吉尼亚学院毕业生能被期望掌握的基础知识的集锦。并从 2002 年秋开始在乔治梅森大学、老道明大学、弗吉尼亚州立大学等 7 所大学进行 14 个新课题的研究，以提高弗吉尼亚高等教育的整体能力。②

卡伦·乔丹从战略计划和计划过程出发论述了 Academy 的战略计划。③ 主要包括：罗伯特的竞争七原则、④ 约翰·布莱生关于公共和非营利性组织的战略计划和"布莱生模块"、⑤ 乔治·莫里塞的计划理论和模块⑥等内容，对高校核心竞争力战略制定具有很重要的指导意义。

比尔·华特斯则从加尼福利亚的一个创新项目研究出发，将冲突转化作为核心竞争力，即大学毕业生获取文凭必须具备核心知识和核心能力。而合作能力和冲突转化能力则是核心的学术能力。具体指冲突转化、冲突的协商和冲突的仲裁。⑦ 因此核心竞争力包括核心知识、核心技能和核心态度。

应该说尽管高校核心竞争力研究起步较晚，但还是迈出了坚

---

① 参见 Ateneo de Manila，University—Institute of Philippine Culture（IPC）. http.//www. admu. edu. ph/ipc/。

② 参见 NR— SCHEV. *Revised policy for approving academia*. March 21. 2002。

③ 参见 Michel Robert，*Strategy：pure and simple*. ISBN 0—07—0531 31—5。

④ 参见 Michel Robert，*Strategy：pure and simple*. ISBN 0—07—0531 31—5。

⑤ 参见 John Bryson，*Strategy planning for public and nonprofit organizations*. ISBN—55542—087—7。

⑥ 参见 George L Morrisey，*Morrisey on planning*. ISBN 0—7879—0170—9，ISBN 0—7879—0169—5，ISBN 0—7879—0168—7，http.//www. morrisey. com。

⑦ 参见 Bill Warters，Collaboration and conflict resolution skill：A core academic competency. *Conflict Management in Higher Education Report*，vol. 1，no. 4，Nov/Dec，2000。

实的一步。

（二）关于高校核心竞争力的重要观点

1. 什么是高校核心竞争力

应该说，从以上分析我们可以看出，对什么是高校竞争力的理解有许多种，主要有以下几种观点：

第一种观点是能力整合论。主要代表者是北京师范大学的赖德胜、武向荣，他们从核心竞争力规范定义出发，提出"大学的核心竞争力就是大学以技术能力为核心，通过对战略决策、科学研究以及成果产业化、课程设置与讲授、人力资源开发、组织管理等的整合或通过其中某一要素的效用凸显而使学校获得持续竞争优势的能力"。[①]

第二种观点是构成要素论。持这种观点的研究者一般都从我国办学的实际出发提出高校核心竞争力的要素模型。王继华、文胜利认为，高校核心竞争力要扬弃其原有含义，用以指那些"促进大学走向成功，在大学竞争中起关键作用的要素"。[②] 我国高校核心竞争力要从我国大学办学历程和现实国情出发来界定，应重视以下核心要素：教师、管理和大学校长。

张卓提出研究型大学的核心竞争力的构成要素包括两个部分：学术核心和管理外壳。学术核心由学科和专业构成，其基本职责是：形成学科、专业的学术队伍；开展科学研究，创造科研成果；开展学术交流，建立学术地位；教书育人，保证教学质量。管理外壳是指大学的组织结构和管理体系。管理外壳的基本职责是制定战略、分配资源和支持学术核心。[③]

---

① 赖德胜、武向荣：《论大学的核心竞争力》，《教育研究》2002 年第 7 期。
② 王继华、文胜利：《论大学核心竞争力》，《中国高教研究》2001 年第 4 期。
③ 参见张卓：《研究型大学的基本特征和评价体系》，《南京航空航天大学学报（社会科学版）》2002 年第 2 期。

孟丽菊从概念塑型角度研究高校核心竞争力，主要指一个大学在竞争和发展过程中与其他大学相比较所具有的吸引、争夺、拥有和控制、转化资源以及创造社会价值收益并为社会提供知识和人才的能力。可以表述为 UC＝f［硬件，软件］，其中硬件包括师资力量、资本存量、科学研究与开发能力、区位力、结构优化程度、聚集力；软件由文化要素、制度要素、管理要素、开放要素、秩序要素构成。[1]

构成大学核心竞争力的硬件核心竞争因素是指大学中能被感知和测量的、大学发展中具有核心优势能力的各种因素的总和，包括领先的学术能力、较强的创新能力、较强的科研成果转化能力和有竞争优势的人力资源。软件核心竞争因素是指一所大学所拥有的难以测量但明显可以促进大学提高核心能力和展示核心优势的各种因素，它是大学长期形成的大学观念、价值、文化、办学理念、大学规划、战略等的综合体现。[2]

别敦荣、田恩舜认为大学竞争力是一个由制度体系、能力体系和文化体系有机组合而成的系统。一个大学的核心竞争力是在大学发展演变过程中长期培育、积淀而成的，它孕育于大学文化，并深深地融合在大学的内质之中。[3]

聂秋华认为，高校核心竞争力是经济效益和社会效益最大化的并重和统一。经济效益是从多种渠道争取尽可能多的办学经费，投向合理的学科专业，努力降低培养成本、提高办学经费的

① 参见孟丽菊：《大学核心竞争力的含义及概念塑型》，《教育科学》2002年第3期。

② 参见李惠玲、王生卫：《论大学的核心竞争力及其培育》，《中国电力教育》2003年第2期。

③ 参见别敦荣、田恩舜：《论大学核心竞争力及其提升途径》，《复旦教育论坛》2004年第1期。

使用效率；学校更注重社会效益，学校的社会效益包括学校贡献给社会的人才、成果的数量和质量，也就是学校的声誉和影响力。大学校长的重要职责就在于提高声誉和影响力。①

宋东霞、赵彦云将高校的核心竞争力纳入高校竞争力分析体系（即核心竞争力、基础竞争力、环境竞争力是高校发展的决定性因素和影响因素）进行研究，而高校核心竞争力是指影响和决定高校在市场经济建设中生存、成长和发展的关键性因素。它包括四个核心要素：学生素质（生源质量、学生的科学素养和人文素养、专业素养）、师资队伍（学位结构、知识结构、年龄结构）、科研活动（科研项目、科研经费、科研成果）、学科建设（全国重点学科、重点实验室、人文重要研究基地）。其中学生素质和科研活动是高校的最终产出，师资队伍是重要资源，学科建设是发展核心。②

李景渤认为形成高校核心竞争力的要素有五个：人是形成核心竞争力的基础，技术是核心竞争力形成的关键，科学的管理体系能发挥整体优势，完善的信息系统是核心竞争力形成的重要保障，创新是保持长久竞争优势的动力。③

罗红认为，学校核心竞争力由三个要素构成：技术（教育能力、管理能力与科研能力）是关键，文化是基础，制度是保证。④

① 参见聂秋华：《竞争与发展——在中层干部会议上的讲话》。
② 参见宋东霞、赵彦云：《中国高等学校竞争力发展研究》，《教育发展研究》2003年第2期。
③ 参见李景渤：《从核心竞争力的视角看我国西部地区高校如何发挥地域特色》，《贵州师范大学学报（社科版）》2002年第4期。
④ 参见罗红：《核心竞争力培养与竞争教育平台》，www. doule. net/homepage/jiaoyuii／－llk。

第三种是核心能力论。许多理论研究者和高校校长认为高校核心竞争力就是一种核心要素。

胡建华提出，大学的社会职能是培养人才、发展科学、服务社会，研究型大学发挥社会职能的基础是人才生产能力和学问生产能力。人才生产能力主要表现为生产人才的规格、数量和质量等；学问生产能力则指在科学的理论、法则、概念、物质的发明与发现方面的数量和质量。而学问生产能力是研究型大学的本质特征。[1]

厦门大学校长陈传鸿认为，从世界著名大学的办学经验来看，成为世界一流大学的关键在于有一批一流的学科，学科水平的高低，决定了学校水平的高低；而越是好的学科，就越能吸引优秀人才，从而才有能力去开拓新的领域。他认为，一流大学必须有强大的整体竞争力，而构成整体竞争力的核心部分就是学科建设水平。所以，可以将学科建设水平称为高校的"核心竞争力"。[2]

株洲工学院书记兼院长张晓琪认为，普通本科院校的核心竞争力是"教学质量"。[3] 应智国认为，专业群（专业体系和实训体系）建设是职业技术学院的核心竞争力。专业群是指一个或若干个相近相关专业及其专业方向共同组成的专业群体。通过专业群建设可以形成自己的优势，做到"人无我有，人有我优，人优

---

[1] 参见胡建华：《试析研究型大学的本质——学问的生产能力》，《南京航空航天大学学报（社会科学版）》2002年第4（2）期。

[2] 参见陈传鸿：《着力改革重在建设促进本科教学再上新台阶》，《中国大学教学》2000年第4期。

[3] 参见张晓琪：《面向市场办学是新形势下大学校长的首要任务》，《湖南社会科学》2002年第2期。

我精"。①

马士斌从分析高校竞争力的结构出发论述其核心要素，认为高校竞争力要素共有七个层次：办学资金、知名度和美誉度、科研成果和毕业生、办学方向和办学能力、人的因素、内部管理体制与人力资源管理运行机制、高校主要负责人的素质。在既定的外部管理体制下，人的因素是高校竞争力的核心。人的数量、素质、结构、配置、积极性、合作与竞争等因素影响核心竞争力的形成，而核心竞争力中的核心力量是教师。②

此外，刘一平认为，学科建设就是高校的核心竞争力。③ 周进还对"大学中学科竞争力"进行了界定，即大学中的学科竞争力，是指大学中的学科作为竞争主体，在争取本学科发展的优势地位上所具有的力量。学科核心竞争力要素包括：学科研究方向、学科带头人和骨干、学科关键实验设备和学科运行机制。④

不同层次、不同类型的高校核心竞争力往往是不同的，而具有相同核心竞争力的高校评价指标也可能存在着差异，陈克以科研与教学为主的高校为研究对象，构建了高校核心竞争力评价指标体系（如图1—1所示）。⑤

2. 高校核心竞争力的特征

论述高校核心竞争力特征的专家并不是很多，主要有：

赖德胜、武向荣认为，大学核心竞争力主要有四个特征：

---

① 参见应智国：《论专业群建设与高职办学特色》，《嘉兴学院学报》2001年第4期。
② 参见马士斌：《"战国时代"高校核心竞争力的提升》，《学海》2000年第5期。
③ 参见刘一平：《牢固确立现代高等教育管理理念》，《求是》2003年第12期。
④ 参见周进：《大学中学科核心竞争力》，《科技导报》2001年第10期。
⑤ 参见陈克：《高等学校核心竞争力研究》，《学术交流》2004年第7期。

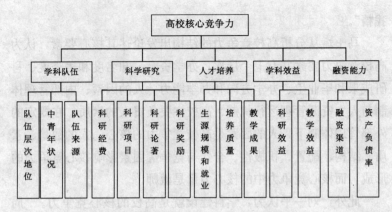

图1—1 高校核心竞争力评价指标体系

（1）技能独特性。技能特征包括科研能力、科研转化能力、教学能力、培训技能等，每所成功的大学在关键技能上具有显著优势。（2）用户价值性。新世纪产品质量标准定位从"产品合格"转向"用户满意"。学校核心竞争力的价值追求体现在提供优质服务，满足消费者（社会、家庭、学生）的需求和偏好上。（3）资产专用性。资产专用性越强，可占用性程度越高，别人就越难以模仿，从而竞争优势就越稳定。资产分为有形资产和无形资产，无形资产是长时间积累的结果，起主导作用，可分为四类：市场资产，它表现为学校和其市场或顾客的关系，包括学校声誉和学术声誉。市场资产直接涉及师资来源、生源和分配，所以是竞争优势的核心；人力资产，体现在雇员身上的才能，包括整体技能、创造力、领导能力、管理技能等，是学校获得竞争力的基础；知识产权资产，包括技能、版权专利、各种设计专用权等；基础结构资产，指学校得以运行的各种技术、工作方式和程序，包括管理哲学、校园文化、管理过程、信息技术交流、网络系统和金融关系等。（4）价值可变性。核心竞争力也有生命周期，因此，学校应与时俱进，不断进行核心竞争力的"升级转换"。①

罗红认为，教育核心竞争力既有技术、制度等内容，也有效益的内容。学校可以更好地传承、内化、加工、创造、应用知识，提高教育质量，提高办学效益，扩大影响力和贡献率。学生能成为知识丰富、情操高尚、人格健全、能力出众的人才，在学习中发展，在发展中成功，在成功中完善。②

3. 如何提升高校核心竞争力

如何提升高校核心竞争力，观点众多。赖德胜、武向荣认为最关键的是制度创新，即通过建立现代大学制度，提供有效的激励机制，构建现代大学管理方式，创建战略联盟，创造一个有利于形成核心竞争力的制度环境。③

别敦荣、田恩舜从制度创新、学科建制和文化建设三个方面选择提升核心竞争力的路径，认为提升大学核心竞争力的前提是制度创新，应从宏观和微观两个角度构筑我国的现代大学制度。提升大学核心竞争力的关键是学科建制，要建立专家主导的学科发展决策机制、建立高度竞争性的学术专业遴选机制和设计优化的学科专业结构。提升大学核心竞争力的源泉是文化建设，要坚持学术性价值导向，营造富有特色的学科文化氛围，注重大学形象设计与建设。④

罗红认为，核心竞争力的培养，需要竞争教育，并且建立竞

① 参见赖德胜、武向荣：《论大学的核心竞争力》，《教育研究》2002 年第 7 期。
② 参见罗红：《核心竞争力培养与竞争教育平台》，www. doule. net/homepage/jiaoyuii/－llk。
③ 参见赖德胜、武向荣：《论大学的核心竞争力》，《教育研究》2002 年第 7 期。
④ 别敦荣、田恩舜：《论大学核心竞争力及其提升途径》，《复旦教育论坛》2004 年第 1 期。

争教育平台。① 陈传鸿从加强学科建设的角度提出，以学科建设促进发展，加快学科结构调整，分类指导、分层次建设，以改革为动力推进学科建设，"重在建议，苦练内功"，注重内涵发展。张晓琪则注重培养目标和"因材施教"，加强学生动手能力培养，重视实践教学。聂秋华认为要寻求内部的实力优势、体制优势和综合性优势，采取切实措施提高教学质量。

马士斌从人的因素出发，制定提升高校核心竞争力的行动路线，其实质就是建立健全有效的内部管理体制和人力资源管理运行机制的过程。②

从地域特色出发，李景渤认为，要树立高屋建瓴的可持续发展观，强化抓住机遇、主动出击的对外交流观，树立保证重点、点网结合、有为有舍的观念，树立力求所有、更求所用的引进智力观，引进外力构建西部高校的核心竞争力。③

陕西省教育厅提出实施人才、专利和技术标准三大战略，推进管理体制、运行机制和分配制度三项创新，构建高校科技创新体系，全面提升陕西高校核心竞争力。④

（三）高校核心竞争力研究存在的主要问题及本书观点

1. 主要问题

虽然高校核心竞争力在国内已经起步，但是与企业核心竞争力研究比较起来，尚存在着许多明显的问题。

---

① 参见罗红：《核心竞争力培养与竞争教育平台》，www. doule. net/homepage/jiaoyuii/－llk。

② 参见马士斌：《"战国时代"高校核心竞争力的提升》，《学海》2000 年第 5 期。

③ 参见李景渤：《从核心竞争力的视角看我国西部地区高校如何发挥地域特色》，《贵州师范大学学报（社科版）》2002 年第 4 期。

④ 参见柯昌万：《陕西提升高校核心竞争力》，http. //www. jschina. com. cn/gb/ischina/edu/trend/userobiect/ail75148. html。

（1）理论研究系统性不强，研究成果的创新性有待提高。从前面综述的比较可以看出，企业核心竞争力研究，虽然才起步十多年，但理论丰富，流派纷呈，已经出现"百花齐放、百家争鸣"的态势，科研成果颇丰，而且理论成果很快就应用于战略管理实践。相比之下，高校核心竞争力研究不仅起步晚，而且各路观点大相径庭，除少数文章具有较强的理论价值之外，大多数文章尚停留在某个具体的操作层面上。从研究层次看，研究研究型大学的多，研究普通高校的，且理论与实践脱节。造成这种反差的原因在于企业总是处在激烈的竞争之中，要求管理工作者和理论工作者考虑的大多是生存和发展问题，"逼着"他们寻求提高效益、增强竞争力的理论和方法；而高校之间的竞争在国内是近几年的事，人们才刚刚感受到竞争的压力。

（2）理论研究滞后实践探索，实证研究尚未起步。从综述中可以看出，在理论成果不太多的情况下，已有许多高校管理工作者在积极探索提升竞争优势的途径，理清什么是高校的核心竞争力，但是这种探索往往又是不够系统全面，有些站得角度还不够高；另一方面，已有的部分科研成果尚处于"纸上谈兵"阶段，究竟能否指导实践尚需要进一步检验。这种理论与实践互不照面的现象尚未打破。

（3）理论研究的时代感尚需进一步凸显，研究空白点较多。高校核心竞争力的内涵是直接移植还是彻底创新更适合我国高校的"校情"、高校核心竞争力理论模型及评价体系、高校核心竞争力对于不同主体有无统一竞争模型等问题都还无人涉及。在知识经济和教育国际化的浪潮中，高校如何实施知识管理，建立"学习型组织"等等，理论和实际工作者都必须作出正面回答。

2. 本研究的基本观点

（1）必须充分认识提升高校核心竞争力的战略意义。教育理论工作者和高校管理工作者都要认识到，提升高校核心竞争力是增强我国国际竞争力的战略基础，是我国高校整体迎接入世挑战的战略举措，是提高我国高校战略管理水平的战略需要，是持续高校竞争优势的战略资源。

（2）高校核心竞争力概念及构成要素。高校核心竞争力是指高校在参与国际、国内竞争中获取可持续生存和发展优势的核心能力。其构成要素包括学术生产能力（名师、学科竞争力、学问生产能力）、人才生产能力（人才生产规格、人才生产数量、人才生产质量）、管理力（管理者、争取发展经费和空间、创建良好学术环境、提高办学效益）、文化力（校园精神、校园文化、校风）。四个构成要素的交叉点是学习力，包括学习能力、学习动力和学习毅力。学习力由三个层次构成：个体学习能力、团队学习能力和组织学习能力。

（3）高校核心竞争力的特征。本质特征是知识性；一般特征是延展性、价值性、异质性和过程性。

（4）高校核心竞争力的评价和预警。借助灰色模型和人工神经网络理论，构建高校核心竞争力的评价指标体系和预警系统。

（5）高校核心竞争力战略。战略目标：建立学习型组织。管理载体：知识管理。重点：提升学习力。管理措施：高校核心竞争力的识别、规划、培育、运作、维护和转换。

第三节　高校核心竞争力研究的结构与体系

高校核心竞争力研究，包括的内容较为广泛。为了理清本研究和整个研究计划的关系，有必要对本研究的边界界定、基本范畴、研究的基本内容、方法及技术路线等做一个系统的说明。

一、研究的边界界定及基本范畴

(一) 研究的边界界定

对研究对象——竞争主体的界定。高等学校作为竞争的主体，是指列入国民教育系列，为国家经济建设和社会发展输送人才的高等教育机构。作为竞争主体来研究的高校，按照传统的分类可分为：研究型高校、教学研究型高校、教学型高校、高职专业型高校，或分为部属重点高校和地方高校。

本书的研究借用这种分类主要是为了便于说明问题，尤其是理清竞争主体之间的关系。因为高校之间只有竞争才有竞争力的问题，才有进一步提升核心竞争力的问题。而事实上，高校之间的竞争往往也是分层进行的。大多产生于同类高校之间，不同层次高校也存在着一定程度的竞争，但这种竞争往往比较微弱。

本书的研究既将高校作为教育单位，又将其视为组织，从类企业角度对其进行系统研究，说明高校引进核心竞争力理论的合理性和科学性。

对核心竞争力研究内容的界定。核心竞争力研究一般应有三个部分组成：什么是核心竞争力，主要解决概念、特征、本质、构成要素等问题；核心竞争力如何评价，主要解决评价指标体系构成和评价方法问题；核心竞争力如何提升，主要解决提升战略的切入点和管理措施。这些内容是高校核心竞争力整个研究课题总体构思。而对于本书来说，侧重解决"高校核心竞争力是什么"的问题，这主要是因为：（1）整个研究计划过于庞大，限于时间、精力、篇幅只能选择一个重点进行研究；（2）"高校核心竞争力是什么"的问题是整个研究计划中最基本，也是最难的问题，只要解决了这个问题，后面的两个问题也就迎刃而解了。

对研究性质的界定。首先要说明的是，本研究属于高等学校战略管理研究。核心竞争力理论是从战略管理理论基础上衍生出来的新型理论，高校战略管理是高校管理工作者始终关注的，涉及高校发展方向和行为选择的根本性问题，而核心竞争力关注的是从哪个重点方面关注高校发展方向和行为选择，即发展方向和行为选择的深层动力。战略管理和核心竞争力的交叉点就是本书的重点之一。其次，本研究又是在高等教育理论框架内进行研究。高等教育理论是高等教育宏观、微观实践的理论概括，对高校的实践及其理论探索具有很强的指导性。当解决了核心竞争力理论移植高校战略管理实践问题以后，也就找到高等教育理论与核心竞争力理论的共同点，即研究高校获取持续竞争优势的不竭源泉和根本动力是什么。

根据以上分析，可以将研究界定为（如图1-2所示）：

图1-2 研究问题界定

（二）研究的基本范畴

本书的研究定为高校核心竞争力分析模型研究。由此引申，需要明确其基本范畴：

1. 分析共性模型、个性模型、图示模型、数字模型
2. 资源、能力、知识
3. 竞争优势、竞争力、核心竞争力
4. 知识、知识流、价值链

二、研究的基本内容及技术路线

（一）研究的分析框架

本书既借鉴企业核心竞争力理论，又整合现有高校核心竞争力研究成果，主要从知识和能力入手，有两条主线：

显性：理论基础 实践基础 本质分析→理论分析→要素分析→（调查）→分析模型→模型验证

隐性：知识系统——学习系统——学习力

价值链运行：知识（资源）——知识链——能力——学习链——核心竞争力

图 1—3

　　显性主线从理论基础、实践基础出发，研究竞争主体，奠定整个研究的宏观基础。本质分析、理论分析（概念、特征、本质）、要素分析是主体内容部分，从三个方面采取步步深入的方式研究"高校核心竞争力是什么"的，最后得出高校核心竞争力的理论图示模型和数字模型。整个研究采用层层推演和逐步收敛的方式进行论述。隐性主线围绕"知识——能力"展开，首先明确高校核心竞争力是一种寻求可持续竞争优势的能力，而其他研究所表述的是"资源"和"制度"[1] 等都是与能力有关的要素；其次，"资源"本身并不是竞争力，而整合资源的能力才是核心竞争力的一个组成部分；"制度"则是核心竞争力提升的保障，是核心竞争力要素中的一个分子。因此，本书以"能力"作为研究的隐性主线，将"人"、"知识"分别作为"核心竞争力"的载体和源泉，而最终的"学习力"是核心竞争力的本质和表现形式。

---

　　[1]　参见林善浪、吴肇光著：《核心竞争力与未来中国》，教育科学出版社 2003 年版，第 424 页。

隐性主线中有两条价值链是推动核心竞争力运行的系统：知识链和学习链。这是推动高校核心竞争力形成和发展的主动力。因而研究高校核心竞争力，就必须以这两条价值链和两个并行主线为研究的主体，进行全面深入的研究。

（二）研究的技术路线

根据以上分析，给出本书研究的技术路线（如图 1－4 所示）：

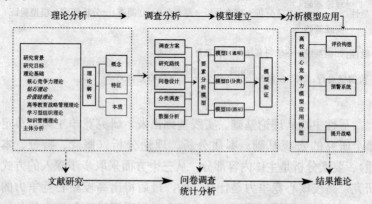

图 1－4　高校核心竞争力研究的主技术路线图

第四节　高校核心竞争力研究的方法和布局

一、本书的主要研究方法

本书采用的研究方法，总体上是理论研究和实证研究相结合，具体有以下几种：

（一）文献研究法

文献研究法是一种传统的定性研究方法，通过对大量的中英文献资料的对比分析，归纳演绎出某个研究结果，本书中高校核心竞争力的概念、特征就是采用此种办法研究的。文献研究法的理论支撑是质的研究方法（Qualitative Research），[①] 即通过研究者与被研究者之间互动，对事物进行深入、细致、长期的体验，然后对事物的"质"得出一个比较全面的解释。研究者对资料的把握和对高校现实竞争的长期体验，互补性地推进研究者对高校核心竞争力"质"和"本质"的认识。

（二）调查分析法

高校核心竞争力研究中理论模型的验证、要素的分析等都需要通过调查分析法。它包含问卷调查和定量分析两层含义。

问卷调查是常用的一种调查方法。本书在对高校竞争力要素分析时，采取在全国高校抽取适量样本（约8％）进行问卷调查，验证高校管理工作者对核心竞争力构成要素的认可度。此外，还可以采取教育部统计年鉴以及权威报刊的统计资料取得调查信息。

定量分析方法是通过对事物可以量化的部分进行测量和分析，检验关于该事物的某些理论假设的一种研究办法。本研究根据如前所述的问卷调查所获资料，以及有关权威部门的统计资料，进行描述性统计和模糊一致性分析，从而验证所提出的"构成要素"以及理论模型的正确性。但是由于抽取样本的主观性和客观条件的局限性，这种分析方法须与其他方法交互使用，相互验证。

（三）参与式研究法[②]（包括个案研究法）

参与式研究（Participatory Research，简称PR）是国际上

----

① 参见陈向清：《质的研究方法和社会科学研究》，教育科学出版社2000年版，第9—10页。

② 参见程化琴：《参与式研究——一种变革的研究范式，加强教育科学研究促进高等教育创析》，北京理工大学出版社2004年版。

成人教育研究中广泛采用的一种研究方法和方法论。在国际教育百科全书中，参与式研究被描述为三种活动的结合，即教育、研究和行动。参与式研究是与"被研究者"一道开展研究，研究目的是为了解决"被研究者"面临的问题，研究内容是与"被研究者"切身利益密切相关的问题，并最终由"被研究者"自己找到解决问题的方法。

参与式研究包括研究文件、研究目标、研究结果、研究过程几个要素。[①] 可以分为五个阶段：（1）广泛准备（背景研究）(Organization of the Project and Knowledge of theWorking Area)。（2）确定主题（命名）(Definition of Generating Problematic)。（3）深刻领悟（理解）(Objectification and Problematization)。（4）信息收集与处理（调查）(Researching Social Reality and Analyzing Collected Information)。（5）落实行动（实施）(Definition of Action Projects)。[②]

（四）框架分析法

每一种模型在建立时都抽象了竞争的复杂性，并把隐藏在深处的关键变量隔离出来。每个模型标准化的重要性依赖于它的假设和现实世界吻合的程度。

高校在不确定环境下决策要涉及很多变量，这些变量在用模型来研究竞争时就显得过于复杂。在这种条件下，最好能够关注变量并用框架来明确关键的变量以及它们的相互作用。框架包含很多变量，并进一步控制实际竞争中的许多复杂性因素。框架的逻辑隐含在所包含变量的选择、变量的组织方式、变量的相互作

---

① 参见程化琴：《参与式研究——一种变革的研究范式，加强教育科学研究促进高等教育创新》，北京理工大学出版社 2004 年版。

② 参见 Patricia Maguire, Doing participatory research: a feminist approach, *The Center for International Education School of Education*. Massachusetts: University of Massachusets, 1989.

用、变量的选择模式以及选择对结果的影响中，利用框架来强调不同观点的对话有助于管理者把问题结构化并解决问题。

二、本书研究的结构布局

本书共分四大部分：

第一部分：（第一至五章）　　　理论研究

第二部分：（第六至八章）　　　实证研究

第三部分：（第九至十一章）　　研究推论

第四部分：（第十二章）　　　　案例分析

第一章：绪论。本章分析了高校核心竞争力的选题背景及研究目标，论述了当前我们研究高校核心竞争力的重要性和紧迫性，综述了国内外关于核心竞争力和高校核心竞争力的基本观点，以及高校核心竞争力研究存在的主要问题，具体阐述了本书研究的边界界定、基本范畴、研究方法及主要内容，系统地回答将研究什么和如何研究的问题，为后面进一步研究奠定了基础。

第二章：高校核心竞争力理论研究及主体分析。本章通过对核心竞争力的理论溯源和主要理论——价值链、钻石理论的论述，揭示核心竞争力理论的发展轨迹以及对本书研究的基础性作用。通过对高校战略管理理论、学习型组织理论的引用和阐述，论述了其对高校核心竞争力研究的支撑作用。通过对知识理论的系统分析，揭示知识理论对高校核心竞争力研究的核心作用。核心竞争力理论、高校战略管理理论和学习型组织理论以及知识管理理论构成高校核心竞争力分析模型研究的四大理论支柱，发挥基础性、支撑性和核心性作用。本章还研究作为竞争主体的高校的分类定位和功能分析。研究高校竞争主体矩阵、竞争的态势以及影响高校竞争的五种力量，分析高校竞争优势与核心竞争优势之间关系，为进一步分析高校核心竞争力的其他组成内容奠定了基础。

第三至五章：高校核心竞争力研究的理论分析（概念、特征、本质）。本章着重从知识和能力角度出发，探讨高校核心竞争力的概念，从本质特征（知识性）和一般特征（延展性、价值性、异质性、过程性）等方面探讨高校核心竞争力的特征。研究高校核心竞争力本质及其正确性，提出高校核心竞争力本质是学习力的假设，并从核心竞争力理论的本来意义、高校自身学习型组织特点以及高校核心竞争力的知识性特征等角度论证假设的正确性，从而对高校核心竞争力本质——学习力进行了构建解析，并对其实践意义进行了探讨。

第六至八章：高校核心竞争力构成要素分析、模型建立及验证。主要论述高校核心竞争力构成要素及其验证。从显性要素（学术生产能力、人才生产能力）和隐性要素（管理力、文化力）两大要素出发，进一步深化对高校核心竞争力内涵的分析。通过模糊一致性和问卷调查两种形式分别验证构成要素假设的合理性。讨论高校核心竞争力分析模型建立的原则及种类，并分别以十所研究型高校、教学研究型高校、教学型高校、专科、民办高校为例，应用分析模型进行高校核心竞争力的识别。

第九至十一章：分析模型的应用构想和本书总结——高校核心竞争力分析模型研究的主要结论及不足。从评价、预警、提升战略三个方面对分析模型的应用进行展望，总结本书的主要结论，指出本书的创新之处、不足之处以及今后的研究计划。

第十二章：选择部分有代表性的高校，运用高校核心竞争力分析模型的相关结论进行分析和说明，提示高校未来获取核心竞争力的本质。

第二章　高校核心竞争力研究的理论基础

高校核心竞争力研究的理论溯源于核心竞争力的主流理论，同时又兼收高校战略管理理论以及知识管理理论、学习型组织理论。其中，核心竞争力主流理论是高校核心竞争力分析模型研究的基础理论，高校战略管理理论是研究的支撑理论，知识管理理论和学习型组织理论的是论述本文研究的核心理论。

第一节　核心竞争力主流理论

一、企业核心竞争力理论的形成与发展

（一）核心竞争力理论是企业战略管理理论的延伸与发展

企业竞争战略理论演化经历了三个阶段：[①]

1. 从 20 世纪 50 年代开始的以战略管理为中心的竞争理论阶段

构成企业竞争理论主体的许多基本理论与方法都产生于这一

[①]　参见王秉安：《企业核心竞争力探讨》，《管理科学》2000 年第 7 期。

时期，如安索夫的产品市场矩阵、波士顿咨询公司的 BCG 矩阵、通用电气的 GE 九方图、拉依斯的业界地位竞争理论、SWOT 分析、PEST 分析等。它们共同的特点是通过对企业内外部的综合分析来为企业制定战略提供依据，这类分析方法称为战略分析法。这些理论构成战略管理的基本内容和基本框架，因此可以把它们统称为以战略管理为中心的竞争理论。

2. 从 20 世纪 80 年代开始的以市场结构为中心的竞争理论阶段

这个阶段的代表人物是 M·波特，他的几个重要理论是：(1) 五种力量行业结构竞争模型（同业者、替代业者、潜在业者、购买者和供应者）；(2) 基本战略理论（成本优势战略、差异化优势战略和集中优势战略）；(3) 国家行业竞争力模型。①其中第三种理论将竞争分析的注意力重点放在企业，认为行业的吸引力是企业赢利水平的决定性因素，市场结构分析是企业制定竞争战略的主要依据，因此这一阶段的竞争理论被称为以市场结构为中心的竞争理论。

3. 从 20 世纪 90 年代开始的以企业素质为中心的竞争理论阶段

20 世纪 90 年代以来，市场结构为中心的竞争理论受到挑战。支持者和非难者争辩的事实之一是：同行业的不同企业之间利润率的差异程度往往比不同行业间的企业利润率的差异程度大得多。这种争论的合理性暂不讨论，值得注意的事实是：把竞争战略制定的立足点过分偏向外部分析，可能会导致决策的波动性和战略的不连贯性，因为环境波动只会越来越大。这就为以企业素质为中心的竞争理论的出现创造了一个背景条件。

以企业核心竞争力为代表的企业竞争理论强调企业竞争力分

---

① 参见 Michael E. Porter, *Competitive strategy*. The Free Press, 1980。

析的注意力应集中到企业自身上来，以培育企业核心性的竞争能力为主方向，以创造企业可持续性的竞争力优势为战略目标，不断提高企业自身素质，确保企业在激烈的竞争环境中长盛不衰。

（二）核心竞争力理论产生的背景

核心竞争力理论是竞争战略理论发展的第三阶段，其自身的产生与发展经历了几乎与竞争战略同步的三个不同时期，即 20 世纪 50—80 年代的漫长孕育时期、20 世纪 90 年代的诞生期和进入 21 世纪的迅速发展期。

核心竞争力的诞生经历了漫长的孕育过程，它是与经济学研究和企业能力理论研究联系在一起的。[①] 在现代经济学中，对企业组织能力的讨论起源于潘罗斯发表于 1959 年的《企业增长理论》。[②] 虽然她未直接使用这个术语，但她的论述已经将人们的注意力引向企业内部的资源。潘罗斯将企业定义为"被一个行政管理框架协调并限定边界的资源集合"，并认为企业的增长源泉是企业的内部资源。潘罗斯是西方经济学思想史上第一个强调企业内部的知识创造是企业增长源泉的经济学家。

受潘罗斯的启发，第一个提出"企业能力"概念的经济学家是理查德森。他在《工业组织》一文中，使用"能力"（capabilities）概念来指企业的知识、经验和技能。[③]

菲利普·塞尔兹尼在他的力作《行政管理中的领导艺术》中，承认在组织内部存在着关系到执行既定政策时成功与否的重要因素。这种由组织发展历史造成的"特殊的缺陷和能力"，或

---

① 参见路风等：《寻求加入 WTO 后中国企业竞争力的源泉》，《管理世界》2002 年第 2 期。

② 参见 Edith Perrose, *The theory of the growth of the firm*. New York: Oxford University Press, 1959。

③ 参见 G. B. Richardson, The organization of industry, *The Economic Journal*, 1972, pp. 883—896。

者说是必然给构建和执行政策的组织竞争力带来影响的自然出现的制度模式，被称为"独特竞争力"。该书中将成功的管理艺术界定为对一个组织任务或战略的适用性作出实际评价的一种能力。[①] 为此，伊格尔·安索夫在《公司战略》一书中倡导经理们应该汇编一个本公司技能和资源的综合清单，即"竞争力一览表"。[②]

同样，在 20 世纪 60 年代，哈佛商学院一群有影响的合作者勒德·克里斯第森、安德鲁斯和古斯认为，公司的竞争力来自于其"独特竞争力"或公司做得最好的地方。公司的战略目标通过独特竞争力获得机会，并由此取得竞争优势。[③] SWOT 分析框架由此形成。但是这种分析方法很难被公司经理掌握，正如霍华德·史蒂文森在一项关于公司竞争力评估的实证研究中所发现的那样，公司经理对公司实力很少有一致意见。[④] 因而，查尔斯·霍夫和丹·施凯迪主张对公司的资源、实力和弱点进行评估。[⑤] 而波士顿咨询公司与他人共同开发的资产组合规划法，为公司经理建立具有互补性增长和现金生成特点的业务组合指明了方向。[⑥]

此时，尽管许多专家着眼于对业务层次和公司层次战略的方

---

① 参见 Philip Selgnick, *Leadership in administration*. Harpar, New York, 1957。

② 参见 Ansoff Igor, *Corporate strategy*. McGraw—Hill, 1965。

③ 参见 L. Edmund Christensen, Roland C. Andrews and W. Guth. (1969). *Business policy: text and cases*. Richard D. Irwin, Inc., Home wood, Illionis; Anddrews, Kenneth R. The concept of corporate strategy, 1965。

④ 参见 Howard K. Stevenson, Lyzing. Corporate strength and weaknesses. *Sloan Management Review*. vol. 17, no. 3: pp. 51—68。

⑤ 参见 Charles W. Hofer, Dan Schendel. Strategy formulation: analytical concepts. West Company, st, Paul, Minn, 1978。

⑥ 参见 Richard G. Hamermesh, *Making strategy work*. New York: Joho Wiley & Sons, 1986。

法研究，但仍然有专家进一步从内部寻找竞争源泉。罗伯特·海耶斯于 1975 年在《哈佛商业评论》撰文批评"目标——途径——方式战略规划法"，建议经理们"不要先发展计划然后获取能力，相反，应该先建立能力，然后鼓励发展开发这些能力的计划"。①

日本学者伊丹博行也强调建立企业优势或无形资产的重要性。他将这种无形资产定义为公司有潜力产生利润但不能资产负债的各种财产，包括商誉、品牌、专有技术和消费者忠诚。②

这些专家的努力，为 20 世纪 80 年代资源学派的形成和壮大作出了贡献。

企业史学家钱德勒对现代大企业诞生、发展和变化的研究，支撑了能力演进的理论。③ 他早期在对美国企业的组织结构演变的研究中提出了与潘罗斯相似的分析框架，④ 而在他后来出版的《规模与范围：工业资本主义的动力》一书中，则使用"组织能力"这一中心分析概念对以现代大企业为基础的管理资本主义在三个西方主要工业强国，即美国、英国和德国的历史发展进行了比较研究。⑤

尼尔森和温特的《经济变迁的演化理论》从微观经济学的角

① 参见 Robert H. Hayes, Strategic planning — forword in reverse? *Harvard Business Review*, November—December, 1975, pp. 111—119。

② 参见 Hiroyuki Itami, Thomas Rehl. *Mobilizing invisible assets*. Harvard University Press, 1987。

③ 参见 Alfred D. Chandler, Jr. Organizational capabilities and the economic history of the industrial enterprise. *Journal of Economic Perspectives*, vol. 6, no. 3 (summer), 1992, pp. 79—100。

④ 参见 Afford D. Chandler, Jr. Strategy and structure: chapters in the history of the American industrial enterprise. Cambridge, Mass: The MIT Press, 1962。

⑤ 参见 Alfred D. Chandler, Jr. Scale and scope: the dynamics of industrial capitalism. Cambridge, Mass: The Belkans Press of Harvard University Press, 1990。

度，提出了一个关于企业能力和行为的演化理论。为了理解企业的知识存在于什么地方、企业的能力如何发展变化，以及企业怎样改进寻求利润的方法，他们把企业定义为一个由组织惯例所构成的层级结构（a hierarchy of organizational routines）。组织惯例在解释企业行为方面起着中心作用。[①]

此外，里外曼等的《不确定模仿：竞争条件下企业运行效率的差异分析》、泛纳菲尔特的《企业资源基础论》、德姆富茨的《企业知识基础论》等著作也都对企业能力从不同视角进行了研究和探讨。

这些理论家从企业战略管理和经济学的理论与实践出发，对企业的组织能力进行探讨，他们的贡献至少在两个方面：（1）为核心竞争力理论的诞生提供了方法和理论基础，引导理论工作者研究企业从宏观走向微观、从外部走向内部，同样，能力是企业持续发展的源泉，战略联盟等都为核心竞争力研究增加了理论素养；（2）初步揭示了企业的本质是知识性，提升企业能力的根本途径在于知识管理。

（三）核心竞争力的基本内涵

受安德鲁斯"独特能力"（distinctive competence）[②] 概念启发，1990 年普拉尔德和汉默尔把一个具有重大影响的概念——核心竞争力引入了管理界。

普拉尔德和汉默尔发表于 1990 年的《公司的核心竞争力》是一篇影响广泛的文章，它使"核心竞争力"一词进入日常语言，并传入中国。普拉尔德和汉默尔的中心观点是：面对全球化

---

① 参见 Nelson R, Winter S. An evolutionary theory of economic change. Cambridge, MA. Harvard University Press.

② 参见 K. R. Anderws, The concept of corporate strategy. BurrRidge, IL: Dow Jones—Irwin, 1971。

的新一轮竞争，我们必须重新思考企业，管理者不应再从终端产品的角度看问题，而应从核心胜任能力的角度看问题。他们形容道，多样化的公司是一棵大树，树干和主枝是核心产品，分枝是业务单位，树叶、花果是终端产品，而提供营养、滋润和稳定性的根系则是核心能力。如果只看到竞争者的终端产品就会忽略它们的力量，就像如果只看到树叶就会忽略根的力量一样。①

根据普拉尔德和汉默尔的观点，核心能力"是组织的集体学习，特别是学习如何协调多种多样的生产技能并如何整合多重技术的源流"；也是"组织工作和提供价值"；"是沟通、卷入和致力于跨越组织边界的工作，它涉及许多层次上的人员和所有的职能"。识别核心能力的三个标准是：第一，一种核心能力提供进入许多产品市场的可能性。第二，一种核心能力对终端产品的顾客提供明显的使用价值。第三，一种核心能力应该让竞争者难以模仿。竞争者可能会获得构成核心能力的某些技术，但它们却难以复制有关组织内部的协调和学习的整体形式。普拉尔德和汉默尔强调，连结核心能力和终端产品的环节是核心产品，它们是核心能力的物质体现。核心产品是实际贡献于终端产品价值的元件和组件。

普拉尔德和汉默尔文章的一个重要作用是引发了对核心竞争力概念的讨论。从其分析上看，他们认为一个大型企业具有多种核心能力，而核心能力又指的是企业拥有的所有技术的各个领域。虽然核心能力与企业组织结构的关系是他们关心的一个中心问题，但他们并没有真正对核心能力的组织方面进行分析。

莱奥拿多·马顿采用核心能力的概念对企业的产品开发进行研究，提出核心能力和核心僵化是一枚硬币的两面的观点。她把

---

① 参见 Prahalad C. K, Hamel G. The core competence of the corporation. *Harvard Business Review*，May—June，1990，pp. 79—90。

核心能力定义为区别并提供竞争优势的知识集合。莱奥拿多·马顿认为企业的研发活动与自己的核心能力是相互作用的。一方面核心能力可以增强研发活动，另一方面当新的研发项目增加知识集合的新内容时，原有的核心能力也可以阻碍研发活动，成为核心僵化。[①]

阿里发展了普拉尔德和汉默尔的观点。

阿里提出了核心知识能力和核心运作能力概念，认为核心知识能力和核心运作能力是鉴别组织的截然不同但又密切相关的两个方面。核心运作能力是使企业能高速度、高效率地生产高质量的产品和服务的过程和功能，核心运作能力是很多企业成功的常规能力。核心知识能力是对特定商务而言的独一无二的专长、知识和技术知识的范畴，他认为特定能力是很难模仿的，因为它们在公司特定的文化历史氛围中总是不断演变发展，有了核心能力这一重点，组织内部各个层次的人员都能清楚地理解商业决策的依据，并就其进行交流，也就是说，企业有了知识管理的中心。[②]

英国的安德鲁·坎贝尔、凯瑟琳·萨默斯·卢斯出版的《核心能力战略》对核心竞争力的理解又提升到一个新的高度。他们的贡献主要集中于：（1）从学习型系统去理解组织，进而从组织内部寻求竞争优势；（2）从多角化经营，寻求母合优势等方面将核心竞争力用于公司发展战略；（3）从知识管理、知识创新出发

---

① 参见 Leonard－Barton，Dorothy. Core Capabilities and Core Rigidities：A Paradox in Managing New Product Development. *Strategic Management Journal*，vol. 13. pp. 111－125。

② 参见 Allee V. The knowledge evolution：expanding organizational intelligence. British：Butlew orth－Heineman. ［美］维娜·艾莉著，刘慧民等译：《知识的进化》，珠海出版社 1998 年版。

寻求管理跨业务单位的核心竞争力。①

二、价值链理论及其意义

（一）价值链理论的含义

"价值链"（value chain）是哈佛大学商学院教授迈克尔·波特于 1985 年提出的。波特认为，企业的每项生产经营活动都是起创造价值作用的经济活动，企业所有的互不相同但又相互联系的生产经营活动，构成了创造价值的一个动态过程，即价值链。"每一个企业都是在设计、生产、销售、发送和辅助其产品的过程中进行种种活动的集合体。所有这些活动可以用一个价值链来表明。"②企业的价值创造是通过一系列活动构成的，这些活动可分为基本活动和辅助活动两类，基本活动包括内部后勤、生产作业、外部后勤、市场和销售、服务等；而辅助活动则包括采购、技术开发、人力资源管理和企业基础设施等。这些生产经营活动所构成的价值链在经济活动中是无处不在的。上下游关联的企业与企业之间存在行业价值链，企业内部各业务单元的联系构成了企业的价值链，企业内部各业务单元之间也存在着价值链联结。价值链上的每一项价值活动都会对企业最终能够实现多大的价值造成影响。它可以形成企业最优化及协调的竞争优势，如果企业所创造的价值超过其成本，便有赢利；如果超过竞争者，便拥有更多的竞争优势。美国作业成本科技公司（ABC Technologies）及美国供应链局（The Value Chain Authority）曾联合界定价值

① 参见 Andrew Campbell, Kathleen Summers Luchs. Core competence—based strategy. International Theomoson Business Press, a Division of International Thomson Publishing Inc., 1997。安德鲁·坎贝尔、凯瑟琳·萨默斯·卢斯著，严勇、祝方译：《核心能力战略》，东北财经大学出版社 1999 年版。

② 卡洛斯·马格利尼奥斯：《本地工业嵌入全球价值链和生产网络》，《深圳商报》2004 年 5 月 31 日。

链：价值链是一种高层次的物流模式，内容由原材料作为投入资产开始，直至原料通过不同过程售予顾客为止，当中作出所有的增值活动都可包括在价值链中组成部分。[①]

价值链管理就是指企业将生产、营销、财务、人力资源等方面有机的整合起来，做好计划、协调、监督和控制等各个环节的工作，使它们形成相互关联的整体，真正按照"链"的特征实施企业的业务流程，使得各个环节既相互关联，又具有处理资金流、物流和信息流的自组织和自适应能力，使企业的供、产、销形成一条珍珠般的"链"——价值链。

进入知识经济时代，如何由知识创造价值是决定企业竞争能力的重要关键。据此，台湾学者陈永隆、张宜昌提出知识价值链（The Knowledge Value Chain）的观念，使企业在知识经济时代的激烈竞争环境中，看准趋势，掌握优势，并协助企业找出知识管理介入后的价值贡献度，从而解决企业在知识管理绩效评估上的实务课题。[②]

（二）高校价值链管理的意义

在高校，价值链管理的意义在于优化核心业务流程、降低高校组织和经营成本、提升高校的管理水平和办学效益。长期以来高校在组织结构设计、业务流程和信息化管理方面存在着不足：一是供、产、销未形成一条"链"。教学系统设计只考虑教学过程本身，而没有考虑教学过程以外的因素对高校竞争能力的影响，更没有全面考虑高校的供、产、销系统。三大系统基本上处于各自为政、相互脱节的状态。二是看重部门利益、画地为牢的观点比较严重。原有的以部门为单位进行核算和实行激励的机

---

① 卡洛斯·马格利尼奥斯：《本地工业嵌入全球价值链和生产网络》，《深圳商报》2004年5月31日。

② 参见 www.office.com.tw/KVC—intro.htm — 18k。

制，造成各部门在工作中不是从高校全局的角度考虑问题，而是片面追求本部门的利益，孤立地评价部门业绩，从而造成了高校的知识流和物流的扭曲变形，以及资金和人力资源的浪费，高校因此无法整合各种现有资源，更无法形成具有竞争力的价值链。三是信息管理比较落后。许多高校在收集、整理、传递和处理信息数据时依然采用手工处理方式，内部信息系统不健全，数据处理技术落后，信息资源整合程度不高，造成了内部和外部信息流通不畅。只有改变这种状况才能从整体上降低办学成本，提高业务管理水平和经营效率，从而实现增值。波特的"价值链"理论也揭示了高校与高校的竞争，不只是某个环节的竞争，而是整个价值链的竞争，而整个价值链的综合竞争力决定高校的竞争力。用波特的话来说，消费者心目中的价值由一连串企业内部物质与技术上的具体活动与利润所构成，当你和其他企业竞争时，其实是内部多项活动在进行竞争，而不是某一项活动的竞争。高校的竞争也是如此。

这些正是高校核心竞争力分析模型所要研究的内容，因为基于知识的价值链（知识链）是本书研究的隐性主线。因此价值链理论对于本书的研究具有特别的指导意义。

三、钻石理论及其应用

（一）钻石理论的主要理论要点

钻石理论由迈克尔·波特于 1990 年在《国家竞争优势》一书中首先提出，主要研究国家竞争中公司的作用。波特认为，国家的财富主要取决于本国的生产率（即指单位工作日所创造的新价值，或者是单位投入资本所得到的报酬）和一国所能利用的单位物质资源。国家或者地区竞争环境如何与其生产率的增长密切相关，可以用由四类要素组成的钻石图形来形象地描绘，故统称为钻石理论。①（如图 2-1 所示）钻石理论揭示，在某一区域的某一特定领域影响生产率和生产率增长的各因素；诸如信息、激励、竞争压力、到达支持性公司的途径、制度与协会、基础设施和人力与技能库等。

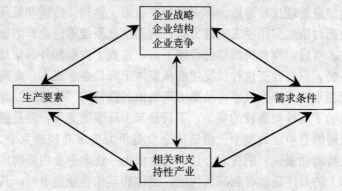

图 2-1　国家优势的关键因素图（钻石体系）

根据国家竞争优势关键因素图，一国的国内经济环境对产业国际竞争力有很大影响，其中影响最大、最直接的因素有四项：生产要素、需求条件、相关和支持性产业及企业战略、结构和同业竞争。这四个因素可能会加快本国产业国际竞争力的培育，也可能造成产业发展停滞不前。在一个国家的众多产业中，最有可能在国际竞争中取胜的是在国内这四个关键因素中特别有利的那些产业。因此，"关键因素"是一个国家产业国际竞争力最重要的来源，被称为影响产业国际竞争力的"钻石体系"。

迈克尔·波特认为，上述四个关键要素是互相联系、不可分割的。国家竞争优势是四个关键要素彼此之间长期强化而产生的。高级和专业化的生产要素往往是在国内同业竞争、相关产业相辅

----

① 参见迈克尔·波特：《国家竞争优势》，华夏出版社 2002 年版，第 68-69 页。

相成、需求条件的变化中产生和发展起来的；激烈的同业竞争、生产要素的创造过程、相关产业在国际竞争中的成功，又会产生新的需求；国内同业竞争的需要、成长中的国内市场需求、专业化生产要素的转移，促使相关产业和支持性产业的产生和发展；充沛的生产要素或专业型生产要素、相关产业或支持产业的崛起、国内市场需求的变化，又会吸引新的企业进入某一个产业，强化了同业竞争。因此，这四个关键要素很难分清因果关系。只有这四个关键要素互相适应、互相促进、不断强化，才能不断提升竞争优势，不断产生新的竞争优势，使国家竞争优势长盛不衰。

迈克尔·波特认为，除了上述四种主要影响因素外，还有两个重要变量可能对国家竞争优势产生重要影响，这就是机遇和政府（如图2—2所示）。[①]

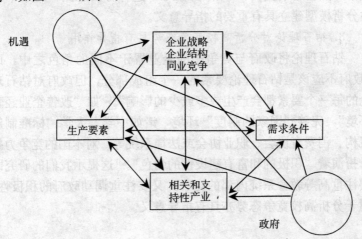

图2—2　产业国际竞争力的影响因素

---

① 参见林善浪、吴肇光：《核心竞争力与未来中国》，中国社会科学出版社2003年版。

（二）钻石理论对本研究的指导意义

1. 钻石理论为研究高校核心竞争力与国家国际竞争力之间的关系指明了方向

国家竞争力的强弱一定程度上将取决于高校核心竞争力的强弱。高校对钻石体系的贡献主要表现在对生产要素的直接贡献，在人力资源和知识资源方面，高校的贡献是根本性的。此外，在民族文化的凝练过程中高校也将发挥导向和示范作用。

2. 钻石理记认为高校核心竞争力分析模型研究提供了方法论依据

钻石形态的结构模型为高校核心竞争力的分析模型提供示范。四个要素之间"是一个双向强化系统，其中任何一项因素的效果必然会影响到另一项的状态"。[①] 这种分析思路，对于本书的分析模型建立具有重要的指导意义。

3. 钻石理论对分析高校竞争态势具有指导作用

钻石理论将政府与竞争中的企业置于不同的角色之中，即"政府不应该是钻石理论要素的一个组成部分，但政府对钻石理论的每一个要素都会产生或多或少的影响"。[②]如"改善企业经营环境"，完善"国家的制度"环境，诸如中学、大学、标准制定机构、消费者协会、职业协会或法律系统等，对本国的竞争力提升扮演着"积极的和富有建设性的角色"。[③]这提示我们的研究既要注重高等教育系统内部的竞争，又要注重调动政府的积极性，对于分析高校竞争态势亦具有指导意义。

---

①②③　迈克尔·波特：《国家竞争优势》，华夏出版社 2002 年版，第 3—4 页。

第二节　高校战略管理理论

20 世纪 90 年代以来，战略管理（strategic management）在一些发达国家的学校里相继露面，并逐步取代操作管理（operational management，即目标管理、质量管理等），成为一些西方人感兴趣的话题。战略管理兴起的原因是多方面的，但根本原因是学校获得了一定的自主权。随着学校战略管理实践的发展，相应的理论研究也逐步开展起来。在这方面，比较有影响的人物有菲德勒（B. Fidler）、鲍尔斯（G. Bowles）等。① 自改革开放以来，我国的社会、经济和科技事业得到了迅速发展，高等教育也出现了空前的繁荣局面。随着高等教育管理体制改革的进一步深入，"面向社会，自主办学"已成为高校发展的主流。许多以前由上级考虑的战略性问题摆到了高校管理者面前，高校之间的竞争也日益剧烈，高校战略管理理论应运而生。

一、高等教育发展走向

（一）高等教育发展与高校危机

2004 年 8 月 5 日，在第二届中外大学校长论坛上，俄罗斯莫斯科国立罗蒙诺索夫大学校长维·安·萨多夫尼奇教授指出：在世纪之交总结教育、高校发展的前途命运时，主要突出三个问题，而且这些问题对全世界各国高等教育体系来说都是很现实的。第一个问题是"高校与国家"，所有的高校和其他教育机构都感到巨大的经济困难和立法方面的局限；第二个问题是"高校

---

① 参见熊川武：《学校"战略管理"》，《高等师范教育研究》1997 年第 2 期。

与社会"，所有的高校和其他教育机构都感到本校的资源与社会
期待之间有差距。第三个问题是"高校与人"，所有的高校和其
他教育机构都感到投入和结果之间是有差距的。从古至今，在
"国家——社会——人"这一永恒的三角关系中，高校一直发挥
着重要的文明主体的作用。①

　　从 20 世纪 60 年代以来，一种"教育危机"或"高校危机"
的观点广为传播，其依据是社会对教育及科学知识失去了信任。
萨多夫尼奇教授并不赞同这种说法，理由有三：第一，全世界都
树立了一种认识，仕途的升迁主要取决于个人所受教育的程度和
质量，而很少依靠幸运的机遇或卑鄙的手段；第二，到 20 世纪
末，许多国家已经不再把国民教育仅仅归入经济范畴，民族的智
力水平是确定某个国家在当今世界排行位置的决定性因素；第
三，新兴的信息教育技术使教育在全球范围内越来越普及。这些
都是社会对教育的信任，而非不信任。尽管如此，也不能对"高
校危机"问题视而不见。危机的实质是社会无法接受的"教育总
体商业化"倾向，这种倾向使教育在育人和为社会发展服务方面
的效果大大降低。还有一种现象也应该被称为"危机"，即冷战
结束后加速发展的世界范围内的智力重新划分，具体表现如下：
人类智力潜能在各国家之间的重新划分；智力潜能在自然科学、
人文科学和科学知识三个领域间的重新划分；智力潜能在教科文
机构和商业、生产等领域之间的重新分配。这些因素综合起来会
对高校产生正面和负面的影响。就目前而言，负面影响大于正面
影响。

　　关于"高校与社会可持续发展"模式，世界各国的高校有足
够的能力应对社会、国家和人提出的各种挑战。高校在人类历史

---

　　① 参见教育部中外大学校长论坛领导小组：《中外大学校长论坛文集》，中国人
民大学出版社 2004 版，第 104—120 页。

上已经存在上千年了，期间很多其他教科文机构产生、消亡，有的甚至没有在人类记忆中留下任何痕迹。而高校有如此强的生命力，原因何在？历史的经验告诉我们，高校始终有能力维持传统和革新之间的平衡。需要强调的是，"可持续发展"这个术语在高校范围内是指前进的模式，当代人生活和需要的满足并不是依靠剥夺下一代人的这种机会。在可持续发展的条件下，高校的作用就是一种吸引力，围绕着高校这个社会机构产生新秩序，就像走出混沌状态一样。无论以前还是现在，在任何社会和任何发展阶段，甚至在革命突变的时候，高校都发挥着抵御毁灭的作用。与此同时，高校能够区分良莠，具有肯定新生事物、倡导新生事物的作用，像一道不可逾越的墙一样抵御"伪知识"和行政压力。

（二）未来高等教育模式

美国学者视野内未来高等教育的模式主要包括：（1）扩展的传统大学；（2）营利性成人教育大学；（3）远程教育/基于现代技术的大学；（4）集体办学；（5）大学/行业战略同盟；（6）以学位/证书、能力为主的大学；（7）国际性大学（跨国办学）。[①]

而传统的高校基本特征却表现为：（1）寄宿制学生；（2）有公认的招生区域，这个区域可以是一个当地的社区、一个地区、一个州，对于一些重点大学来说甚至是一个国家；（3）全职的教员，他们组织课程，颁发学位，直接教学，管理奖学金，经常从事公共服务并参与学校管理；（4）一个中心图书馆和物理实验室；（5）非营利性经济状况。[②]

组织变革的原因。巴尔德里奇和迪尔认为，要理解高校变革

---

①② 参见 Donald E. Hanna, Higher education in an era of digital competition: emerging organizational models. JALN , vol. 2, Issue 1—March, 1998。

的机遇，就必须弄清楚外在环境是内部变革的最有力的源泉。[①]

托夫勒指出，"仅仅当以下三个条件都具备时，发达的组织的变革才会有意义。首先，必须有巨大的外在压力。第二，组织内的人对现存的秩序强烈不满。第三，必须要有一个体现在计划、模式或想象之中连贯一致的抉择。"[②]

正在兴起的教育市场不仅包括传统的非营利性大学，还包括其他一些大学的成人教育市场。在美国有许多大学都用自己独特的方法发展自己。如威斯康星大学创建了学习创新中心。[③]纽约大学承担了美国最大的继续教育规划之一，创办虚拟大学，招收在线学习学生等等。全球（电子）大学集团（GU 是它的商标符号）是 GLOSAS/USA 的一个分支机构。它通过电信和信息技术努力改善国际教育交流的质量和有效性。

由此，我们可以勾画出高等教育的几种趋势：因为完善的学习技术，获得学习机会的障碍将大大减少；随着渠道的完善和全球范围内终生学习的要求增加，接近教育和培训的供给者将会持续地增加；所有的大学将越来越关注对学习者的要求和愿望的回应，例如学习场所的便利、适时，知识的应用以及通过操作进行学习等；因受全球学习市场的竞争性不断加强的压力，大学将发展新的评价标准，而不再简单地衡量投入教育过程的资金。在数字化时代，所有教育机构都需要发掘潜在内力。[④]

作为大学和团体的领导人要在这个新的教育市场上赢得额外

---

① 参见 J. Baldridge，T. Deal，1983. *The Dynamics of Organizational change in Education.* Berkeley CA：Mc Cutchan Publishing Company。

② A. Toffler，The Adaptive Corporation. New York：McGraw Hill，1985.

③④ 参见 Donald E. Hanna，Higher education in an era of digital competition：emerging organizational models. JALN ，vol. 2，Issue 1—March，1998。

的利益就要重视和评估战略战术。① 这种理论基础可通过组织变化理论的理解而提高，包括主要大学和社会目的及目标的关系；作为开放体系的高等教育；外部因素的强有力影响；多种抵抗点的重点；获得类似结果的两种可选择性的方式；系统范围的调整的复杂性；促进改革的竞争的作用；作为变化工具的合作与交流；改革层次的技术。

企业大学。20 世纪 80 年代许多企业建立下级组织来满足企业综合人力资源发展、教育和培训的需要。把职员的学识看做和企业的未来一样重要。托普森建议，把"企业大学"这个名词定义为"一家有一个或一个以上的已经接受授权的学术性学位项目的教育性机构，它是不以教育为主要经营项目的母公司下的一家完全自主的附属单位"。②

由瑞奇确认了至少 18 个在 1985 年建立学术性学位项目的企业，并且预言，提供接受授权学位项目的企业在未来将会以惊人的速度增长。③ 豪森在 1987 年又另增加了 7 个企业，他们也同样预言这些企业的数量将来会大幅度增加。④ 托普森总结说：由瑞奇、纳西和豪森提及的 25 所大学中只有 5 所继续作为明显的企业大学来经营，且这 5 所大学在学术范围或是招生规模上大都

---

① 参见 Donald E. Hanna, Higher education in an era of digital competition: emerging organizational models. JALN, vol. 2, Issue 1—March, 1998。

② G. Thompson, Unfulfilled prophecy: the evolution of corporate colleges. University of Saskatchewan Publication Forthcoming, 1998, p. 6.

③ 参见 N. Eurich, Corporate Classrooms: The Learning Business. Princeton, N. J: Princeton University Press, 1985。

④ 参见 N. Nash, E. Hawthorne. Formal recognition of employer—sponsored instruction: conflict and collegiality in post—secondary education, college station, Tex: Association for the Study of Higher Education, ERIC Higher Education Report No. 3, 1987。

没有很大的扩展。[①]

奥尔柯特建议，如果学院和大学要在市场上有竞争力，财政的未来模式就必须重新构造，以便形成多种学习来源（不同于传统的学术环境），而不是将其定义为 FIE（等同全职工）信贷时间或打卡时间限制。[②] 以能力为基础的办学路径将在高等教育传统资金结构中起作用。全球性多国合作大学使得学习市场正在变得全球化。[③]

英国于 1963 年和 1997 年分别发表了《罗宾斯报告》[④] 和《迪尔英报告》[⑤] 解读这个报告可以了解英国高等教育 30 年间的发展走向。《罗宾斯报告》是对 20 世纪 60 年代至 20 世纪 80 年代中期英国高等教育发展所做的预测和规划。可以认为它是英国高等教育从传统模式走向现代模式，从精英型走向大众型的转轨宣言书。[⑥] 在《罗宾逊报告》指引下，英国的高等教育制度趋于民主化，由贵族教育向平民教育转型；[⑦]高等教育规模不断扩大，

---

① 参见 G. Thompson, Unfulfilled prophecy：the evolution of corporate colleges. University of Saskatchewan Publication Forthcoming, 1998, p. 6。

② 参见 D. Olcott, Renewing the vision：past perspectives and future imperatives for distance education. The Journal of Continuing Higher Education, vol. 45, No. 3, Fall, 1997, p. 2。

③ 参见 J. Duderstadt, The future of the university in an age of knowledge. Journal of Asynchronous Learning Networks, vol. 1 Issue 2. August, 1997。

④ 参见 Robbins Report. Higher education committee on higher education. Cmnd 2145. London：HMSO, 1963。

⑤⑦ 参见 National Committee of Inquiry into Higher Education. Higher education in the learning society. The Daring Report, Summary Report , 1997。

⑥ 参见刘晖：《从〈罗宾逊报告〉到〈迪尔英报告〉——英国高等教育的发展路径、战略及其启示》，《比较教育研究》2001 年第 2 期。

由精英教育向大众教育转型,① 高等教育结构趋于多元,形成多层次、多规格的教育体制,② 高等教育系统日趋开放,形成鲜明的国际化特征。③

但英国高等教育仍然面临几大矛盾:高等教育规模与教育机会均等问题不尽如人意;④ 拨款增加与人均经费减少;⑤ 学生的多样化与教育的一元化。⑥ 对学生能力的挑战,对高等教育发展提出了更为严峻的挑战。

徐通模认为,未来人才竞争是高等教育国际化竞争的核心,参与国际化竞争的关键是人才竞争。人才竞争主要是师资和生源的竞争,建立一批具有世界一流水平的大学和学科,是提高中国大学参与国际竞争力的战略性举措。⑦

谢维和提出实现中国高等教育战略转型的 4 个"转向"。高等教育的主要服务对象应该由"政府"转向"客户";高等教育改革和发展的本位应该从学科转向市场;高等教育改革和发展的依据应该从"资源约束"转向"需求约束";高等教育改革和发展的重心应该从宏观体制层面转向高等学校层面。⑧

无论是国外学者还是国内学者,对未来高等教育发展走向的

----

① 参见 David Jary, Marhin Rarker. The New Higher Education. Stoke:Stafford Shire University Press, p. 5, p. 67;Scoff . Peter 1995. The Meaning of Mass Higher Education [M]. Bucking Gham, Open University Press. p. 11, p. 69。

② 参见 Scoff, Peter. The meaning of mass higher education. Bucking Gham:Open University Press, 1995. p. 11, p. 69。

③④⑤ 参见 National Committee of Inquiry into Higher Education. Higher education in the learning society. The Daring Report, Summary Report , 1997。

⑥ 参见 Oxford Cater for staff development. Course desing for resource basel learning . 1997, pp. 6—7。

⑦ 参见徐通模:《对中国高等教育在经济全球化趋势中机遇与挑战的一些思考》,2001 年经济全球化与高等教育国际论坛。

⑧ 参见谢维和:《当前中国高等教育的转型及其主要取向》,《中国高等教育》2001 年第 6 期。

研究所取得的成果，都对进一步研究高校战略管理提供了理论支持。我国学者对未来中国高等教育发展走向也进行了深入的探讨。周远清认为 21 世纪的大学必须确立新的教育思想。应对经济全球化要有一个更加开放的高等教育；适应科学技术飞速发展要有一个更加现代的高等教育；建设世界一流大学，要有一个更具创造性的高等教育；注重素质教育要有一个更加先进的教育思想。①

二、高校战略管理的特征

高校战略管理是对高校的教育活动实行的总体性管理，是高校为实现一定目标而制定和实施战略的一系列管理决策与行动。② 其基本点是使高校自身条件与环境相适应，以求高校生存与发展。战略管理包容并超越操作管理。其基本特征为全局性、长远性、竞争性。③

（一）全局性

一般认为，战略管理始于战略分析，止于战略目标的达成，立足现实，放眼未来，是一种全程性管理。同时它涉及人、财、物、时空、信息等，又是一种全面性管理。

（二）长远性

战略本身蕴涵有相对长远的宏观的计策与谋略的意思，因而战略管理要求高校成员不只谋划眼前的近期目标，着眼点应是高校的未来。在长期利益与短期利益发生不可调和的矛盾时，作为

---

① 参见周远清：《21 世纪：建设一个什么样的高等教育》，《中国高教研究》2001 年第 3 期。

② 参见 B. Fidler et al. *Effective local management of schools*. Longman，1989. pp. 21—30。

③ 参见 J. Duderstadt，The future of the university in an age of knowledge. *Journal of Asynchronous Learning Networks*，vol. 1 Issue 2. August，1997。

高层领导应从高校的长远利益、根本利益出发，不惜牺牲眼前的暂时利益。因此着眼未来，立足当前，兼顾当前与长远利益的关系是研究和选择战略方案的一项基本要求。

（三）竞争性

随着社会主义市场经济的逐步完善，高校间吸引高素质的师资、生源和社会经费的竞争将成为高校战略竞争的焦点。这就要求高校在制定和实施高校战略的过程中，广泛了解社会发展的动向，并寻求有限资源的有效战略。

三、高校战略管理的模型

高校战略管理模型由战略分析、战略选择、战略实施、战略评价四个要素以特定方式组成。① 也有学者按其具体操作程序分解为战略研究、战略规划、制定政策、健全体制、实施指导以及综合平衡与协调等。②

（一）战略分析

战略分析是指对特定战略时期高校内外条件的综合调整、评价和预测，主要包括环境（外部环境）分析与资源（内部环境）分析以及平衡分析（即 SWOT 分析）——国际上一种制定组织发展战略的分析方法。③

（二）战略选择

战略选择即在形成战略并评价战略的基础上抉择优化战略的过程，主要包括形成选项、评价选项、战略择优。我国高校在选择发展战略时，应考虑以下几个问题：（1）坚持全面的发展观，

---

① 参见项振乐、杜欢政：《论高等学校战略管理》，《有色金属高教研究》1998年第 6 期。

② 参见唐才进：《战略管理与高校发展规划》，《交通高教研究》1994 年第 3 期。

③ 参见林正范：《高等教育管理新论》，山西高校联合出版社 1994 年版。

追求数量与质量的统一，即规模、速度与质量、效益之间的统一；（2）战略选择要与当地经济发展相适应，要有区域化特点；（3）战略选择要有特色。①

（三）战略实施

战略实施是将战略转化成具体行动并达到战略目标的过程。战略实施过程既涉及高校的战略、结构和体制三个"硬因素"，又涉及高校的作风、人员、技能和共同价值观四个"软因素"，只有这七个因素相互沟通并协调一致，战略实施才能获得成功。②

（四）战略评价

战略评价是对战略实施过程进行监控，完成综合平衡与协调工作，通过对过程或业绩效果的评价信息的反馈，及时地不断调整补充原定的战略规划方案，修订某些相关的政策等，以保证战略目标的实现。③

四、高校战略管理应遵循的原则及意义

（一）高校战略管理应遵循的原则④

1. 适应环境原则

2. 整体最优原则

3. 办出特色原则

4. 全员参与原则

5. 反馈修正原则

---

① 参见冒林、刘义恒：《高等学校管理学》，南京大学出版社 1997 年版。

② 参见 Duderstadt, J. The future of the university in an age of knowledge, *Journal of Asynchronous Learning Networks*，vol. 1 Issue 2. August, 1997。

③ 参见胡鹏山：《论加强高校的战略管理》，《上海高教研究》1997 年第 3 期。

④ 参见项振乐、杜欢政：《论高等学校战略管理》，《有色金属高教研究》1998年第 6 期。

（二）高校实施战略管理的意义

1. 改变高校管理者的思维方式

不同管理形态蕴涵不同的思维方式。操作管理是管理者分析思维方式的表现。分析思维方式习惯于把完整的事物分化开来，逐一认识，虽比较精确，但容易得零失整。与此相反，战略管理坚持综合思维方式，对事物的分析也是在把握整体前提下的分析，而且注意分析之后的综合，整体观念较强。因此，推行战略管理，可以使管理者的思维方式发生变化，进而改变其管理理念和行为。比如在对"教育质量"的认识上，有战略管理意识的管理者往往不再坚持操作管理下的"单维质量观"，而是坚持"多维质量观"。所谓单维质量即由质量保障机制实现的质量。而多维质量除由质量保障实现的质量外，还包含"顾客需求质量"，即由学生与社区其他成员提出要求，管理者再从适合或超过他们的要求出发确定的质量。[①]

2. 增强高校管理者历史责任感

战略管理要求管理者志存高远，统筹兼顾，从战略和高校生存与发展的高度思考和处理问题，而不是只顾眼前，应付了事，这必然使管理者增强责任感。B·菲德勒等人的研究证明：没有学习战略管理技能的学校管理者，往往把自己置于危机管理（crisis - management）中，而战略管理者恰好相反。[②]

3. 提高高校管理者的工作成效

战略管理强调战略分析，尤其是预测、未雨绸缪、周密计划，能有效地减少由盲目性造成的工作失误和短期行为导致的损

① 参见 S. Murgatroyd et al. *Total quality management and the school*. Open University Press，1993. pp. 44—46。

② 参见 B. Fidler, et al. *Effective local management of schools*. Longman，1989. pp. 21—30。

失。

五、高校战略管理的新范式与研究新趋势

近几年有学者提出了高校核心竞争力理论，这一理论的提出使高校战略管理理论出现了新的范式，以学习力为基础，"为未来而竞争"的战略观正在形成。高校核心竞争力是高校战略管理、教育经济学、知识经济与创新理论不断发展，在探寻高校持续竞争优势之源的过程中聚焦而成的理论成果。把高校核心竞争力理论放到以学习力为基础的战略管理这一更深刻的背景中，有助于对高校核心竞争力的本质进行考察。以学习力为基础的高校战略管理理论更关注能力发展和资源积累，而不仅仅是能力配合和资源分配，它要求高校在核心竞争力方面领先，做到合作与竞争并重，把核心竞争力作为高校重要资源加以培养和使用。

从研究的发展趋势看，高校战略管理研究将呈现如下重要特征：（1）注重理论的动态化。随着环境的剧烈变化，新的战略管理理论研究将在以下两方面进一步动态化：一是环境方面的动态化，即更注重外部环境不连续变化时的战略管理理论；二是内容方面的动态化，即更注重高校前景、战略和内部系统与过程等不同内容之间的相互联系和动态适应。（2）更注重实证研究，强调从实践中学习的思想。（3）注重高校战略管理的软件手段的研究。（4）关注高校生态系统的良性循环，合作与竞争并重。（5）各理论学派之间有整合趋势，不会出现一个学派的理论统治的局面。

第三节　学习型组织理论

一、学习型组织的起源与内涵研究

（一）学习型组织理论溯源

1956 年美国麻省理工学院佛睿思特（Jay Forrester）教授创立了工业动力学，初期应用于工业企业管理，后改称为"系统动力学"。在 1965 年他写的《企业的新设计》（A New Corporate Design）中，他具体构想出层次扁平化、组织资讯化、系统开放化的新型组织形态。层次扁平化指管理系统不断从上下从属关系转向工作伙伴关系。组织咨询化指管理机构相互咨询，组织对外不断学习。系统开放化指管理结构在适应环境和任务中不断地调整和改变。这就是学习型组织的最初构想。

20 世纪 60 年代以后，人们逐渐认识到事物是个整体，对事物的认识应从总体上去把握，在进行"分析"的时候要着重于"综合"。在这个思潮的推动下，自然科学出现了"模糊论"、"混沌理论"，管理科学则出现了"学习型组织理论"，一种系统思维的组织管理创新理论逐步形成。

最早有关组织学习的概念出现在 1965 年，随后哈佛大学克里斯·阿吉瑞斯（Chris Argyris）教授和萧恩（Donald Schn）于 1976 年在《组织学习》一书中进一步对组织学习和学习型组织作出了解释。

组织学习是指企业在特定的行为和文化下，建立和完善组织和运作方式，通过不断应用相关的方法和工具来增强企业适应性和竞争力的方式。①

最早具有代表性的组织学习模型是阿吉瑞斯和萧恩于 1978 年提出的四阶段模型，即发现（discovery）、发明（invention）、执行（production）和推广（generation）。②

纳维司认为，实际上每个组织都是一个学习系统，③ 只是学习的效果和能力上有差别。要创立学习型组织，可以通过整体训练、行为管理和知识管理来实现。④

麻省理工学院彼得·圣吉博士在 20 世纪 80 年代初汇集了一群杰出企业家，以他的老师佛睿思特 1965 年发表的论文《企业的新设计》（A New Corporate Design）为基础，融会了系统动力学等几项理论、方法、工具，于 1990 年发表了《第五项修炼——学习型组织的艺术与实务》（The Fifth Discipline: the Art and Practice of the Learning Organization）。该书 1992 年荣获世界企业学会最高荣誉开拓奖，由此激起了众多学者和组织对学习型组织理论研究的热潮。⑤

"学习型组织"是一种科学的管理理论，它由"自我超越"、"改善心智模式"、"共同愿景"、"团队学习"和"系统思考"五

---

① 参见 S. C. Goh, Toward a learning organization: the strategic building Block. *Sam Advanced Management Journal*, spring, 1998. pp. 15－22; M. Dodgson, Organizational learning: a review of some literature. *Organization studies*, 1993. pp. 25－34。

② 参见 S. W. Nason, Organizational Learning Disabilities: an International Perspective. USA. University of South California, 1997。

③ 参见 E. C. Nevis, Gould, J. M. *Understanding organization as learning systems* [EB/OL]. 1997。

④ 参见 Hussain. Bin Hidayat, MNI Bhd. Creating A learning organization: integrating training, performances management and knowledge management. *The Electronic Journal of Insutance and Risk Management*. vol. 01, 2001。

⑤ 参见彭庚、李敏强、寇纪淞:《组织学习与学习型组织研究》,《中国软科学》1999 年第 12 期。

部分组成。对学习型组织内涵的理解，不同的学者有不同的认识。彼得·圣吉最初用"metanoia organization"一词来形容学习型组织。希腊文"metaroia"的意思是心灵意念的根本转变，是一种超觉的经验。

（二）国内外学者有关学习型组织理论的阐述

彼得·圣吉在《第五项修炼——学习型组织的艺术与实务》一书中指出，学习型组织是这样一个组织，在其中，大家得以突破自己的能力上限，创造真心向往的结果，培养全新、前瞻而开阔的思考方式，全力实现共同的抱负，以及不断一起学习，如何共同学习。[①]

加尔文认为学习型组织是指善于获取、创造、转移知识，并以新知识、新见解为指导，勇于修正自己行为的一种组织。[②]

乔治亚大学教授沃特金斯认为学习型组织是把学习共享系统组合起来，并通过不断学习来改革组织本身的组织。它的学习不仅导致了知识、信念、行动的变化，还增强了组织的革新成长能力。[③]

陈乃林认为学习型组织是某一组织或某一群体的全体成员在共同目标指引下注重学习、传播、运用、创新知识的组织，是一个具备高度凝聚力和旺盛生命力的组织。[④]

复旦大学王其藩教授认为学习型组织是一种精干、灵巧、信息化、层次少、柔性高、应变力强，能不断自我学习、革新、充

---

① 参见彼得·圣吉：《第五项修炼——学习型组织的艺术与实务》，上海三联书店1998年版。

②③ 参见傅宗科、彭志军、袁东明编：《〈第五项修炼〉300问》，上海三联书店2002年版。

④ 参见陈乃林、孔孙懿：《学习型组织及其发展》，《教育发展研究》1999年第5期。

满创造力，能持续开拓未来的组织。①

　　中国人民大学工商管理研修中心主任任志宽认为学习型组织的学习是一种团队学习，是一种持续性并可战略性地加以运用的过程，它不仅导致组织知识、信念、行动的变化，更重要的是在于增强组织的革新成长能力。②

　　罗伯特·G·欧文斯认为，学习型组织即一个组织，不管是社团性质的还是教育性质的，都要学会去适应环境里正在展开的变革。这种加强组织应有的学习和适应能力的过程通常也叫做组织发展。③

　　清华大学陈国权教授认为，学习型组织是指能够有意识、系统和持续地通过不断创造、积累和利用知识资源，努力改变或重新设计自身以适应不断变化的内外环境，从而保持可持续竞争优势的组织。④

　　目前傅宗科、彭志军、袁东明编著的《〈第五项修炼〉300问》⑤、《〈第五项修炼〉管理法则》⑥比较详细地回答了学习型组织的一些具体问题。上海明德学习型组织研究所张声雄编的《〈第五项修炼〉导读》⑦以及他和姚国侃主编的《〈第五项修炼〉

---

① 参见崔继伟：《把我院建成学习型学院》，《大连教育学院学报》2000 年第 9 期。

② 参见彼得·圣吉等：《变革之舞——学习型组织持续发展面临的挑战》，东方出版社 2001 年版。

③ 参见罗伯特·G·欧文斯著，窦伟霖、温建平、王越译：《教育组织行为学》，华东师范大学出版社 2001 年版，第 63—64 页。

④ 参见陈国权：《学习型组织的过程模型、本质特征和设计原则》，《中国管理科学》2002 年第 8 期。

⑤ 参见傅宗科、彭志军、袁东明编：《〈第五项修炼〉300 问》，上海三联书店 2002 年版。

⑥ 参见傅宗科、袁东明、彭志军编：《〈第五项修炼〉管理法则》，上海远东出版社 2002 年版，第 2—3 页。

⑦ 参见张声雄主编：《〈第五项修炼〉导读》，上海三联书店 2001 年版。

实践案例》[①] 从多个角度阐述了学习型组织的内涵，并运用大量
事例阐述这些企业和学校因创建学习型组织。彼得·圣吉等著的
《变革之舞——学习型组织持续发展面临的挑战》[②] 一书从生态
学的角度描绘组织实际推动深度变革时如何启动，以及如何克服
随后各个阶段中所可能遇到的各种挑战，对当前各类学习型组织
的构建有很好的指导作用。

综观各位专家学者对学习型组织的论述，不难看出，学习型
组织有这样一些共同的特点：自适应性、创新性、层次扁平化，
是一个生命机体，组织内的成员学习不是个人的单纯学习，也不
是盲目的或自私自利的学习，而是为了一个共同的愿望，有意
识、系统地和持续式的学习。这样的组织必能汇聚组织内的所有
资源形成巨大的合力，从而不断征服一个又一个新目标，创造出
新的业绩。

由此，学习型组织可以定义为某一组织充分发挥管理主客体
的积极性，使各要素实现从个体学习、团队学习到组织学习的飞
跃，从而在共同愿景的基础上不断获得新增长点的组织。

这里所讲的学习型组织，是一种有机的、高度柔性的、扁平
的、符合人性的、能持续发展的组织。这种组织具有持续学习的
能力，具有高于个人绩效总和的综合绩效。从内容上看，学习的
内容既指科学技术知识，也指人文社会科学知识、日常生活和工
作中的经验知识，以及汲取、运用和创造知识的知识。从形式上
看，学习的方式是多种多样的，包括读书、参观、访问、调查、
考察、游览、交往以及网上游览、交流等等。它是一种真正意义

---

① 参见张声雄、姚国侃主编：《〈第五项修炼〉实践案例》，上海三联书店 2002
年版。

② 参见彼得·圣吉等著：《变革之舞——学习型组织持续发展面临的挑战》，东
方出版社 2001 年版。

上的学习，涉及学习者行为、观念、方法以及知识结构、思维方法、技能技巧、行为习惯等要素，朝着有利于社会进步、组织发展和个人完善方向发展变化的学习，是一种有利于社会物质文明、精神文明和政治文明建设的学习。它包括自我超越、改善心智模式、建立共同愿景、团队学习和系统思考五个方面。

二、e‐learning 理论和第五代创新

在数字化时代，知识生态系统（knowledge ecosystems）[①]和 e‐leaning 设计方法论[②]，将为人们所广泛接受。正如钱伯斯（CEO，Cisco Systems）指出的那样，在互联网和将被证明是最大的变化动因的领域的最大增长将在于 e‐learning。[③]

为了解释在数字化空间的学习，人们必须重新界定：学习是什么和我们应该建立怎样的基础结构。区别于传统的线性阅读模式和旧式的学习活动，在数字化空间的学习活动是非线性的网络化和跨越式学习模式，而这正是 e‐leaning 理论所要解决的问题。它要求，恰当的学习者在恰当的时间、恰当的地点，获取恰当的信息。[④]

创新理论最早是经济学家乔瑟夫·斯卡拉伯特在 20 世纪 30 年代创造的。乔瑟夫·斯卡拉伯特把创新分为五种类型：新产品或者对于现有产品的实质上的改进；新的生产方式；开辟新市场；新的投入源；新的组织。[⑤] 后来，波特和斯特恩对它做了更进一步地阐述："创新——知识向新产品的转化，过程和服

---

①②③ 参见 Digital Learning Institute. e－Learning Design Methodology. http. // www. digitallearning. re. kr/r—d4. htm。

④ 参见 Digital Learning Institute, e－Learning Theory. http. //www, digitallearning. re. kr/r—d3. htm。

⑤ 参见 Amidon D. M. Rogers, The challenge of fifth generation R&D. *Research—Technology Management*, 39（4）：33—41, 1996。

务——不仅仅需要科学和技术的参与，而且还需要辨析顾客的需求并给予满足。"① 然而，自从 20 世纪 30 年代以来，我们对于"创新"是由什么构成的观点已经发生了变化。罗斯威尔根据五代行为过程解释了创新的演化过程，并将其分为"五代创新"。② 第一代创新——科技推动；第二代创新——需求拉动；第三代创新——结合型；第四代创新——整合型；第五代创新——系统整合与网络型（SIN）。第五代创新是建立在整合型基础之上的，它包括供给者和消费者的战略伙伴关系、专家系统的使用、市场活动和研究工作的协同。重点是以质量和其他非价格因素为中心的发展速度和伸缩性。罗斯威尔的第五代创新即依赖性创新，具有战略性和授权（enabling）特征。③

Rothwell 认为日本的一些公司正在按照第四代创新模式运作，美国的公司则在按照第三代创新模式运作，而第五代创新的出现则还在期待之中。

德拉克说所有成功的企业家都致力于系统创新的实践。他认为："有目的的、系统的创新开始于分析新的机遇源自哪里。"④ 因此，可以从四个方面来看待第五代创新：创新输入、创新过程、创新产品（输出）和创新战略。⑤

对于如何发展创新能力，许多专家提出了自己的观点：

莱克罗夫特和卡什认为科技和经济成功需要"承认科技和自

---

① 参见 M. E. Porter, S. Stern. The new challenge to America's prosperity: findings from the innovation index. Council on Competitiveness, Washington, 1999.

②③ 参见 Roth R. Well, Towards fifth generation process innovation. international marketing review. Il（I）：7—31，1994。

④ 参见 P. F. Drucker, The discipline of innovation. *Harvard Business Review*, 1998，76（6）．pp. 149—157。

⑤ 参见 Mile. Terziovski, Danny Samson and Linda Glassop. Creating core competence through the management of organisational innovation. Foundation for Sustainable Economic Development, 2001。

我管理网络（self - organizing networks）的共同进化过程是必要的因素"。① 建立这种共同进化的第一步就是了解组织当前的状况。

切萨、考夫兰和沃什建议企业执行创新审核。他们研究出了一套记分卡——产品创新、产品发展、过程创新、技术的获得、领导才能、资源配制、系统和工具以及竞争力。②

阿米顿·罗杰斯提出一个类似的评估方法。一个组织可以根据创新发展的五个层面——技术转让、技术交流、知识交流，知识管理和知识创新，从五项管理领域——执行情况、组织机构、人力情况、过程和技术——来评估他们的活动。根据这些理论，创新发展的这几个层面是累积的。也就是说，早期层面仍然出现在后期层面中。③

三、创建学习型高校理论研究

彭赓认为学习型组织是一种普遍适用的组织形式。凡是有人群存在的地方，不论其种类、层次、规模，在理论上均可以建立学习型组织。在种类上它可以是政府机关、行业与产业部门、学校、医院、公司、企业和工厂；其规模大至拥有巨大人力、财力与物力的组织，小至简单的三人小组。④

肖余春博士认为，学习型组织是一种面向 21 世纪崭新的人

---

① 参见 R. W. Rycroft, D. E. Kash. Managing complex networks – keys to 21st century management, 1999. 42 (3)：13 – 18. *Research – Technology Management*, 42 (3)：13 – 18。

② 参见 V. Chiesa, Coughlan, D. and Voss, C. A. development of a technical innovation audit. *Journal of Products Innovation Management*, 1996, 13：105 – 136。

③ 参见 Amidon D. M. Rogers, The challenge of fifth generation. *R&D. Research – Technology Management*, 1996. 39 (4)：33 – 41。

④ 参见彭赓、李敏强、寇纪淞：《组织学习与学习型组织研究》，《中国软科学》1999 年第 12 期。

力资源管理理论，它采用系统动力学的方法检讨了我们以往的学习观及管理体制，它更加重视管理的心理化，在管理中更具优势，是 21 世纪人力资源管理的新方向。他进一步认为，学习型理论在高校管理中有新的优势。第一，有利于基层人员成长，权力下放，自主决策，利于调动组织成员积极性；第二，决策民主化程度提高，利于集思广益，提高教学质量；第三，上下级信息传递加快，扁平化式管理，减少环节，利于沟通；第四，节省管理费用，发挥更大效率。①

牟宗荣认为，随着知识经济的兴起，加入 WTO 后，在全面建设小康社会的大环境下，高等院校既面临着机遇又面临着挑战，高等院校要在激烈的竞争中获得生存和发展，就必须变革，适时重组和调整，不断形成新的激励机制，而要达到这一目标，惟有不断学习、学习、再学习。学习型组织理论以其思想的先进性、手段的时代性以及方法的务实性为世纪之交的人们提出了一种全新的科学管理理念。他认为，共同愿景是学习型组织的聚合力。团队学习是创建学习型组织的基础。变革创新是创建学习型组织的关键。②

史宝中、柳治仁认为，学校仍是终身学习的主体组织，包括幼儿园、中小学等基础教育、职业教育、技术教育、高等教育机构获得社会生活与就业有关的专门教育及推广教育等。所以，学校必须是学习型组织，教育人员必须是终身学习的实践者，更是终身学习的表率。③

---

① 参见肖余春：《21 世纪人力资源管理的新方向》，《江西教育学院学报（社会科学版）》2000 年第 4 期。

② 参见牟宗荣、王扶明：《学习型组织：高校内部管理机构改革的新视点》，《青岛化工学院学报（社会科学版）》2000 年第 4 期。

③ 参见史宝中、柳治仁：《论学习型组织与终身学习》，《继续教育研究》2003 年第 1 期。

龚升峰认为学校是社会的一个单元，具有组织的特征。[①] 学习型学校具有学习型组织的特征，它通过营造浓厚的学习气氛，使广大干部教师凭借学习来实现个体价值，大幅度提高办学效益。在学习型学校，教职工通过创造性的学习，得到教学、科研和经营管理的能量，锤炼全新、前瞻、开阔的思考方法，全面更新教育、教学、科研和经营管理的思想、内容、方法和技术，全力实现知识的创造、传播和运用，以造就质高量多、适应知识经济的人才。

孟繁华教授从学校效能与组织模式、组织学习和学习型组织、学习型组织的环境平台等多个角度阐述了构建学习型院校的必要性。[②]

陈国权教授运用学习型组织典型案例，深入研究了组织创建中学习主体的类型，[③] 学习组织创建的过程模型、本质特征和设计原则等多方面的问题，[④] 为我们创建学习型高校提供了很大的帮助。

李涛对几种常见的组织职能制结构、事业部制结构、矩阵制结构、网络制结构进行比较研究，认为网络制是最适合学习型组织的结构形式。[⑤]

[①] 参见龚升峰：《学习型学校及其创建策略》，《基础教育研究》2003 年第 10 期。

[②] 参见孟繁华：《构建现代学校的学习型组织》，《比较教育研究》2002 年第 1 期。

[③] 参见陈国权、李赞斌：《学习型组织中的"学习主体"类型与案例研究》，《管理科学学报》2002 年第 4 期。

[④] 参见陈国权：《学习型组织的过程模型、本质特征和设计原则》，《中国管理科学》2002 年第 4 期。

[⑤] 参见李涛：《对学习型组织结构形式的研究》，《科学学与科学技术管理》2002 年第 9 期。

表 2—1   不同组织结构相对有利与不利情况分析

	职能制	事业部制	矩阵制	网络制
资源利用效率	优	差	一般	好
时间效率	差	好	一般	优
应变能力	差	好	一般	优
责任	好	优	差	一般
最适合的环境	稳定的环境	各种各样的环境	具有多方面需求的复杂环境	易变的环境
最佳战略选择	集中/低成本战略	多元化战略	反应式战略	创新战略

（资料来源：James I. Jr，Robert G. Eccles：Building the information—Age Organization Structure，Control，and Information technologies，Mcgraw—Hill Press，1988，p35。）

王坚认为，学习型组织与人力资源管理结合，能使组织变革。[①] 他在文中阐述了学习型组织与人力资源开发的手段、组织变革对职工的能力要求。特别指出学习型组织领导应具备自我管理的能力，领导管理的能力、管理沟通能力、管理变革和创新能力。

浙江师范大学教育科学与技术学院徐长江就学习型组织理念对教师培养和提高的观念、动力、基础、形式以及途径上的启示进行了探讨，试图以一种全新的角度和理念重新审视教师培养与提高这一重大而现实的问题。[②]

杜永明选取某些班级为试点，运用概率统计的方法研究学习型组织理论在高校学生管理工作中的作用，得出学习型组织的优越性主要体现在对人性的管理上，在高校班级集中建立学习型组

---

① 参见王坚：《论我国学习型组织与人力资源管理》，《江西教育学院学院（社会科学）》2001 年第 5 期。

② 参见徐长江：《论"学习型组织"理念对教师培养与提高的启示》，《高等师范教育研究》2001 年第 2 期。

织，有利于提高管理质量和效益，促进学生成绩的提高。①

黄兆龙从教职工与学校共同发展、业绩报酬制度、扁平化的内部结构等几个方面阐述了学习型学校的基本特征，并认为构建学习型学校组织应该重视学校知识管理、变革学校组织管理、加强五项修炼。②

苏义林认为学习型组织是学校管理的必然趋向，学校只有转变观念，变适应性学习为创造性学习，清除学习组织创建的阻碍——习惯性防卫，营造一定的支持环境，让组织每个成员真正活出生命的意义，学校发展才大有希望。③

范国睿认为构建学习型组织需确立目标构建——认同策略、文化维持——创新策略、师生一体化研究——学习策略几个方面的策略。④

朱正伦认为大学要成为名副其实的学习型组织就要抓好五个环节，确立共同目标、始终重视学习、管理重心下移、激励约束并重、转变领导作风。同时他提出博学、求是、明德是高校作为学习型组织的本质特征。⑤

魏大鹏认为，学习型高校，就是全体教职员工拥有持久的学习力，不断把学习力转化为创造力的大学。这样的大学能够通过

---

① 参见杜永明：《学习型组织理论在学生管理工作中的应用》，《交通高教研究》2002年第1期。

② 参见黄兆龙：《现代学校学习型组织的演练》，《现代中小学教育》2002年第4期。

③ 参见苏义林：《学习型组织理论在学校管理中的应用》，《兰州铁道学院学院（社会科学版）》2001年第5期。

④ 参见范国睿：《走向学习型组织的现代学校》，《教学与管理》2001年第2期。

⑤ 参见朱正伦：《大学要率先成为学习型组织》，《江苏高教》2002年第3期。

不断学习使学校自身不断发展和不断完善并保持持续的竞争优势。①

左贵元提出创建学习型学院的四个系统，就是向自己学习系统，向伙伴和竞争对手学习系统，向市场和学员（学生）学习系统，院内学习资源共享系统。②

赵凤平认为所谓学习型学院，就其内涵来说，是指通过全院教职员工的学习行为而建立起一种能自我选择、自我塑造、自我整合、自我调控、综合创新、协调发展的学院形态。③

由此，笔者认为学习型高校就是高校管理主体依据高等教育目的和规律，调动一切可以调动的人力资源因素，充分发挥管理主客体的积极性，使主客体要素实现从个体学习、团队学习到组织学习的飞跃，提高组织学习力，在实现共同愿景的基础上不断获得新的增长点，能在市场竞争中持续获得竞争优势的组织。该定义包括四层含义：

第一，学习型高校有共同的目标，即共同愿景。在共同目标的指引下，实现高校的不断超越。

第二，学习型高校的学习不仅是组织个体成员自学，而且是从个体到团队再到组织都在学习，是一个动态的学习过程。

第三，学习型高校需要管理主客体双方的共同努力，要充分调动双方的积极性。

第四，学习型高校是一个不断获得新增长点的组织。不断赋予组织新的内涵是组织长期立于不败之地的精髓所在。

---

① 参见魏大鹏：《面向21世纪，创建"学习型大学"》，《天津轻工业学院学报》2001年第4期。

② 参见左贵元：《关于创建学习型行政学院的思考》，《陕西省行政学院陕西省经济管理干部学院学报》2003年第8期。

③ 参见赵凤平：《关于建设学习型学院的思考》，《广西教育学院学报》2003年第2期。

受创建学习型社会大环境的影响，创建学习型高校这一课题必将得到越来越多学者、专家的关注，理论成果必将不断涌现在我们面前。

四、学习型高校的特点

（一）从一般系统向复杂系统转化

传统的高校管理把组织看成是一个一般系统，它所包含的子系统数量少，相互关系简单，运动规律相对清楚，只需要线性方程就可以用比较精确的手段予以控制。复杂系统呈网络状分布，各子系统间联系广泛而紧密，通常需用联立方程来描述，联立方程需要整体与局部同时考虑。学习型高校注重系统思考，要求了解由各子系统要素组成的有机系统的整体特性，同时作为一个开放的系统还要兼顾考虑内环境和外环境因素，使各子系统更好地发挥应有的协同作用。

（二）从"金字塔式"管理向"扁平化式"管理的递变

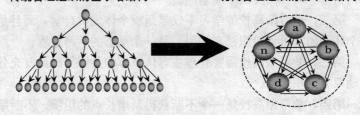

传统管理组织的金字塔结构　　　　现代管理组织的扁平化结构

图2—3　组织结构的转变

由单向作用构成的系统，其行为表现出机械性（简单性、线性作用和被动性，缺乏发展的能动性）。由相互作用构成的系统，其行为表现出有机性和自组织性（复杂性、非线性作用、自动性、自调节、自复制、自创生等自主发展的能动性）。（见图2—3）学习型高校的内部结构是扁平化的，有的甚至还是"零管理层"。扁平化高校组织结构是从学校决策层到操作层，中间间隔层次少，形成一个互相学习、互相思考、协调合作的群体，以产生巨大的创造力。"零管理层"是指在一所高校中只有高层管理者和教职工这两个层次，没有任何的中间管理层。扁平化组织结构取代原有的金字塔式的组织结构，它减少了层次，缩短了纵向间的距离，紧密了横向间的联系，有利于各种知识和信息的交融与组合，从而使高校能根据教育、教学、科研和管理需要迅速作出调整的一种松散的、灵活的、具有高度适应性的组织形式。

（三）从个体学习向组织学习的转变

传统的高校学习理论，主要是从教育学、心理学的角度来研究学习问题，其最重要的出发点是把独立的人作为学习的主体，追求的重点是个体行为的改善。在这种理念下，即使将关注点调整为某个组织（或集体），其对学习行为的认识仍然是：只要这个组织中的每个人都学好了，这个组织就会自然成为优秀的组织了。可是，人们在实践中却不难发现，一些集体中每个成员的智商都很高，但这个组织的整体行为能力所体现的智商却难以达到每个个体的水平。而且往往个体越优秀，这种趋势就越明显。

学习型高校组织学习理论，主要是每个人都在学习的组织并不能等同于组织学习，个体行为的改善不能代替组织整体行为的改善。组织学习与个体学习的最大区别，就在于学习行为的主体不同。组织学习是以组织本身为主体，而不是全体组织成员的简单算术和。如果一个组织不能成为一个独立的学习主体，即使每个个体的学习都很好，也不能看做是组织学习行为的发生，更难以对组织行为的改善产生根本性的推动。学习型高校在管理的过程中，始终把组织本身看做是学习的主体，把重视追求个体行为能力的改善，转变为追求组织行为的改善，努力克服"个体优秀、集体平庸"的陷阱，激发出高于每个成员智慧的集体智慧来，并将学习过程和工作过程统一起来，从而实现组织行为的综合改善。①

（四）管理从物化向人性化的发展

随着社会的发展，高校管理的指导思想将进一步由对物的管理，转为对人的管理，由对人的一般理解的管理，转为对人的充分人性化的管理。学习型高校首先依靠人、激励人、培育人、关心人，不再将人看做是实现高校目标的工具和手段。其次，学习型高校视个人的价值和高校的价值融为一体，为师生的良好智慧、才能和个性的全面发展和充分的施展，创造有利的学习条件与工作环境。再次，学习型高校顺应人性、尊重人格、激发师生的主动精神和创造潜能，使师生能从命运共同体的深刻感悟中，为高校迸发出全部的智慧和力量。这既与当前科学发展观的时代要求相一致，又与学习型组织以人为本的科学内涵相吻合。

五、学习型组织及创新理论对本书的理论意义

本研究的基点——高校，也是一个学习型组织，学习型组织的一个主要特征是系统思考，充分运用组织内群体的力量，整合资源形成合力，特别是调动组织内人员的智慧，使组织内人才都按组织的共同愿景，提升自身的学习能力，形成强大的知识流，从而提升高校组织的整体竞争优势，使组织在诸多方面与其他高校竞争时突显其比较优势。

（一）学习型组织管理理论适应于包括高校在内的各种组织

对于学习型组织，人们比较关心它的技术操作层面，即传统组织如何通过"组织修炼"转变成学习型组织，所以对彼得·圣

---

① 参见郭驰、闫鹤翔：《学习管理：推进行政性组织成长的新途径》，《中国行政管理》2002 年第 3 期。

吉的"第五项修炼"、鲍尔·沃尔纳的五阶段模型、[①] 约翰·瑞定"第四种"模型[②]等极为推崇;[③] 有的人只是把它当成一种新的组织理论,认为学习型组织是关涉组织结构、组织制度、组织文化、组织设计、组织整合等。实际上这两种看法都是片面的,我们应将学习型组织作为一种综合的管理理论来看待,或者说是一整套管理模式,包括管理目标、管理者与被管理者关系、管理方式、管理技术、管理文化、组织与外部环境关系等管理的诸多方面,最重要的是其隐含的管理价值观,如以人为本、知识共享、自我超越等,所以它是一种宏观管理理论,适应于所有组织,当然包括高校组织。学习型组织已成为国际共创、共识的现代管理理论,在国内外有广泛的实践基础,如新加坡用它指导政府管理,提出要建成学习型政府;日本用它指导城市管理,要把大阪建成学习型城市;美国 MIT 院校将学习型组织管理理论应用于高校管理,产生了积极的效果。我国同济大学把它用于指导学院管理,提出要把函授与继续教育学院建成一流的"学习型学院"。最近,山东大学、北京教育学院、中国计量学院、中国东南地质大学、玉溪师范学院、江苏盐城师范学院等院校提出建设"学习型高校"、"学习型高校机关"口号,江西师大也提出要创建学习型高校党委组织的工作思路。[④]

(二)学习型组织与高校均重视人的因素

高校重视人的因素是由组织的目标、特点、人员构成等因素

---

① 第一阶段:无意识学习。第二阶段:消费性学习。第三阶段:学习引入企业:开端。第四阶段:确定企业的学习日程。第五阶段:学习与工作的融合。

② 第一模型:计划。第二模型:计划—执行计划。第三模型:准备—计划—实施。第四模型:持续准备—不断计划—即兴推行—行动学习。

③ 参见周德孚等编著:《学习型组织》,上海财经大学出版社 1998 年版,第 24—30 页。

④ 参见李文亭:《江西师范大学党建工作纪实》,《江西日报》2004 年 5 月 15 日。

决定的。首先，高校最主要的职能是培养高级专门人才，它的组织成员是高素质的群体——教师和大学生。其次，教师是学校的依靠力量，而教师的劳动具有高智力性、独立性、创造性等特点。高智力性反映在教师所进行的复杂脑力劳动对教师智能水平的高要求上。独立性，是指高校教师的教学、科研活动一方面很大程度上带有单兵作战的性质，需要充分依赖其个人学识，另一方面，彼此间联系和影响也相对较少，"教师是在相互很少打交道以及很少与管理人员联系的情况下履行自己职责的"。① 再次，从高校组织权力来看，主要有科层制模式、学术团体模式、双重组织模式。② 无论哪种模式，行政权力都要受到学术权力、专业权力的制衡。学术团体模式还是一种以学术权力为主的模式，所有这些要求高校重视人，注重人的价值实现。"专业人员的组织，专业人员的特点是愿意自我管理"，③ 这与学习型组织强调以人为本、自我管理的思想是一致的，学习型组织鼓励个人自我超越、进行系统思考、将工作与学习融为一体。正如彼得·圣吉所说，学习型组织是要充分发挥每个员工的创造性，凭借着学习，个体价值得到体现。④ 所有这些都说明高校在促进人的发展问题上是与学习型组织是一致的。

（三）学习型组织与高校都是学习的组织

学习型组织的学习可分为三个层次，首先是个人学习，接下

---

① 托尼·布什著，强海燕译：《当代西方教育管理模式》，南京师范大学出版社1998年版，第19页。

② 参见冒荣等：《高等学校管理学》，南京大学出版社1997年版，第134—135页。

③ 冯奎：《学习型组织——未来成功企业的模式》，广东经济出版社2000年版，第13页。

④ 参见托尼·布什著，强海燕译：《当代西方教育管理模式》，南京师范大学出版社1998年版，第17页。

来是团队学习，最后是组织学习。高校是培养高级专门人才的组织，而人才的培养是依赖于一系列有计划、有目的的教育教学活动，实质是一种学习链活动——教师的学习、教学生学习（相互学习）、学生学习。首先，高校是"个体学习"，教师和学生在各自的专业领域内学习。个体学习是组织学习和学习型组织的基础，"学习型组织是可能的，因为每个人都是天生的学习者"。①这句话用来描述高校的情形是再合适不过的，因为学生是以学习为天职。其次，高校学习是有组织学习。高校属于正规的学校教育，其教学和学习是有组织、有计划、有目的的，不同于非正规教育组织的个体学习模式和非教育组织的学习模式。"大学，可以认为是为了加强和支援学习而设计的"，这种组织学习的雏形为向学习型组织迈步奠定了良好的基础。再次，从学习的对象——知识的角度看，学习型组织是一个能熟练地创造、获取和传递知识的组织，同时也善于修正自己的行为，以适应新的知识和见解。② 学习型组织可以更好地满足组织知识的获得、知识共享、知识利用的需要，而学校是进行知识的生产和再生产（传播）的知识型组织，所以知识的获得、共享和利用是同步展开的，而且直接导致工作绩效的提高。所以从知识的角度看，高校更应该成为学习型组织，因为知识角度的学习型组织是"工作与学习融为一体"。③

（四）高校管理组织改革趋向与学习型组织的要求是一致的

高校的组织结构，纵向上分为若干个层次，横向上每个层级又分为若干职能部门，形成纵横交错的"矩阵式"权力体系，这

---

① 参见黄志成等：《现代教育管理论》，上海教育出版社1999年版，第183页。

② 参见沃特金斯等著，沈德汉等译：《21世纪学习型组织——企业领导的管理艺术》，上海世界图书出版公司2000年版，第18页。

③ 彼得·F·德鲁克编：《知识管理》，中国人民大学出版社1999年版，第45页。

就是所谓的"科层制"或"官僚制"。但一直以来,高校的这种科层制有自己的诸多特征,偏离严格意义上的科层制。随着信息时代的到来,它将进一步走向扁平化、地方化、柔性化。

1. 高校组织人员一般而言是专业人员,"对专业人员的管理不能仅仅以官僚结构为基础,在学校和学院的管理中,我们必须承认教师的专长和教师群体的专业水平",[①] 所以必须以柔性管理为主。

2. 高校组织结构的学科性特点,即高校内部分工很大程度上是与一定的学科结构相关的,这种学科结构从学校来看是朝着分化和松散型结构变化的,每个学科、专业有自己的特点,不断专业化形成了自己强大的学科权力,这些学者、专家的知名度、影响力甚至超过校长,学科的权力越来越大,决策权的地方化不可避免。

3. 高校被认为是松散连接系统的组织,意味着组织的子系统(以及他们进行的活动)虽然是相互关联的,但他们中每个都保持自己的特殊性和个别性,"松散结合的组织特性允许一个教育组织在同一时刻针对不同的问题,从若干不同的方面作出反应",[②] 这种组织的一定分权势在必行。

4. 随着知识经济信息时代的到来,高校面临着日益复杂的内外管理环境,各种社会团体的压力、竞争的加剧,要求更多更快传递信息或者说要求尽快作出决策,学校传统的等级制、垂直阶梯无法适应急剧变化的要求,高知识、高素质的高校教师必将承担更大的决策责任,而且随着信息技术的日益普及,信息传输更快捷方便,计算机和自动化设备也可代替一部分人做的工作,

---

① 托尼·布什著,强海燕译:《当代西方教育管理模式》,南京师范大学出版社1998年版,第117页。

② 黄志成等:《现代教育管理论》,上海教育出版社1999年版,第183页。

这就为管理层次的减少和组织的扁平化创造了条件。高校的组织结构趋向扁平化、柔性化、地方化与学习型组织主张的以"地方为主"的扁平式组织，将决策权往组织机构的下层移动，让最下层单位拥有充分的自决权的特点是一致的。

当然，我们在看到学习型组织前景美妙动人且与高校具有和谐一致一面的同时，也要看到高校成为学习型组织的障碍。首先是来自大学的保守体制。20 世纪 60—70 年代，美国教育家西奥多·姆·赫斯伯格曾经说过，"大学是所有社会机构中最保守的机构之一"。[①] 大学乃至整个高等教育系统往往像一潭死水，严重阻碍变革。因为大学作为一个相对稳定的机构，有保持其传统的惯性或惰性，而且需要为它的教师创造一种稳定、安全、持续的环境，这使得本已保守的教师团体更加保守。从现实我们可以看到，高校远不如企业在面对生死攸关的市场竞争时反应那么敏捷，创新意识也没有那么强烈，有人戏称"高校是市场经济的最后一块堡垒"，这与学习型组织本身管理理念和管理模式的创新，而且在价值取向上强调创新发展是格格不入的。其次，高校在组织目标上具有多样性和模糊性，而且组织目标随着参与团体的改变而改变，目标之间也存在相互冲突，这被科恩等人认为是"组织的无政府状态"特征之一。[②] 这使得建立学习型组织必经的修炼之一——建立共同愿景难度加大，因为建立共同愿景包括共同目标、价值观、使命感三个要素。再次，高校的松散连接和教师劳动的个体性等特点，虽有利于组织的地方化、扁平化，但"这种组织结构的松散性给组织学习带来一定困难"，[③] 尤其不利于

---

① 转引自冒荣等：《高等学校管理学》，南京大学出版社 1997 年版，第 349 页。

② 转引自罗伯特·欧文斯著，孙绵涛等译：《教育组织行为学》，华中师范大学出版社 1987 年版，第 33—34 页。

③ 郁义鸿：《知识管理与组织创新》，复旦大学出版社 2001 年版，第 157 页。

学习型组织的另一项修炼——团体学习。因为团体学习是发展团体成员互相配合、整体搭配与实现共同目标的能力的学习活动及其过程，团体学习旨在处理这种困境："在一个管理团体中，大家都认真参与，每个人的智商都在 120 以上，何以集体的智商只有 62？"①　不过也从另外一个角度说明，高校迫切需要团体修炼，迫切需要建立共同愿景，迫切需要进行组织改革创新，建立学习型组织。

第四节　知识管理理论

一、知识管理研究历史沿革

对知识进行管理的历史可以追溯到文明社会的最早时期。正如著名管理学家彼得·F·德鲁克所说，埃及人设计并建造了史无前例的金字塔，这"证明了有效知识管理的核心——在孕育新思想的创造性活动和将好想法转化为有价值的商品所需的严格实施之间达到平衡的能力"。②　为了使知识的获取、保存和分配能变得更有效，不断有新的技术被开发出来，尤其是文字、造纸和印刷术的发明，使记录媒体和设备方面的技术有了较大发展。③随着时代的发展和人类文明的不断进步，知识作为资源和资本逐

---

① 彼得·圣吉：《第五项修炼——学习型组织的艺术与实务》，上海三联书店1998 年版。

② P. F. Drucker, The age of social transformation. The Atlantic Monthly November, 1994.

③ 参见 William, Lves, Ben Torrey & Cindy Gordon. The History of Knowledge Management.

步为人类所重视。[①] 知识终于登上了历史舞台。[②]

对知识管理的研究始于 20 世纪 80 年代。[③] 在当代西方关于企业知识管理的研究中，彼得·F·德鲁克的观点非常具有代表性和影响力。他着眼于西方社会历史的发展，以广阔的视角分析了当代西方社会结构的巨大变迁，提出西方发达国家正在步入一个新的历史时代——知识社会。他还精辟地论述了伴随知识社会的到来而发生的知识管理革命。[④] 此外美国学者保罗·S·麦耶斯在对企业知识管理与组织设计的研究中提出了促进权利转移的组织竞争与设计方案；[⑤] 加拿大学者弗朗西斯·赫瑞比研究了人力资本、结构资本以及顾客资本中人的因素，对知识创新与生产模式、产业结构、经济增长的关系以及知识创新的理论和方法进行了研究；[⑥] 彼得·圣吉对学习型组织的研究、日本学者野中郁次郎和竹内广孝关于知识创新型企业的研究等都对企业知识管理的研究产生了较大的影响。[⑦]

在我国，王德禄对知识管理的理论和实践进行了较为系统的研究，认为知识管理是竞争力之源；[⑧] 齐建国等对知识经济与企业管理的有关内容进行了研究，提出了我国面对知识经济挑战的

[①] 参见胡汉辉、沈群红：《西方知识资本理论及其应用》，《经济学动态》1998 年第 8 期。

[②] 参见马莉：《知识管理的历史回顾》，http.//www.chinakm.com/share/list.asp? id=434。

[③] 参见蒋云尔：《企业知识管理基本要素研究》，河海大学博士论文，2002 年 12 月 7 日。

[④] 参见彼得·F·德鲁克等著：《知识管理》，中国人民大学出版社 1999 年版。

[⑤] 参见保罗·S·麦耶斯主编：《知识管理与组织设计》，珠海出版社 1998 年版。

[⑥] 参见弗朗西斯·赫瑞比：《知识管理员工》，机械工业出版社 2000 年版。

[⑦] 参见 Monika & Takeuchi. *The knowledge—creating company：how Japanese companies create the dynamics of innovation.* Oxford University Press，1995。

[⑧] 参见王德禄等：《知识管理：竞争力之源》，江苏人民出版社 1999 年版。

对策;① 郁义鸿也对企业知识管理与组织创新方面做了有益的探索;② 赵曙明、沈群红重点研究了知识企业的知识管理,提出了中国知识企业发展的思路;③ 金吾伦把知识管理看做知识社会新的管理模式,对知识创新、学习型组织、企业文化进行了研究;④ 王方华探讨了企业知识管理的运行机制、知识共享机制以及风险防范体系等。⑤ 这些研究都为知识管理理论和实践的发展起到了积极的推动作用。

二、关于知识管理的定义

到目前为止,各类学者对知识管理定义的研究大致可以归纳为以下几个方面:

(一)知识管理是对知识进行管理并运用知识进行管理的过程

大卫·斯基姆博士认为,知识管理是对知识及其创造、收集、组织、传播、利用等一系列过程的显性的、系统化的管理,它注重于将个人知识转变为组织的知识并使之得到适当的运用。⑥ 巴斯指出:知识管理是指为了增强组织的绩效而创造、获取和使用知识的过程。⑦ 郭强认为,知识管理的实质是对企业中人的经验、知识、能力等因素的管理,以实现知识共享并有效实现知识价值的转化,以促进企业知识化和企业的不断成熟和壮大。⑧ 朱晓峰和许发见的观点是:知识管理就是通过对知识系统

---

① 参见齐建国等:《知识经济与管理》,社会科学文献出版社 2001 年版。

② 参见郁义鸿:《知识管理与组织创新》,复旦大学出版社 2001 年版。

③ 参见赵曙明、沈群红:《知识企业与知识管理》,南京大学出版社 2000 年版。

④ 参见金吾伦:《知识管理:知识社会的新管理模式》,云南人民出版社 2001 年版。

⑤ 参见王方华等:《知识管理论》,山西经济出版社 1999 年版。

⑥ 参见 Knowledge Management. http://www.skyrme.com/insights/22KM.htm。

⑦ 转引自王德禄等:《知识管理:竞争力之源》,江苏人民出版社 1999 年版。

⑧ 参见郭强:《论 KM 与 CKO 制度的构建》,《情报资料工作》1999 年第 6 期。

化、组织化的管理，增强企业集体知识的获取、开发管理、知识再造及自主学习意识和水平，通过提高知识生产率来提高劳动生产率。[①] 应力和钱省三则把知识管理定义为一种有组织的、为实现特定利益而进行的活动，是将企业知识系统动态化、有序化的过程。[②]

（二）知识管理为企业实现显性知识与隐性知识的共享提供新的途径

卡尔·弗拉保罗认为，知识管理就是为企业实现显性知识和隐性知识的共享而提供的新途径。[③] 加特纳集团公司的理念是，"知识管理是为发现、管理和分享企业信息资产所提供的一条综合途径。这些信息资产包括数据库、文献、策略、程序和未成文的存在于职工中的技能与经验"。[④] 高勇认为，知识管理是指企业通过有计划、有目的地构建企业内部知识网络进行内部学习、构建企业外部知识网络进行外部学习，有效地实现显性知识和隐性知识的互相转换，并在转换过程中创造、运用、积累和扩散知识，从而最终提高企业的学习能力、应变能力和创新能力的系统过程。[⑤]

（三）知识管理是对知识资产的管理

徐锐对知识管理的定义是：知识管理就是企业内知识资产的

① 参见朱晓峰、许发见：《知识管理和竞争情报》，《情报理论与实践》2000 年第 4 期。

② 参见应力、钱省三：《知识管理的内涵》，《科学学研究》2001 年第 3 期。

③ 转引自邱均平、段宇锋：《论知识管理与竞争情报》，《图书情报工作》2000 第 4 期。

④ Sheila, Corral. Knowledge management—are we in the knowledge management business? http. //www. ariadne. ac. uk/issue18/knowledge—mgt.

⑤ 参见高勇、钱省三、应力：《知识管理的内涵及实施》，《华东经济管理》2001 年第 6 期。

管理。① 卡尔·E·斯维拜对知识管理的定义既简洁又深刻：知识管理是利用组织的无形资产创造价值的艺术。② 卡尔·弗拉帕诺罗和维恩·汤姆斯则将信息管理视为一套工具，借以自动建立信息对象、用户和过程之间演绎的或固定的关系，知识管理的作用是连接知识拥有者和寻求者这两个节点。③ 陈通指出，知识管理是知识管理者通过现代化的工具改变企业员工的工作态度和行为，建立开放和信任的企业内部环境，使得员工去合作开发和共享知识资源，完成更艰难的任务，产生更好的效益，达到更高的目标。④

（四）知识管理是运用集体的智慧提高组织应变和创新能力的管理

安德拉·华顿则认为，知识管理是系统地平衡信息和专门知识，以提高组织的创新能力、反应能力和生产率。⑤ 马洛特拉将知识管理定义为"知识管理是当组织面对日益增长的非连续性的环境变化时，针对组织的实用性、组织的生存及组织的能力等重要方面的一种迎合性措施"。⑥ 大卫·斯基姆认为，KM 是对知识及其创造、收集、组织、传播、利用与宣传等过程的管理。⑦ 埃

---

① 参见徐锐：《知识型企业的知识管理特征》，《图书情报工作》2000 年第 1 期。

② 转引自邱均平、段宇锋：《论知识管理与竞争情报》，《图书情报工作》2000 年第 4 期。

③ 转引自 Carl Frappanolo, Wayne Toms. Knowledge management: from terra incognito to terra firma imaging world. October, 1997。

④ 参见陈通、程国平：《企业知识管理主体解析》，《中国软科学》2001 年第 3 期。

⑤ 参见 Andre Warton, Common knowledge document world. Oconto, 1998。

⑥ 参见 Yogesh Malhotra, Toward knowledge ecology for organizational white-waters. Knowledge Ecology Fair, 1998。

⑦ 转引自白波、张晓玫：《关于企业知识管理的几个理论问题》，《图书情报工作》2001 年第 8 期。

里亚斯·萨夫迪和雷·爱德华指出："知识管理是使人、过程以及技术完善地结合起来，以使组织机构的与信息相关的成分，变成为企业带来价值、优势和利益的直观动态的知识财富集合。"[①] 郭睦庚认为，知识管理是一个寻求数据和信息处理能力与员工的创造和革新能力协作组合的组织过程，以提高企业应付外界环境变化的适应、生存和竞争能力。[②]

从以上对知识管理的各种定义中不难发现：第一，知识管理实际是一种有组织的、为提高企业效益而进行的活动。第二，知识管理不会自发地实现，企业知识管理需要配以相应的报酬机制、企业文化和知识共享环境等。第三，知识管理强调对知识的有效管理，谋求企业显性知识与隐性知识的共享，为知识的采集与加工、交流与共享、创新与增值创造良好的环境，运用集体的智慧提高企业的应变能力和创新能力。第四，知识管理本身就是一个动态过程，是企业对知识创新行为的动态管理。第五，知识管理在内容上不仅包括对知识本身的管理，而且还包括对与知识有关的各种资源和无形资产的管理，以期实现知识的共享、创新和增值。

三、知识管理理论视角中的知识分类

关于知识及其分类，许多学者都有不同的解释，但主流的观点在于知识管理视野中的知识分类。知识的分类往往建立在知识内涵的理解基础之上。主要的观点有：

世界经济合作与发展组织（简称 OECD）在《以知识为基础的经济》的报告中将知识归纳为四类：事实知识（Know－

---

① 参见 Elias Sadie，Ray Edwards，Knowledge is power for government and business alike. Government Issues White Paper. 10. 31. 1998。

② 参见郭睦庚：《知识的分类及管理》，《决策借鉴》2001 年第 4 期。

what)、原理知识（Know－why）、技能知识（Know－how）、人力知识（Know－who）。①

拉赛尔·阿克科夫在《民主的公司》中提出知识的连续性：数据、信息、知识、理解和智力。数据是代表对象和事件的属性的符号，信息是一种描述，知识是一种指导的层次，理解是届时或特定事物的"理由"，智力是评价和判断的层次。②

维娜·艾莉从知识的复杂程度出发，提出知识原型理论。知识原型包括：数据、信息、知识、含义、原理、智慧联合体。知识原型理论根据各种知识对企业的战略重要性程度、发展的潜力和发展的不同阶段，将企业知识分成四种类型：发展中知识、核心知识、基本知识和过期知识。③

埃德文森和沙利文则将企业的知识资本分为人力资源（human resource）和结构性资本（structural capital）两部分，其中人力资源指组织中所有与人的因素有关的方面，包括企业的所有者、雇员、合伙人、供应商以及所有的将自己的能力、诀窍和技能带给企业的个人。④ 从企业知识管理的角度出发，根据知识自身的特性和应用的角度对知识进行分类。（1）依据知识的属性，将知识划分为显性知识与隐性知识。（2）就知识的范围，可将知识划分为内部知识与外部知识。（3）根据知识的隶属关系，可将知识划分为个体知识与团体知识。（4）按知识对企业的作用和重

---

① 参见经济合作与发展组织编，杨宏进、薛澜译：《以知识为基础的经济》，机械工业出版社 1997 年版。

② 转引自宋建敏：《知识分类观点综述》，2002.1.4 http://www.chinakm.com/share/list。

③ 参见维娜·艾莉著，刘民惠等译：《知识的进化》，珠海出版社 1998 年版，第 343 页。

④ 参见 Leif Edviusson，Patrick Sullivan. Developing a mdle for management intellectual capital，*European Management Journal*，1996。

要程度，可将知识分为核心知识和基础知识。

知识资本概念的提出及其有关理论的形成是知识在企业发展中重要性不断提升的必然结果，也是人们对知识及知识活动认识不断深化的产物。

第一个提出知识资本概念的是加尔布雷思。他认为，知识资本是一种知识性的活动。[①]

美国《财富》杂志编辑斯图尔特则认为，员工的技能和知识、顾客忠诚以及公司的组织文化、制度和运作中所包含的集体知识体现着知识资本。他在其经典论文《知识资本：如何成为美国最有价值的资产》中，揭示了知识资本的内涵及其重要性，论证了知识资本是企业、组织和一个国家最有价值的资产，并预言知识资本将成为美国最重要的资产。[②]

瑞典财务服务公司的艾德文森认为，知识资本是企业一种以相对无限的知识为基础的无形资产（不包括企业的有形资产部分），是企业的核心竞争能力。[③]

可见，知识资本（也叫智力资本或无形资产）实际上就是指由企业拥有或控制的、可用于获利的、不具有实体性的资本，它是传统意义上的无形资产的拓展。

在知识资本理论的研究中，斯图尔特提出了知识资本的H－S－C结构，即知识资本包含人力资本（human capital）、结构性资本（structural capital）和顾客资本（customer capital）。其中人力资本是企业知识资本的重要基础，它包含企业成员所具

① 参见 Leif Edviusson, Patrick Sullivan. Developing a modle for management intellectual capital, *European Management Journal*, vol. 14, no. 4. 1996。

② 参见胡汉辉、沈群红：《西方知识资本理论及其应用》，《经济学动态》1998年第8期。

③ 参见胡汉辉、沈群红：《西方知识资本理论及其应用》，《经济学动态》1998年第8期。

备的各种技能与知识；结构性资本是指企业的组织结构、制度规范、组织文化等；而顾客资本则是指市场营销渠道、顾客的忠诚度、企业信誉等经营性资产。他认为：企业知识资本正是在人力资本、结构性资本以及顾客资本三者的相互作用下实现其增值的。[①]

四、知识管理对高校核心竞争力形成的影响

2004 年 8 月 6 日下午，美国斯坦福大学教育经济学专家马丁·卡诺依教授在第二届中外大学校长论坛上指出，国家的经济甚至民族文化正在向全球化发展。全球化主要以信息和创新为基础，以知识为先导，它带来了竞争激烈的高度知识密集型经济，从而影响到劳动力市场、家庭和教育，对知识的传播产生深远的影响，特别是对高校的影响尤甚。[②] 基于这一认识，卡诺依教授认为知识管理对高校的职能和核心竞争力的形成产生了重要影响：

第一，大学对于技术开发和转让起着极为重要的作用。大学有能力培养出使用新技术与生产所需的具有管理技能的人才，大学对于使用、开发信息和工业技术转让起着重大的作用。在生产应用技术方面，大学的主要作用是通过企业的支持，培训出高技术型的劳动力，推动企业、市场的改革，这就需要获得个人和国有公司的投资。

第二，大学肩负着一系列重要的任务。大学肩负着提高劳动者整体素质，培养科学家与工程师及生产服务所需要的解决实际

---

① 参见 T. A, Steward, Intellectual capital：a new wealth of company. *Fortune*, June 3, p. 40。

② 参见教育部外校长论坛领导小组：《中外大学校长论坛文集》，中国人民大学出版社 2004 年版。

问题的人才，大学承担着与私营和公共企业及区域性经济开发项目相联系的科研任务。斯坦福大学采用的是"实用专业"的模式，这些专业涵盖工程、法律、商业、医药以及人文和理学教育，从而对加利福尼亚的经济发展起到了引导作用。斯坦福大学的主要作用是向工业园输送具有创新能力的高科技人才，而不是开办企业与公司。

第三，政府在制订科技战略计划方面，有着特殊的作用。国家如何成功地跻身于新知识经济，特别是高等教育体系如何应对教育不平衡现象所带来的挑战，政府可以起到至关重要的调节作用。虽然国际银行家和美国政府机构强烈建议政府减少对经济发展的干预，但是所有已经形成科学行业并建立了支持这些行业的基础知识体系的发展中国家，都采取了政府干预和投入大量公共补助的方式参与经济发展。

第四，增加了高等教育系统所承受的压力。由于经济生产转化为知识密集型生产和流程，政府实行了拉开收入差距的政策，因此高等教育的回报率在全世界范围内都提高了。接受高等教育的劳动力能获得相对较高的收入，这也增加了人们对接受大学教育的需求，促使政府扩大招生。政策结构的调整在提高高等教育的投资回报率方面起到了积极的作用。在高等教育投资回报率提高的同时，也加重了高等教育系统所承受的压力。

第五，加大了学生接受高等教育的竞争压力。在大多数国家中，接受高等教育的人也往往拥有较高的社会地位。因此，社会高层家庭有更多的资金用于教育，而且在这种情况下，他们也获得了更高的投资回报率。另外，在教育费用昂贵的地区，特别是在好的学校中，拥有较高经济地位的学生，能够进入更好的学校学习。当接受高等教育的回报增加时，争夺"好"大学的竞争也就愈演愈烈。

第六，收入分配的不平衡导致了争夺教育资源。社会经济地位较高的家长，越来越关注子女的教育问题，在哪里上学和上什么样的学校成为这些家长关注的焦点问题。从而加速了教育的等级分化，在公众教育资源缺乏的情况下尤其突出。因此，全球范围内的国民经济的竞争，转化成不同阶层对教育资源的竞争。在这种环境下，教育的缺陷是激化了社会阶层的分化，一部分人融入知识经济社会主流，一部分人远离社会生活主流。作为大学应该缩小不平等待遇的差距，起到调和以及建设性的桥梁作用，而不是激发矛盾。

综上所述，本章主要介绍了高校核心竞争力分析模型构建的理论基础，即核心竞争力理论、高校战略管理理论、学习型组织理论、知识管理理论。首先，论述了核心竞争力主流理论的发展及主要内容，企业核心竞争力理论形成与发展，具体研究价值链理论、钻石理论的基本内容在高校核心竞争力分析模型中的应用。第二，高校战略管理理论对高校核心竞争力分析模型研究的启示。第三，研究学习型组织理论对高校核心竞争力分析模型研究的指导作用。第四，论述了知识管理理论及其意义。通过对高校核心竞争力基础理论的剖析，寻找构建高校核心竞争力分析模型的理论支撑点，从而为实践建模打下理论基础。

第三章　高校竞争主体与
竞争态势分析

　　要构建高校核心竞争力分析模型，就必须研究高校竞争主体、高校竞争态势，从根本上分析作为竞争主体的高校的功能，又是研究高校竞争态势的重要基础。因此，本章首先对作为高校核心竞争力主体——高校的分类及其功能进行系统分析，具体研究高校竞争态势及竞争主体的竞争，从当前国内外众多高校评价及"长寿高校"成功的秘诀中，寻求高校竞争优势和核心竞争优势之间的关系。

第一节　高校的功能与分类

　　高校核心竞争力研究首先要解决高校之间如何竞争，即要研究竞争主体之间的竞争关系。作为竞争主体的高校的层次定位和功能分析，是构建高校核心竞争力分析模型的出发点和基础。

一、高校的功能分析——以知识为基础

（一）从"大学"到"高校"——高校的演变

高校（Universities and Colleges）是指各级各类以培养高级

专门人才为主要目的教育机构。

最早的高校源自"大学","大学"（拉丁文 universitas）一词的原意为社团、协会、组合或行会，直到 14 世纪才成为特指大学的专有词。① 纽曼从词源学的角度，指出"大学"（University）是传授普遍（universal）知识的地方。② 它确切地显示出欧洲大学在其建立初时的组织形式："专业大学"和"学生大学"。它们都是仿照职业行会组织起来的从事学术活动的特殊团体。

（二）关于大学功能和意义的认识

有两种相互对立的观点：一个是来自纽曼的《大学的理想》（The Idea of the University），它强调的是大学的学术价值；另一个相反的观点出自克拉克·克尔的《大学的功能》（Use of University），它突出办大学的实用价值。与他们两个观点不同的是沃尔夫提出的较为全面的观点。他在《理想的大学》（The Ideal of the University）一书中描述了大学的四项功能：大学是学术的圣殿；大学作为职业培训的营地；大学作为社会服务的基地；大学作为培养从业男女的组装生产线。③ 他的观点集大学于学术研究、职业培训、人的社会化和社会服务于一身，为后来人们更加深刻地认识高校功能打下了坚实基础。

所谓高校基本功能是指高校通过它所从事的各项活动而发挥的基本作用。

联合国教科文组织在《21 世纪高等教育、展望和行动世界

---

① 参见马陆亭：《高等学校分层与管理》，广东教育出版社 2004 年版，第 28—29，76—77 页。

② 参见约翰·亨利·纽曼著，徐辉等译：《大学的理想（节本）》，浙江教育出版社 2001 年版，第 2 页。

③ 参见乔玉全：《21 世纪美国高等教育》，高等教育出版社 2000 年版，第 55—56 页。

宣言》中，对高等教育的使命和功能做了如下告示：

第1条　教育、培训和开展研究的使命

我们重申，应保持、加强和进一步扩大高等教育的基本使命和重要作用，特别是促进整个社会的可持续发展和进步的使命，即

（a）培养非常合格的毕业生和能够满足人类各方面活动需要的负责任的公民，为此，应根据社会现在和未来的需要不断地修改课程及其内容，使他们获得兼有高水平的知识和实际技能的资格，包括专业培训。

（b）为接受高等教育和终身教育提供各种机会，使学生有各种选择及入学和退学时间的灵活性，以及个人发展和社会流动的机会，以便从放眼世界的角度培养公民意识和促进学生积极参与社会生活，促进自身的能力建设，本着公正原则加强人权、可持续发展、民主与和平等事业的发展。

（c）通过研究去发展、创造和传播知识，作为其社会服务的一部分，提供有关的专门知识，帮助国家的文化、社会和经济发展，促进和发展科技研究和社会科学及人文科学与创造性艺术方面的研究。

（d）帮助在文化多元化和多样性的环境中理解、体现、保护、增强、促进和传播民族文化和地区文化以及国际文化的历史文化。

（e）通过对青年进行奠定民主公民意识之基础的价值观培训和提供有助于探讨战略方案和加强人道主义观点的批判性和公正的看法，以促进保护和增强社会价值观。

（f）促进各级教育的发展和进步，包括通过师资培训的手段。

第2条　伦理作用、自治、责任和预测功能

根据教科文组织大会 1997 年 11 月批准的《关于高等教育教

学人员地位的建议》，高等院校及其师生应当：

（a）通过在各项工作中坚持严格的伦理准则和严谨的科学态度与学风，保持和发挥自己的重要作用。

（b）能够完全独立和充分负责地就伦理、文化和社会问题坦率地发表意见，成为社会所需要的知识权威，以帮助社会去思考、理解和行动。

（c）通过不断对新出现的社会、经济、文化和政治趋势进行分析，加强自己的批判和前瞻功能，为社会提供预测、报警和预防信息。

（d）发挥智力和道德的影响力，捍卫和积极传播普遍接受的价值观，包括教科文组织《组织法》中所提到的和平、正义、自由、平等和团结。

（e）享有作为自己的权利与义务的充分的学术自由和自主权，同时对社会充分尽职尽责。

（f）在帮助确定和解决影响社会、国家和全球福祉的问题方面发挥作用。①

教科文组织的告示比较全面地昭示了 21 世纪高校的使命、功能。事实上学者专家们往往从不同角度来理解鉴定高校的职能，有从"活动"角度，有从"任务"和"活动"角度，也有从"经济职能"、"社会职能"、"政治职能"和"文化职能"等角度论述高校的职能。② 从研究高校核心竞争力的角度来表述，按照高校的工作对象——知识来界定高校的功能比较贴切，而且更具有本质意义。有的专家将其界定为保存知识、传授知识培养人

---

① 参见国家教育行政学院：《世界高等教育：改革与发展趋势》，《中外大学校长论坛》2002 年版，第 2—3 页。

② 参见徐辉：《试析现代高等学校的六项基本职能》，《高等教育研究》1993 年第 4 期。

才、传播知识、增进知识、应用知识和社会批判与监督六大基本职能。

本书认为，从知识生产、传播、应用三个方面来考察高校的功能，可以看出高校的功能也是不断变化的。高等教育的最初功能是传授知识。中世纪欧洲大学诞生以后的数百年中，大学仅仅是传授知识、造就人才的场所。大学的活动与知识的传播及掌握有关，而不与新知识的探索及获得有关，也不与简单的生产有关。"大学教育有非常实际、真实、充分的目的，不过，这一目的不能与知识本身相分离。知识本身即为目的。……接受教育是为了获取这种知识，应把它纳入大学范畴。"①到了 19 世纪，情况发生了很大的改变。一方面，大工业生产的发展要求越来越多的人拥有各种各样的专门知识，即社会已日益明确地要求高等学校承担起知识传播的职能；另一方面，高等学校本身也开始主动适应社会发展的需要，走出"象牙塔"。在这种情况下，一些国家的高等学校首先开始有意识地承担起传播知识的职能。例如，1800 年，英国格拉斯哥的安德森学院的自然哲学和化学教授伯克贝克发起了为熟练工匠开设科学和数学夜校课程的运动。以此为开端，在短短几十年时间里，格拉斯哥、伦敦、谢菲尔德、普利茅斯、纽卡斯尔和曼彻斯特等地涌现出六百余所工人讲学所，学员逾五十万人。1873 年，剑桥大学三一学院的詹姆斯·斯图亚特又开创了著名的"大学推广运动"。两年中剑桥大学开出了一百余门课程，平均听课人数超过万人。仅在 1893—1894 年，英国学习大学推广课程的人数就达六万人之多。

从 19 世纪开始，德国的洪堡及阿尔托夫等在柏林大学进行"教学与科研统一"、"通过研究进行教学"的改革，使得大学的

---

① 参见徐辉：《试析现代高等学校的六项基本职能》，《高等教育研究》1993 年第 4 期。

功能从单纯传播知识转为重在发展知识。正如美国比较教育学家菲利浦·G·阿尔巴赫所说，19世纪的德国"用现代方式重建了大学"。[①]

20世纪美国高扬高等教育为社会服务的旗帜，威斯康星模式在全美乃至其他国家被广泛采用。这就使得高校的功能有了新的发展，即高校具有应用并转化知识的功能。美国加州大学前任校长克拉克·克尔在《大学的功能》一书中指出：由于知识的爆炸及社会各业发展对知识之依赖与需要，大学已成为"知识工业"之重地，学术与市场已经结合，大学自觉不自觉地成为社会的"服务站"（Service Station）。[②] 高等学校一旦充分发挥潜力，积极履行应用知识为社会服务的基本职能，其意义和影响是巨大的。典型的例子就是美国斯坦福大学、麻省理工学院、哈佛大学和英国剑桥大学所产生的高技术辐射，导致在这些大学周围出现了"硅谷"、"波士顿第128号公路高技校区"和"剑桥科学园"等著名高技术产业基地。

至此，我们将三大功能整合起来，"高等学校"的名称就取代了"大学"。在这三大功能中，知识传播和知识生产是最基本的，知识应用是前两大功能的扩展和延伸。这三大功能都是以知识为主线、以知识为载体的，而高校之间的竞争也是以知识为主要竞争对象和载体的。

二、高校的分类

高校之间的竞争大多是在同层次内或相近层次间展开的。因

---

① 参见蔡克勇、韩民编：《跨世纪的高等教育：办学与管理体制改革研究》，广西教育出版社2002年版。

② 参见林正范：《自主管理与管理效率》，杭州大学出版社1991年版，第49页。

而首先要对高校进行分类。

《中国教育改革和发展纲要》指出："高等教育的发展，要坚持走内涵为主的发展道路，努力提高办学效益。要区别不同地区、科类和学校，确定发展目标和重点。制定高等学校分类标准和相应的政策措施，使各种类型的学校合理分工，在各自的层次上办出特色。"对高等学校的层次进行合理分类，实施分层发展和分层管理，是提高我国高等教育整体效益的有效途径，同时又是各类高校安于本层发展、整合有限资源、提升竞争力的重要依据。

事实上，发达国家对高校的分层也给予了充分的关注。

现代美国高等教育界较为认可或居主导地位的大学分类是卡内基教育发展基金会提出的标准。该大学分类标准依据大学的主要任务，特别是大学所授予学位的层次、毕业生数量和接受联邦政府资助经费的多少来进行分类，而且分类的主要动因和目的是把高等学校依据学术和办学水平分出等级。由此高校可分类为(1)研究型大学，即学术水平很高，教学科研并重且更重视科研的大学；(2)博士授予大学，按照授予博士学位的学科门类和学位数不同又分为第一类博士大学和第二类博士大学；(3)综合性大学，是指学科门类相对齐全，课程覆盖面广的授予硕士及其以下学位的大学。(4)普通四年制学院，规模较小以文理科为主的可授予学士学位的高校。(5)社区学院及专科学校，学制一般为两年的大专层次的高校，其中社区学院又分为学术型和职业型两种。① 这五类高校的教育与全美劳动力市场的需求结构相适应。同类高校竞争激烈，但不同类别高校之间并没有真正的竞争。

英国高校按其水平、层次和特点分为五类。(1)古典大学，

---

① 参见乔玉全：《21 世纪美国高等教育》，高等教育出版社 2000 年版，第 56—57 页。

最古老的处于学术塔尖的大学。（2）城市大学，创建于工业革命时期，设在工业重镇，与该地区的工业、经济发展有密切联系的大学。（3）新大学，设在中小城区的大学。（4）多学科学院（1992 年提升为大学），服务于工商界的高校。（5）高等教育学院，主要培养师范专业人才。

德国高等学校分为三类：（1）大学。机构包括综合大学、工业大学、教育学院在内的教育集团。（2）独立设置的与大学同等地位的艺术和音乐学院。（3）高等专业学院（Fachhechschulen）和公共管理学院。德国高等学校分类主要体现在大学和高等专业学院的分工上。两者有着不同的使命和定位。大学是学术性高等学校，注重基础研究，学科专业门类齐全。高等专业学院（英文名 University of Applied Sciences）是应用性高等学校，注重培养实践型人才，为职业发展做准备。

日本的高等学校依据资金来源及社会需要由国立、公立和私立三部分构成。从其承担的任务来看可分为：（1）国立院校，满足国家政府的需要，由文部省领导。（2）地方院校，满足地方的特殊需要，由都、道、府、县建立。（3）私立院校，满足非政府部门的需要。（4）高等职业院校——专门学校（学制 2—3 年），是面向就业市场的高等职业教育机构。

从以上分析可以看出一些共同点：第一，发达国家都将高校分层次定性和管理；第二，高校的分工往往与知识生产、人才培养和社会服务，即知识的作用（功用）联系在一起；第三，高校之间的竞争往往是在同层次高校之间展开，不同层次之间的竞争力往往比较弱。

我国高校的分类既要借鉴发达国家的做法，又要继承我国高校分类的优良传统，还要考虑到我国高等教育所面临的大众化、国际化的新形势，这对于高校自身的发展定位具有重要的现实意义。

目前，我国在高等教育大众化进程快速推进的过程中，不仅仅是教育规模的扩大，高等学校的类型也趋于多样化，不同类型和层次的高等学校具有不同的目标定位、办学模式和特色。这里叙述的分类原则，主要指高等学校在整个教育系统中的办学类型定位，从目前专家学者的研究来看，我国高等学校办学类型的定位，涉及多个方面，内容十分丰富，每一个学校的定位都是几个或多个方面的整合。

（一）按学科结构分类

18 世纪以前，高等教育机构基本上只有大学一种组织形式，高等学校就是大学，但从 19 世纪开始，欧洲高等教育机构从单一的大学组织形式大量分化出单科学院和应用型高等专科学校。20 世纪 50 年代，我国的院系调整也是按学科分类的组织形式进行的，所以至今人们仍沿袭这种结构体系，将高等学校分为综合性大学与多科性大学、单科性专业技术学院、应用型专科学校等。

（二）按隶属关系分类

在高等学校结构调整之前，原国家教委把我国高等学校划分为部委属高校、省属高校、地方高校等。部委属高校面向全国招生，面向全国分配；部属高校虽然也是面向全国招生和分配，但主要是面向其对口的行业；省属高校一般为省内招生、省内分配；地方高校按其所在地区招生和分配。

（三）按办学主体分类

根据办学经费来源及承办主体划分，包括国家主办的高校和公有民办的二级独立学院以及民办高校。目前我国民办高校主要是适应大众化的高等教育发展兴起的，主要是以本科和专科职业教育为主。

（四）按培养目标分类

人才培养目标可以简单地理解为要培养什么样的人。在高等教育大众化阶段，根据不同的人才培养目标可将高等学校分为精英型、精英—大众并存型、大众型三种类型，或研究型、通识型、复合型、应用型和技能型等类型。一般高校是指承担培养精英型（研究或通识）人才为其教育任务的高等学校，主要表现为以研究生教育为主，培养具有国际和国家水平的研究型创新性人才；大众型高校是指承担大众高等教育任务的高等学校，主要表现为本科生和专科生教育，培养复合型、应用型和高级技能型专门人才；精英—大众并存型高校是指既承担精英高等教育任务又承担大众高等教育任务的高等学校，主要表现为研究生、本科生教育，一般以培养通识型人才教育为主。

（五）按办学水平分类

国家教育主管部门旨在利用有限的高等教育资源重点支持部分高等学校发展，将高校分为重点高校和普通高校。

1954—1979 年计划经济体制下，国家共确立 96 所高校为全国重点高等学校。

1995 年以来国家又先后实施了"211 工程"和"985 计划"，目前已确定"985 计划"重点建设高校 34 所，96 所高校进入"211 工程"重点建设。另在全国加强 340 个左右重点学科的建设。其余的 1500 多所高校均划分为普通高校。

按照高校分类原则，可以将我国高校分为研究型、教学研究型和教学型、技能教学型四大类。（如图 3-1 所示）

当今高等学校类型结构呈现金字塔型：塔基是为数众多的高等专科学校和职业技术学院，塔身下部的是有相当数量的教学型一般大学，塔身上部的是一定数量的教学研究型大学，处在塔尖的则是少数研究型大学。不同层次、不同类型的学校同等重要，社会劳动分工要求各种层次、类型的学校合理分布，功能互补，相辅相成。金字塔的整体性反映了高等教育多样化特点，高校之间的竞争则往往是在同层高校内展开。

研究型大学
培养类型：复合型、创新型人才（研究生教育占较大比重）
科技贡献：技术创新研究和基础理论原创性研究为主
服务社会：培养精英人才和高素质技术创新人才；技术创新和理论原创贡献

教学研究型高校
培养类型：技术应用型高级专门人才和创新型人才（本科教育和一定的研究生教育）
科技贡献：技术的应用和技术创新研究为主
服务社会：培养高级技术应用和技术创新人才；技术应用和技术创新贡献

教学型高校
培养类型：技术应用型高级专门人才（以本科教育为主，部分优势学科的研究生教育）
科技贡献：技术的应用研究为主
服务社会：培养生产、服务和管理的各类技术应用型人才；一定的科技贡献

技能教学型高校（高职高专）
培养类型：技能型、高技能人才（以培养高等职业技术人才为主）
科技贡献：技术和技能的应用
服务社会：培养在第一线从事生产、服务和管理的各类技能型人才

图3—1　我国高校类型图示

第二节　高校竞争主体矩阵分析

　　高校之间的竞争主要是同层次、相近类型之间的竞争。竞争的对象主要是知识，即在知识生产、知识传播、知识应用三方面的竞争。为了全面理清以知识为基础的高校竞争，有必要分析高校的竞争态势。

一、高校类别矩阵分析

　　高校类别矩阵。可以将我国高校按受政府的影响力和高校自身地位层次，以及对教育"产业"的吸引力，组成高校类别矩阵图。（如图 3－2 所示）

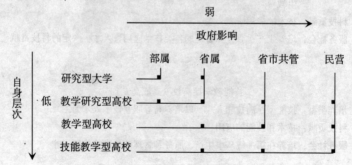

图 3－2　高校类别矩阵图

　　根据矩阵图，我们可以有以下的认识：

　　（一）从政府对高校的影响力来看

　　目前，除教育部和少数部委直管的近百所重点高校和"985计划"、"211 工程"的高校，其余均为省属及其以下的普通高校，而教育部所采取的策略是"抓大、放小、赶中"，即重点投资部属重点高校，其余的统统赶向市场，对于省市共管的小高校和民营高校如此，对于省属的较大规模高校和部属下放的高校亦是如此。因而政府的影响力走向正好和市场影响力走向相反。从部→省→省市→民营呈减弱的趋势。但是，我们同样必须清醒地看到，所有高校包括部属重点高校都处在激烈市场竞争之中。

（二）从高校层次类别看

研究型、教学研究型、教学型、技能教学型高校的顺序、数量及比例呈现重心下移的趋势，即研究型大学主要集中于部属和少部分省属高校，教学研究型主要集中于少部分部属高校和省属高校，而教学型和技能教学型则主要集中于省市共管（少部分还有市管高校）以及民营高校。这一分析可以使我们理清，高校最激烈竞争的主要集于中、小高校之间。尽管从理论上讲，所有高校都是平等的主体，可以立足本层次参与竞争，但是我国各类高校在参加竞争时，其主体身份其实是不一样的，对于社会、政府资源以及市场资源享用的能力有很大差别。国家为实施《2003—2007 年教育振兴行动计划》，计划拨款 500 亿，其中农村和西部用去 300 亿，另外 200 亿中 100 亿投向部属 100 所重点高校，其余 100 亿由 1200 多所高校分享，普通高校各校所得份额和部属高校相比，相距甚远。这就要求层次相对偏低的高校在参与市场竞争时，要付出更多的努力，尤其要找准核心竞争优势。

二、高校竞争主体矩阵分析

图 3—3 所示的是高校竞争主体之间竞争态势矩阵。从图中可以看出，高校竞争主体间呈现矩阵竞争态势，竞争不仅来自同层次高校，而且不同类型相临高校间也存在竞争，甚至还存在我国高校和国外同层次高校之间的竞争。如何面对这种错综复杂的竞争态势呢？一是主动备战、充分准备，二是在不能取胜的情况

119

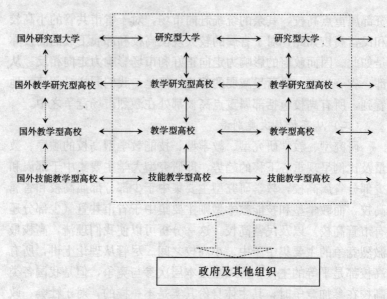

图 3—3   竞争主体矩阵分析

下，通过建立战略联盟，在合作中展开竞争，最后取胜。

根据"公司地位/产业吸引力屏幕"（The Company Position/ Inchns Try Attractiveness Screen）的三三矩阵，[①] 我们设计了"高校地位/高等教育市场吸引力矩阵"（见图 3—4）。图中的两轴分别为高等教育市场吸引力和高校的实力或竞争地位。一个特定的高校置于轴上何处是通过对该高校和其所处市场地位的分析来确定的。分析使用的标准如图 3—4 所示。根据高校在矩阵中的位置不同，其主要战略措施则有所选择：或是投资建立应有的地位，或是通过提高效益以保持地位或是收获（或放弃）。当高等教育市场吸引力或高校的地位发生变化时，那高校的发展战略则需重新评估。高校可以在这样的矩阵上绘制出其业余组

---

① 参见迈克尔·波特：《竞争战略》，华夏出版社 1997 年版。

合，以保证其有限资源的合理分配。

这一矩阵适用于在不同时间点上确立竞争对手的"业务组合"，并获得竞争对手在战略上的发展意图。这是一种知己知彼的定性分析方法，对于研究竞争主体在竞争中的态势具有很重要的现实意义。

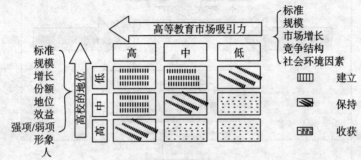

图3—4 高校地位/高等教育市场吸引力矩阵

第三节 影响高校竞争的五种力量

形成竞争战略的实质就是将一所高校与其环境建立起联系。尽管高校相关环境的范围广泛，但最关键的部分就是高校投入竞争的一个或几个方面的"因素"。高校竞争有来自高等教育外部的力量（取决于高校自身对外部影响的应变能力）；也有来自高校与高校之间的竞争。因此，一所高校的竞争状态取决于五种基本竞争作用力。如图3—5所示，这些作用力汇集起来决定着该高校的最终竞争优势。最终竞争优势会随着这种合力的变化而发生根本性的变化，而且作用力在不同类型高校中间，其作用强度也是不同的，主要表现如下：（1）主要在同层，但不同层也有影响；（2）知识流的影响；（3）知识在政府与高校之间如何流动。

决定高校竞争的五种力量

（以教学研究型大学为例）

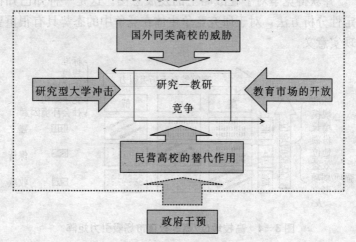

图 3—5　影响高校竞争的五种力量

一、同层竞争对手间的争夺

同层高校之间竞争主要集中于争夺资源，如生源、物质资源和输出势能优势的竞争。目前，在我国这种竞争还是在有限的可控范围内展开，但是随着国家对高校的宏观调控从"大一统"的角色转向"抓大放小"（即国家仅控制近一百所重点高校，其余基本推向市场）这种竞争将越来越激烈。其实，在不久的将来，"优胜劣汰"很快就适用于高校之间的竞争，有些甚至"像战争一样"，是"痛苦的"、"残忍的"，[①] 有些貌似很温和的竞争但却暗含"杀机"，尤其是输出势能的优势更是要通过大量的无形资源的积累而形成的，如一所高校的声誉、品质、才华的形成等，

---

　　① 迈克尔·波特：《竞争战略》，华夏出版社 1997 年版。

均非一蹴而就的。

　　同层次高校之间竞争有许多误区：（1）产品相似性，即培养学生层次相近，科研档次相近，造成校与校之间无特色可言。（2）相互间进入壁垒和退出壁垒相对容易。尤其是许多同层次院校都在办相同的或相近的专业，使不少高校之间几乎无差别可言，于是大幅度增容。（3）追求规模效益造成供求平衡的破坏，而造成产品（毕业生）的周期性过剩，如20世纪90年代中后期的财会专业毕业生和计算机专业的专科生过剩就属此类。最近几年，随着高等教育大众化步伐的加快，许多高校急速扩大规模而在新的专业增长点不多的情况下，只有原专业扩张，造成了新的产出过剩。（4）高额战略利益的驱动作用，使所有的高校为了在某一领域取得成果而形成对其他高校的高额战略利益，且这种争夺更加变化多端，如"985计划"高校的评选竞争，重点学科、重点实验室建设，普通地方高校学报进入"核心期刊"序列。总之，同层次高校之间的竞争将日趋激烈，竞争领域将趋于多元性，竞争方式也将趋向多样化。

二、教育市场的开放

　　随着我国加入WTO和教育大众化的深入，教育市场开放已成必然。它使高校的竞争从无序逐步迈向有序状态。就高校所面向的教育市场，主要表现在几个方面：一是生源市场的争夺；二是就业市场的争夺；三是社会服务市场的争夺；四是办学资源市场的争夺。目前，高校的管理者们主要目光都集中在前两个市场，而随着教育市场的逐步开放，后两个市场也将逐步为高校管理者所重视。

　　就生源市场和就业市场而言，目前尚处于无序状态，各高校都在使出浑身解数争夺市场份额，有的加大投入，配强队伍；有的已经将招生就业工作作为学校的常规工作，常年运作不间断，研究型大学也到基层中学展开强大的招生宣传攻势；从就业市场来讲，应该是不同层次高校处于不同的就业层面，但是由于目前许多高校都是跨层次办学，使得一所高校就业市场往往覆盖面很宽，造成了一种无序的竞争。

就社会服务市场而言，目前在国内尚未真正形成市场竞争力。无论是知识产品的直接输出，还是知识转化产品（校办产业的社会服务或科技成果的中试产品）的输出，目前大多在社会上尚未形成气候，更谈不上高校之间的竞争，这是一个很大的潜在市场，尚待开发。

就办学资源市场而言，目前尚处于起始阶段。我国高校的办学资源主要来自政府拨款、招生收费、银行贷款、社会捐助等渠道，对于不同层次、不同类型高校，其来源的侧重点可能不一，但招生收费和银行贷款对于大多数高校来说，却是共同的。问题是如何争夺这有限的教育资源。政府拨款采取的是抓大放小，重点投入"211工程"和"985计划"的高校，其余的地方性高校放入市场中竞争，优胜劣汰。有些高校几乎得不到政府款项，招生收费主要取决于招生计划和报到率，而招生计划又处于政府控制之中，这就形成了计划和市场需求量的矛盾态；银行贷款在我国也是处在政府的宏观调控之中，如2004年的宏观调控使得江苏几乎所有高校不能从国有的大银行贷款，造成新校区工程停工，学生无法按期开学，这种理论上的教育资源市场和计划体制产生了严重的不协调；社会捐助主要集中在大型高校和名声较响的高校，对大多数高校来说，这尚属空白点。而国外资金的利用则更是微乎其微。

通过分析可以看出，我国教育市场虽然在逐步开放，高校管理者亦有意参与竞争，但竞争的壁垒众多，且不规范，这给进入市场竞争的高校带来许多挑战性的课题，如果政府不能很好地规范市场秩序，竞争者又不能以积极的心态去应对，那么这种竞争要过渡到有序的要求将是非常艰难的。

三、其他竞争者的进入

其他竞争者的进入使得高校竞争秩序受到威胁。在我国，高校之间的竞争还来自不同层次高校及国外同层次高校。这些高校进入后所带来的威胁，如教学研究型大学主要受到研究型大学进入的威胁和民办高校的替代作用，而国外同层次高校随着我国整体服务市场的不断开放，也将纷纷介入竞争，这三股力量的进入大大挤占了高校的有限发展空间和市场资源，威胁着高校自身原有竞争替代者的发挥。

这三类竞争者进入的目的都是为了争夺本该属于这一块市场的份额，但是也常常带来可观的资源，结果使得效益可能降低而成本却可能上升。对于某一层高校来说，威胁的大小取决于呈现出来的"进入壁垒"的难度加上准备进入者可能遇到的现存守成者的反击，如果壁垒高筑，或进入者认为严阵以待的守成者会坚决地报复，则这种威胁就会较小。[①]

高校竞争中新的竞争对手进入使得原有秩序受到威胁，但是在进入壁垒的设置和存在条件下，使得原有竞争高校具有一定的优势。进入壁垒主要有以下几个方面：（1）原有的规模优势。原有高校其"产品"的单位成本随总产量的增加而降低，新进入者一开始或以大规模"生产"承担遭受原有高校强烈抵制的风险，或以小规模"生产"而接受"产品"方面的劣势，那么其进入后受到的威胁将会很大。而当原有高校存在整合成本（当高校在生产某一类产品如培养某一专业的学生时，天然地具备了生产某一类产品的能力）时，其共享效益将更为突出，而这时新进入者要想取胜则更为艰难。（2）产品歧异。原有高校由于获得了办学特

---

① 参见迈克尔·波特：《竞争战略》，华夏出版社 1997 年版。

色，拥有"顾客"的接受程度和"顾客忠诚"，使得新进入者要花费高额资金消除原有的"顾客忠诚"。如现在教师教育中的"围城现象"当属此类。综合性大学办师范专业要和师范院校竞争有一定的难度；同样师范院校办非师范专业，与综合性大学竞争更难。(3)与规模无关的成本优势。原有高校具有一些潜在进入者无法比拟的成本优势。如原有专业学科优势、地域优势以及内部教学、科研管理的成熟、教学专业员工的成功经验积累而使得人才培养成本的下降等都是与规模无关的成本优势，它对于潜在的进入者是一个壁垒，有时甚至是关键的壁垒。

四、政府的干预

政府对高校竞争的干预主要有两种形式：一种是直接干预——直接管制；另一种是间接干预——通过肯定高校之间的竞争成果来间接管制。它对于高校的竞争是一把双刃剑。

政府可以通过制定较为强制的政策直接影响高校之间的竞争。主要有：相同竞争者之间的合并、兼并或联合使得许多原来的竞争对手形成合作伙伴甚至融为一体；也可以通过调节政府投资，扶持某些（或某类）高校，而相对降低某些高校的发展速度，从而打破了原有的竞争关系；或通过控制招生计划来控制某些（某类）高校的发展，从而改变某类高校（某些专业）的竞争态势。事实上，近年来政府的宏观调控对高等教育发展产生了积极的影响，而对某类高校之间的竞争也或多或少地产生着积极的推动作用。而政府对高校发展的间接调控应该通过鼓励高校之间的竞争而形成的声誉来实现。世界高等教育实践已证明，竞争而非政府直接管制，才是推动高校健康发展的有效力量，是实现高校理念的保证。

欧洲的大学是最古老的，对现代文明作出了巨大贡献。美国的大学制度是从欧洲引进的，但在过去的100年里，欧洲的大学被美国的大学抛在后面，无论是科学研究还是人才培养方面，美国的大学都远胜于欧洲的大学。二战前是大量的美国学生去欧洲留学，而今天欧洲到美国留学的人数是美国到欧洲留学人数的两倍多，另外还有大量的欧洲学者移民美国。为什么会出现这样的反差？耶鲁大学法学院教授亨利·汉斯曼的研究表明，最主要的不在于经济发展水平，不在于政府对教育的投入，最主要的原因是欧洲的大学是国家垄断的，政府管得太多，而美国的大学是高度竞争化的。[①] 在竞争的制度下，一所高校要发展，吸引优秀的教师和学生，就要不断提高质量。有竞争，优秀的人才会得到公正的评价，才会有更充分的学术自由。竞争为知识创造者提供了激励，竞争引起人才流动，而人才流动会引发每个人的创造力。这就是美国高校能够主导世界的重要原因。高校在竞争中才更重视品牌和声誉。欧洲的高校只要讨好政府就行，而美国的高校必须以声誉求生存、求发展。因此，高校作为知识生产、知识传授和知识应用的场所，就必须要在政府倡导的竞争环境中去发展、成长，才能真正有所作为。

政府要倡导竞争意识，营造良好竞争环境，维持竞争秩序，以利于高校间有序竞争的展开。一是加快教育国际化的步伐，加入 WTO，国内教育市场逐步向国外开放，以形成一个高校与国际接轨的大竞争市场；二是大力推进高等教育大众化的进程，形成高校之间新一轮市场份额的竞争；三是积极实施教育质量工程，引进本科教学水平评优，倡导民间评估机构评价高校办学质量，这些都有力地促进了高校之间在质量和品牌的竞争。形式多样的评比活动，如重点学科、重点实验室、"211 工程"、"985 计划"等都是以评估建设为有效措施的；四是政府公布就业率并适度与招生挂钩，这种从"终端导入竞争"的措施对促进人才生产

----

① 参见张维迎：《大学的逻辑》，北京大学出版社 2004 年版，第 45 页。

能力的提高将产生重大影响。

　　总之，高校之间的竞争是分层错位的竞争。竞争主体围绕着"知识"，呈现矩阵状瞄准市场展开竞争。决定高校竞争的五种力量相互作用，共同产生影响。高校竞争优势来自于与同类或相近高校的围绕"知识"的竞争。

第四章　高校核心竞争力理论概述

　　高校的核心竞争优势在于具备核心竞争力。高校核心竞争力的真正含义是什么，其特征表现形式又是什么，本章将进一步从"知识"的角度对高校竞争力的概念、特征做进一步分析。

第一节　高校核心竞争力概念分析

一、高校核心竞争力概念的探讨路径

　　我国高等教育领域关于高校核心竞争力的研究起步较晚，但是发展迅速。笔者 2002 年开始研究时，国内只有十多人涉及该领域，网上也只能检索到几篇论文或相关文章。2002 年北京师范大学赖德胜、武向荣发表《论大学的核心竞争力》、复旦大学校长王生洪发表《大学科学研究的核心竞争力》，标志着"核心竞争力"正式被引入我国高等教育领域。

　　受大学排行榜、争创世界一流、国内一流大学的影响，为了应对国际接轨后的教育挑战，国内许多高校正在积蓄力量并决意在竞争中成为赢家，因而对"核心竞争力"更加的关注；许多理论和实际工作者，把目光投向"如何识别竞争潜力"、"如何在识

别的基础上培育核心竞争力"，由此引发了研究核心竞争力的热潮。

然而，高等教育领域对核心竞争力的研究，目前仍然处于引入概念、嫁接模式、借用方法以及对核心竞争力结构、要素的初步设计阶段。

关于大学核心竞争力的概念，杨昕、孙振球概括为"技术观"、"知识观"、"资源观"三种观点。[①]

(1)"技术观"。认为大学核心竞争力是"以技术能力为核心，通过对战略决策、科学研究及其成果产业化、课程设置与讲授、人力资源开发、组织管理等的整合或通过其中某一要素效用凸显而使学校获得持续竞争优势的能力"。[②]

(2)"知识观"。认为大学核心竞争力"是识别和提供优势的知识体系"，它"以大学基础设施为依托、以大学精神为共同愿景"，在"办学理念、组织管理、学术梯队、校园文化以及外部资源等竞争力诸要素协同作用"下形成，"是大学内部一系列互补的知识和技能的组合，它具有使大学达到国内甚至世界一流水平的能力"。

(3)"资源观"。认为大学核心竞争力是大学的"优势资源"，是主体对大学资源有效运作而产生的，其表现为"深植于竞争主体的各种资源之中，以自身独有的核心能力为支撑点在履行教学、科研、社会服务三大职能中运作自身资源所形成的整体"。

此外，还有一些大学的领导在讲话或接受媒体采访时，从不同角度论及大学核心竞争力的某些具体方面。有代表性的如田建国在《中国教育报》上撰文指出，"文化决定大学的品牌，是大学核心竞争力的体现。"南开大学薛进文指出，高水平的研究成

---

①② 杨昕、孙振球：《大学核心竞争力的研究进展》，《现代大学教育》2004 年第 4 期。

果和高水平的人才是高水平大学核心竞争力的实质内容。中国科技大学郭传杰强调，制度建设和管理创新在形成大学核心竞争力的各因素中带有根本性。贵州工业大学申振东认为，高校有没有核心竞争力，"主要是看科研是否与经济建设紧密结合、是否拥有贴近科技前沿的崭新成果，教师队伍结构是否合理、是否拥有一批国内外有影响的学术带头人，技术创新条件是否完备，是否拥有国家级、省级重点实验室和工程中心。"凡此种种，只是对大学核心竞争力某些局部的感性认识。也有学者力图将核心竞争力与核心能力加以区别，认为大学核心竞争力发挥作用必须通过一个"支点"——核心能力。"大学核心能力这个支撑点也是大学组织中群体成员活动能力的概括"，它植根于大学"三大基本职能活动"之中。实际上正如一些学者所言，"核心竞争力、核心能力、核心专长、核心竞争优势是近几年来较为流行的管理新理念，严格区分这些概念的意义并不大，重要的是必须清楚它的实质。"①

别敦荣、田思舜认为，关于高校核心竞争力主要有以下几种观点：

观点一：在竞争条件下，影响高校竞争力的因素很多，人的素质是高校的核心竞争力，它体现在一所高校员工的数量、激情、合作与竞争等七个方面。

观点二：大学的核心竞争力就是大学以技术能力为核心，通过对战略决策、科学研究及其成果产业化、课程设置与组织管理等整合或通过其中某一要素的效用凸显而使学校获得持续优势的能力。

观点三：这主要指一个大学在竞争和发展过程中与其他大学

① 参见张石森：《哈佛商学院核心竞争力全书》，中国财政经济出版社 2003 年版，第 3 页。

相比较所具有的吸引、争夺、拥有和控制、转化资源以及为社会提供知识和人才的能力，可以表述为 UC＝f［硬件，软件］，其中，硬件包括师资力量、资本存量、科学研究与开发化程度、聚集力；软件由文化要素、制度要素、管理要素、开放要素、秩序要素构成。[①]

上述由产生的基础出发对大学核心竞争力内涵的认识，虽不尽然，或者也还有质的差别，但至少有一点是共同的，即认为核心竞争力是组织内部整合的、富有个性化的、复杂的能力体系。

以上所列举的几种对大学核心竞争力的界定，应该说都从一个或多个侧面地揭示了大学核心竞争力的本质。

根据现有的研究成果和笔者的工作实践，我们认为，已有的研究存在三点不足：一是将"大学"和"高校"完全等同。但是从高等教育史来观察，大学不完全等同于高校，尽管现在有许多作者将两者混为一谈，高校的内涵要比它更为宽泛和丰富，而目前大多数学者的研究是将大学作为研究对象，而非对高校整体，因而不够全面。二是理论研究者直接移植的较多，而实际工作者凭感觉和经验杜撰的较多，而未经改造或创造的理论是否适合中国高等教育实情，尚待论证。三是这些概念试图从某些侧面揭示高校核心竞争力的本质。然而，由于对高校的根本属性认识不够全面和清晰，因而对高校核心竞争力的本质往往揭示不够。这种"普遍模糊性"使得人们从不同视角去理解高校核心竞争力而出现了多种表述。因此，有必要紧紧围绕高校的根本属性，揭示高校核心竞争力的深刻内涵及其本质。

---

① 参见别敦荣、田恩舜：《论大学核心竞争力及其提升途径》，《复旦教育论坛》2004 年第 1 期。

二、高校核心竞争力概念解析

(一)基于知识性的高校核心竞争力要领及其含义

美国麻省理工学院第十四任校长保尔·E·格雷在 1983—1984 年校长报告中说:"一个大学的质量在于它为自己制定的发展水平和前景以及它的原动力和潜在能力。"① 格雷校长强调的是能否达到大学发展所规划的"水平和前景",取决于大学的"原动力和潜在能力",这就是高校的核心竞争力。

什么是高校核心竞争力? 笔者以为,要从以下几个方面去考量:(1)高校的竞争优势究竟是什么? (2)核心竞争力是什么? (3)高校的竞争能力以什么为支撑? (4)高校的资源中什么是核心竞争资源?

由高校的载体和基础而形成这样的链条:竞争优势→核心竞争力→能力→资源。而引导这个链条运转的究竟是什么? 知识链、学习链。为研究什么是高校核心竞争力,我们在 200 所各类高校中对 100 名校长和 100 名后备干部进行了问卷调查,其统计后果见表 4—1。

(1)选项获选率高,说明高校管理工作者对于"特色"、"优势"、"持久竞争"以及"整合资源"比较看重,而对比较理论化的(3)、(4)则不太关注,而且(3)、(4)两项获选率后备干部选择均高于现职领导,说明年轻同志对该理论相对比较熟悉,或更注重理性化思维。而(1)与(5)两个比较直观的概念,现职领导分别高于后备干部 7.7% 和 8.9%,则说明现职领导更看重实际。综合考虑以上因素,我们选择(1)与(5)结合作为高校核心竞争力表述。

---

① 清华大学教育研究所:《美国麻省理工学院校长报告》,《教育研究参考资料》1997 年第 16 期。

表 4-1 关于高校核心竞争力概念的调查结果

内容表述	校长班获选率（%）	后备干部班获选率（%）	平均（%）
（1）具有显著特色的、能给高校带来潜在的、相对竞争对手的巨大优势和持久竞争能力，充分整合竞争资源的能力	62.5	54.8	58.65
（2）从竞争角度来说明高校内部管理中一种重要活动	6.7	8.2	7.45
（3）具有价值的、稀缺的、难以模仿的、非替代性的资源和能力	9.6	17.8	13.7
（4）积累性学识（知识）	2.9	5.5	4.2
（5）高校参与市场竞争所形成的、融入其内质的、支持其竞争优势的、独特的、可持续生存和发展的能力系统	21.2	12.3	16.75
（6）其他	2.9	9.6	6.25

由此笔者认为，从知识和能力角度出发，高校核心竞争力可以表述为：高校核心竞争力是高校参与市场竞争形成的，具有足够特色的、相对竞争对手的巨大优势和持久竞争的能力以及充分利用资产资源的整合能力。其核心能力是整合能力，核心产品是知识和人才，核心技术是学科建设水平，其本质是学习力。下面对高校核心竞争力概念做以下几点说明：

第一，高校核心竞争力是一种竞争性的能力，是相对于竞争对手的强势能力，是高校可持续发展的支撑者。

第二，它是处在核心地位的能力，是高校其他竞争性能力的统领，是高校综合竞争力的中心。

第三，它是长期起作用的能力，一般情况下不随环境的变化而发生质的变化，具有自适应能力。

第四，它是高校所独具的能力，是竞争对手无法模仿的，或者说要模仿需要花很大代价的。

第五，它是高校长期积淀而形成的能力，深深地扎根于高校的文化之中。

（二）高校核心竞争力概念解析

对高校核心竞争力的概念可以从竞争主体、竞争对象和竞争结果三个方面去解析。

1. 从竞争主体来分析，核心竞争力既是高校所独特的、其持续竞争优势的反映，又是高校自身所表现出来的获取整个知识和资源的能力。

前者是指高校核心竞争力是一种比较优势，而且是一种独特的持续的比较优势。高校核心竞争力与一般的竞争力（如基础竞争力、环境竞争力）相比，它所关注的并非高校现有显性的外在于高校的静态物力和财力，而是在竞争环境中所显现出来的根植于其内质的那种深层的竞争能力。高校核心竞争力必须是相对于其竞争对手而言的那种独特性和可持续发展能力的有机结合。这种独特性表现为竞争对手或无法进入，或进入成本很高，即独特性表现为竞争对手的进入壁垒较高的特性。同时，又要有可持续发展能力，就是说这种独特性要有持久性，能使该高校保持持续竞争优势。如哈佛商学院的工商管理，卡耐基·梅隆大学的计算机软件开发，北京大学的人文社科等竞争优势绝非其他高校短时间内能轻易赶上的。

后者是高校与竞争对手相比较而言，在具有可持续发展的相对竞争优势基础上，其自身所具备以知识为基础的整合资源的能力。一般的观点是，核心竞争力＝知识＋资源＋能力。但是认真分析就会发现，其实核心竞争力首先是一种能力，具有积累性学识的能力，即以知识为基础和中心。这也是高校核心竞争力区别于其他社会组织核心竞争力的根本所在。高校的知识，包括高深的学科建设及其高度分裂的专业知识，处于高校目的和实质的核心，是高校核心竞争力形成的基础。因此，高校的知识生产、知识传授和知识转化也就成为高校核心竞争力形成过程的几个重要环节。

2. 从竞争对象来看，高校之间竞争的对象是以知识为基础的资源。

高校核心竞争力是对以知识为基础的资源的整合能力。高校要提升自身的核心竞争力，就必须提高获取资源、整合资源的能力，如提高办学效益，获取尽可能多的人力资源，形成独具特色的品牌资源等等。高校需要整合的是资源，但资源本身不是核心竞争力，仅仅是竞争的对象和提高核心竞争力的物质基础，而对资源的整合能力才形成核心竞争力。对高校来说，所要争夺的资源最核心的就是知识，因为高校的全部活动就是知识生产、知识传授、知识转化的结合。知识流成为高校运行的载体，也是高校具有竞争优势的源泉。因而，高校的一切活动都与知识分不开，一切竞争都围绕着以知识为基础的资源展开。从以上分析，我们可以看出，高校竞争主体所争夺的对象是知识，整合以知识为基础的资源的能力就是核心竞争力。

3. 从竞争结果来看，高校核心竞争力是竞争主体最终获得对知识资源的整合力，其本质是学习力，外在形式是创新力。

高校尽管具有企业特性，但其与企业等组织的不同点也很明显，这就是"它是控制高深知识和方法"的学术机构，正所谓"大学者，研究高层学问者也"，以知识为基础和以学科为核心的高校，其核心竞争力体现在可持续的创新力，其本质就是比对手学得更快的学习力。这就是说，竞争主体间是在争夺以知识为基础的资源，是对资源的一种整合力。高校有丰富的资源，只有充分发挥和运用好这些资源，高校的核心竞争力才能显示出来。一般而言，许多百年以上的高校都有极强的整合资源的能力，那些拥有先进技术，能够紧跟时代风云的学校也能优化资源，发挥资源的最大效用。高校资源的整合力主要有：学校人、财、物的调控能力，学校远景规划能力，学校目标的设定和实现能力，综合创新能力，知识资产的开发与转化能力等。通过这些能力的整合，学校才能充分利用各种优势，形成合力，为凝聚核心竞争力提供保障。最本质的就是对知识资源的整合能力。

但是，竞争主体获取可持续发展的竞争优势表现在其是否具有可持续的创新力，谁比对手学得更快的学习力，竞争主体既获取了促进发展的资源，也提升了自身的学习力。这就是核心竞争力背景下的竞争结果，而且后者更显重要性。

（三）认识高校核心竞争力要克服的几个误区

1. 优势资源并不等于核心竞争力。有人认为，高校只要占据了竞争的优势资源，就拥有了核心竞争力。其实这是一种认识误区。从决定性意义上来说，所有的核心竞争力都是高校的竞争优势资源，但反过来却不一定成立。例如，某高校是指定的中学教师培训点，这种垄断地位并不是大学的核心竞争力。

2. 个人的竞争力不是高校组织的核心竞争力，个人素质的高低不代表组织素质的高低。高校核心竞争力是整体资源和能力的一种整合，是买不来、偷不去、拆不开、溜不掉、带不走的。因此，单个的人才不是高校的核心竞争力。在实际的操作中，我们应该注意把个人的竞争力转化为学科的优势和梯队的优势。这样，教师就不愿离开优势学科和梯队，即使调离，对学科和梯队影响也不大。

3. 高校的整体优势不等于核心竞争力。也就是说，即使一所高校没有整体优势，但也可以通过少数几个关键知识领域而成为一流的高校。

4. 比较竞争优势不等于核心竞争力。高校比较竞争优势是指与其他高校相比的优势，而核心竞争力是高校内存的支撑力，是一种持续的竞争优势。

5. 核心竞争力不是高校一般意义上的资产。它是高校所有资产中居核心地位的资产，是具有长期战略价值的资产。核心竞争力不会像高校其他资产那样，作为资产项目出现在高校资产负债表上。核心竞争力是一种以知识为基础的无形资产，不仅不会因为多次使用而损耗，相反能在不断使用中改进和发展，越使用越有价值。

6. 高校某一方面的能力并非核心竞争力。核心竞争力是高校竞争性能力的核心，是高校各种能力交融升华而成的精华。具有所有基本能力的高校并不一定具备核心竞争力。

7. 核心竞争力是所有高校必须重视的问题。目前，要克服核心竞争力是大型重点高校的事情，而与中小规模高校无关的思想，不能因为"大学核心竞争力"研究得多，就认为那仅仅是大学的事，从某种意义上的说，普通高校尤为重要。在无规模优势、政府扶持力度较小的背景下，中小规模的高校争取长期性的竞争主动就必须依靠核心竞争力来实现，因为它是高校长期性集中战略，也是长期性差异战略和集聚规模优势战略的坚固基石。

我们将上述对高校核心竞争力内涵的界定综合起来，形成了一个关于高校核心竞争力的真实内涵的直观形象：

高校核心竞争力→强势能力＋知识（资源＋资产）整合力→学习力

（四）关于高校核心竞争力概念补解

前部分对高校核心竞争力的理解是基于对克努森关于核心竞争力的三个基本命题的理解。

命题一：高校是一个知识集合体。高校积累在发展过程中获得各种知识，并将这些知识逐步融入高校的正式组织和非正式组织中，并成为左右未来知识积累性学识的主导力量。

命题二：高校所具有的卓越能力，使得同层中的某些高校能够在较长时期内获得超额收益，并保持它们的可持续性竞争优势。

命题三：高校某一资源的战略运用取决于它与高校的其他资源和从外部获取的资源之间综合、协调和配置（即整合）方式，不同高校使用相同资源所创造的价值能力存在着差异性。资源的使用价值不等于该资源在要素市场上的交换价值，因为它还取决于高校运用该资源创造价值的能力。高校整合资源的方法和能力决定该高校从特定资源所能获取的战略优势。

从这三个命题出发，我们依据"核心优势源流理论"，可以分析得出高校核心竞争力的路线图。

竞争优势互补←──核心竞争力←── 能　力 ←──资　源（以知识为基础）
　　　　　　　　（学习力） （整合资源）

资源——显性资源或有形资源（人力资源、学科资源、财物资料），隐性资源或无形资源（校园文化、社会声誉中品牌）。隐性资源和显性资源在高校之间转移难度较大。这种以知识为基础的资源就是高校核心竞争力最为稀缺性资源，因此知识性是高校核心竞争力的本质特性。

能力——整合一组资源去执行一个任务的本事，它又是以知识为基础来对资源进行整合的结果。能力可分为学术生产能力、人才生产能力、管理能力和文化能力。

核心竞争力——整合的能力和资源的集合体。它是高校在学习如何应用不同资源和能力的长期运作过程中积累而成的，是一种能够使高校在长时期内为社会或用户提供价值的能力，也即学习力。

竞争优势——核心竞争力的效应形式，也是所有高校所应追求的效果，这种竞争优势往往表现为整体优势或特色优势。发展学科特色，培养独特智能，打造学校品牌，是创建高水平高校的重要基础。高校之间的竞争，实质上就是优势资源的竞争。

第二节　高校核心竞争力特征分析

一、高校核心竞争力特征再认识

关于高校核心竞争力特征，国内一些研究者从几个侧面进行过阐述。赖德胜、武向荣认为是技能独特性、用户价值性、资产使用性价值可变性；[①] 林莉认为，高校核心竞争力具有异质性、衍生性、历史沉淀性、用户价值性；[②] 王斌林则将价值创造性、可延展性、稀缺性、自学习性作为高校核心竞争力的特征；[③] 朱永新、王明洲则从地位特征（中心性）、价值特征（创造独特价值）、资产特征（使用性资产）、动态性特征（优化整合和新的特性）、知识特征（隐性知识）几个方面较为系统的分析；[④] 王生卫、李惠玲认为高校核心竞争力特征是核心优势形成的长期性、核心价值的潜在性、核心资产的无形性、核心能力的整体性。[⑤]

以上对高校核心竞争力特征的论述，虽然表达方式各异，但其共同点相对较多，如技能独特性、用户价值性、资产使用性、

[①]　参见赖德胜、武向荣：《论大学的核心竞争力》，《教育研究》2002年第7期。

[②]　参见林莉、刘元芳：《知识管理与大学核心竞争力》，《科技导报》2003年第5期。

[③]　参见王斌林：《大学核心竞争力及其识别》，《现代教育科学》2004年第2期。

[④]　参见朱永新、王明洲：《论大学的核心竞争力》，《教育发展研究》2004年第7—8期。

[⑤]　参见王生卫、李惠玲：《论大学核心竞争力及其培养》，《北京航空航天大学学报（社会科学版）》2004年第1期。

价值可变性、不易模仿性、动态发展性以及知识与自学习性等。虽然表述方式各异，但其共同点相对较多，为我们深入研究高校核心竞争力的特征奠定了基础。

笔者基于前文从知识和能力相结合的角度分析高校核心竞争力的概念，提出了高校核心竞争力具有本质特征和一般特征。本质特征是高校核心竞争力最重要、最核心的特征，而一般特征则是由本质特征衍生出来的一般意义的特征。事实上，国内已有的研究成果，对高校核心竞争力特征的论述大多是企业核心竞争力特征的移植，甚至照搬过来。尽管高校是具有类企业特性的社会组织，但其属性中较强的一点就是知识集合体，其生产原料和产品特殊性（知识和以知识武装起来的人才）决定了它的核心竞争力既有类似于企业核心竞争力的特征，又有其自身特点的本质特征。

因此，我们认为高校核心竞争力本质特征是知识性，一般特征是价值性、延展性、异质性和过程性。（如图4—1所示）

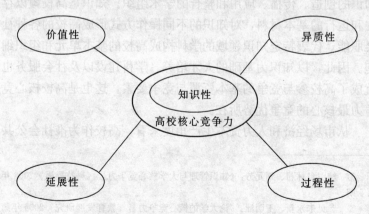

图4—1 高校核心竞争力的性质示意图

二、高校核心竞争力本质特征

(一) 核心竞争力的本质特征是知识性

劳伦斯·普鲁萨柯（Laurence Prusak）指出，惟一能给一个组织带来竞争优势，惟一持续不变的就是知道什么是知识，如何利用所拥有的知识和以多快的速度获取知识。格雷·汉默尔在海恩主编的《在竞争基础上的竞争力》一书序言中指出："一种核心竞争力毫无疑问地包括隐性知识和显性知识"。[①]

管理学家伊夫·多兹认为，竞争力不可触知，也不能度量。[②] 这种普通模糊特性，说明核心竞争力的知识性较强，且以隐性知识为主。

根据美国麦肯锡咨询公司的观点，核心竞争力是指某一组织内部一系列互补的技能和知识的结合，它具有使一项或多项业务达到竞争领域一流水平，具有明显优势的能力。[③]

从高校自身特点来看，高校是以知识为操作材料，从事高深知识的创造、传播、应用和整合的学术组织。知识是高校赖以存在和运行的基本材料，对知识的不同操作方式形成高校的各种社会职能，代表特定知识领域的学科构成高校的基本单元和组织细胞。因此，以知识为基础的人才培养、学科建设以及社会服务也就成了高校参与竞争的基本资源与竞争要素，这也是高校核心竞争力最核心的竞争优势所在。

从市场经济和人力资本生产角度来看，高校作为准社会公共

---

① 转引自林莉、刘元芳：《知识管理与大学核心竞争力》，《科技导报》2003 年第 5 期。

② 参见朱永新、王明洲：《论大学的核心竞争力》，《教育发展研究》2004 年第 7—8 期。

③ 参见陈运华、谢菊兰：《高等教育国际化进程中高校核心竞争力的培育与构建》，《江西教育科研》2004 年第 7 期。

产品的生产者,提供知识供学生消费,提供以知识武装起来的毕业生供社会消费。所以,知识和毕业生的质量和信誉就自然成为高校经营者追求的主要目标,而且知识和毕业生的使用价值效益也已成为高校"经营管理"的核心。

综上所述,无论是核心竞争力理论的原有之义,还是高校在运行和经营过程中的表现的特殊性,我们有理由认为,知识性是高校核心竞争力的本质特征。

(二)高校核心竞争力本质特征的基本内涵

从知识的角度来观察,高校核心竞争力应表述为识别和提供强力优势的知识体系。它由"知识库"和"知识管理系统"组成。

高校存在着贮存知识的知识库,这种贮存知识的知识库并非指在技术上实际存在知识库或数据库,它以种种不同形式存在于高校的内部组织之中。知识的一部分可以保存在组织的每个成员的头脑之中,也有部分可以存在于组织的经验、数据库、操作规范或文化之中。高校在"学习"过程中积累这些知识,也可以理解为这种"积累"就是将知识存储在高校内的一个"知识库"中,以便今后需要时使用。

我们可以进一步探讨"知识库"中的知识存在和流动形态。知识在组织中存在的形式主要有两种:显性知识(explicit knowledge)和隐性知识(tacit knowledge)。隐性知识是存在于教师学识中的有着特殊背景的知识,即高校每位师生,尤其是教师的知识和技能,是教师所拥有的特殊知识,它们有赖于教师个体的不同体验、直觉和洞察力。而显性知识是指高校内个体之间(如师—生)更系统地传达的、更加明确和规范的知识。

高校内部作为核心竞争力载体的知识流动有四种形式。①

---

① 参见 Kujiro Nanaka, Hirotaka Takeuchi. *The Knowledge—creating company.* New York: Oxford University Press, 1995. pp. 1—50。

（1）组织学习是从个体之间共享隐性知识开始的。隐性知识在团队内共享后经整理被转化为显性知识（称为外在化：externalization）。（2）团队成员共同将各种显性知识系统地整理为新的知识或概念（称为合并：combination）。（3）组织内的各成员通过学习组织的新知识和新概念，并将其转化为自身的隐性知识，完成了知识在组织内的扩散（内在化：internalization）。（4）拥有不同隐性知识的组织成员互相影响，完成了社会化（socialization）的过程。此后，新一轮的组织学习循环又开始了。从图4－2的螺旋向外的曲线也可以看出知识是不断增加的。一个创新团队正致力于为高校设计一种新专业，每个人根据自己以往不同的经历和对社会需求的理解（隐性知识）产生一些模糊的想法，通过与其他人交流，逐渐产生了共识并最终找到了新产品的原型（隐性知识转化组织的显性知识）。新专业产生后，其概念也融入了成员的个人知识中（显性知识又转化为隐性知识），并可能用来再与他人交流（进入下一轮的知识转化过程）。这整

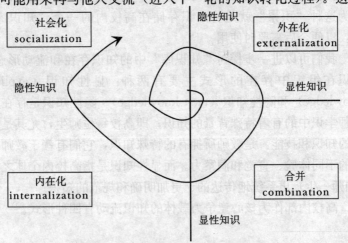

图4－2　组织内知识转化的四种模式

个过程就是一个获取、创造和传播知识的过程，也是一个知识在组织内流动的过程。（如图 4—2 所示）

表 4—2　组织知识转化的四种模式中知识的变化

知识转化模式	知识的变化
社会化（socialization）	从隐性知识到隐性知识
外在化（externalization）	从隐性知识到显性知识
合并（combination）	从显性知识到显性知识
内在化（internalization）	从显性知识到隐性知识

　　由知识库引申而来的就是高校内部的知识管理系统。高校核心竞争力的培育来自于高校组织内的集体性学习，来自于经验规范和价值观的传递，来自于组织成员的相互交流和共同参与。而知识管理就是强调信息、人力资源知识与组织运营等协调统一，从而最有效、最大限度地提高组织绩效。

　　高校知识管理是在校园信息化、网络化的基础上，建立以知识生产与知识传播为焦点的校内外知识网络，有效地发掘和利用一切知识资源（显性的与隐性的）及相关资源，实现知识与信息的共享，提高学校整体和全校人员的知识能力。我们可以从以下几方面探讨高校知识管理的关键问题。

　　1. 外部环境

　　在知识经济时代，高校进入了科学研究、社会服务、市场流通等社会组织的中心，高校、社会、政府已形成了三维螺旋结构，从而产生了互动效应。

　　2. 基本目标

　　通过知识共享，运用集体智慧提高高校的应变和创新能力，完成知识经济时代赋予高校的使命——知识生产、知识传播、知识创新、知识应用。高校的知识既是投入也是产出，在投入——产出——再投入——再产出中实现边际收益递增的良性循环，提高高校组织绩效。

3. 核心原则

知识经济时代同样作用于高校，竞争不可避免。竞争机制下经济的绩效度量体系是管理，高校知识管理的核心原则必须遵循市场经济的竞争法则，以作为衡量管理绩效的准则。

4. 管理关键点

高校知识管理的关键点在于实现知识共享和知识创新。高校知识管理的关键问题是隐性知识的显性化和外部知识的内部化，即如何根据高校员工的特点实施管理，以激发员工自愿地将隐性知识如教学技巧、科研手段等通过隐喻、象征的方式表达出来，并通过课题组、交叉学科团队等形式推动知识共享，从而推动知识螺旋地上升，不断增强高校核心竞争力。

综上所述，知识库由显性知识、隐性知识尤其是教师的知识和技能组成，而知识管理系统内的管理机制和价值体系则是作为"过程性"的"知识"的两者统一，也是高校核心竞争力本质特征——知识性的体现，而高校核心竞争力从本质上去考察，也可以看成以知识为基础的诸竞争要素实体性和过程性相统一的成长协调系统。

三、高校核心竞争力一般特征[①]

如果说，高校核心竞争力的本质特征是由高校自身的教育属性所决定的，那么高校核心竞争力一般特征则是由其类企业性所决定的，也即一般特征要接近于企业核心竞争力的通用特性。

（一）价值性

美国学者职米顿认为用户不仅是销售的对象，而且是学习和知识的源泉。高校作为特殊的知识生产者，以政府、产业界、学

---

① 参见成长春：《以知识为基础的高校核心竞争力特征分析》，《江苏高教》2005 年第 3 期。

者和学习者为用户，其核心竞争力的用户价值性体现在两个方面：

1. 核心竞争力必须为用户带来更多的"消费者剩余"

高校核心竞争力是能够产生独具的、持续竞争优势的竞争力，但并不是所有的竞争优势都能形成核心竞争力。高校核心竞争力富有战略价值，其不仅"对消费者的兴趣、需要、要求和期望承担起责任和义务"，① 更以创造性研究和发表新知识带给"用户"所看重的核心价值，使高校获得长期性的竞争主动权。区别核心竞争力与非核心竞争力的标准之一，就是看高校带给"用户"的好处是核心性、还是非核心的。由此可见，高校核心竞争力的存在是以最少的经济成本获取最大的利益为前提的，是在竞争中具有竞争对手无法模仿的稀缺资源，是在竞争中获取更大机会成本、赢取更大收益的一种经济消费方式。

2. 核心竞争力是一所高校区别于其竞争对手的原因

除了其自身的价值，如高校的品牌学术声誉的形成之外，还要以相对低的成本通过自身价值的发散作用，显著提高和创造"消费者"所看重的价值，能更好地为现实和未来服务，提升高校自身的社会价值和地位。如 19 世纪下半叶至 20 世纪 70 年代，剑桥大学的卡文迪什实验室为使英国迅速发展为"执世界实验物理牛耳的强国"和世界物理中心，学科主要研究方向曾 5 次转变，但却正是在这学科主要方向的不断变化中培养出了 25 位诺贝尔奖获得者。

（二）延展性

核心竞争力的延展性包含三层含义：

1. 它是一种基础性能力，这能为高校其他各种能力提供一个坚实的"平台"，这是一种核心性能力，是其他各种能力的

---

① 参见 W. Richard，Word—based learning and quality assurance in higher education. *Assesment & Evauation in Higher Education*，1994.（3）：247。

统领。

2. 高校核心竞争力具有"溢出效应"(spill - over),它能为高校进入更加广阔的市场和领域提供巨大的潜在机会。

3. 高校核心竞争力是一种前瞻性的竞争能力。它不仅注重现在的竞争态势,更注重未来的发展优势。它对内是提升内涵,对外是提升自身的形象和影响力。对内通过整合校内资源,特别是人力资源,对外则是向社会输送高层次的优质人才,即通过人才的生产能力而体现,并由社会确认和认可。例如,加州理工学院虽然只有不足两千名学生,但由于 20 世纪初请到了冯·卡门(钱学森的老师)等学术大师,吸引、带动了一大批教授,结果国际航空动力学的研究中心移至该校,加州理工学院也因此跻身于世界一流大学之列。[1]

（三）异质性

异质性是指高校核心竞争力为高校独自拥有,同行中几乎不存在两所高校同时拥有准确意义上或相似的核心竞争力。如清华大学以计算机、材料学科而闻名,河海大学以水利学科而在国内独占鳌头。高校核心竞争力具有异质性的原因有三个方面。

1. 模仿困难

模仿有两种方式:复制和替代。复制是建立与被模仿高校相同的资源和能力;替代是用具有相同竞争意义的资源和能力来代替被模仿高校的资源和能力。但是这种复制和替代往往是比较困难的。拥有有价值的、稀缺的资源和能力至少可以获得一种短期的竞争优势。如果竞争高校在模仿这些资源和能力时面临着成本、技术或其他方面的弱势,致使这样的模仿变得很困难,那么拥有这种资源和能力的高校就可以获得一种可持续的竞争优势。

---

[1] 参见杨宁、王建东、冯志敏:《试论原始创新与一流大学的互动关系》,《高教探索》2001 年第 2 期。

2. 原因模糊

对核心竞争力模仿的"原因模糊"来自高校所作出的无数个"小决策"持续作用的结果。重大决策固然能为高校带来竞争优势，然而高校在很多情况下也依赖于无数"小决策"来产生竞争优势，而且无数个"小决策"的实施往往生发出一个高校独特的"经营方式"和"处事模式"，形成了蕴涵在校园文化中的核心竞争力。

3. 途径的不可重复，或称途径依赖性、发展途径的独特性

一所高校核心竞争力的形成是由其独特的发展路径所决定的，在漫长的发展过程中高校以当时特定的方式、在当时特定的历史条件下吸纳、开发或培育出独一无二的核心技能和核心能力，并经长期的发展、丰富和完善，不断积淀而形成的，而这一过程往往是不可重复的。

以上三个原因，决定了高校核心竞争力一旦形成就具有独特的异质性。

（四）过程性

高校核心竞争力的形成并非一蹴而就。这是一种知识性能力（"积累性学识"），是经由资源和能力等整合、升华、认同、延展等一个漫长的过程而形成的。高校核心竞争力的形成要经过多次的反复甚至仿佛回归的过程才能实现。因此高校核心竞争力的形成过程是一个总体上升的、前进的过程，但局部还会出现这样或那样的挫折。

高校核心竞争力的过程性主要表现在资本资源整合的过程性、专有稀缺资源形成的过程性、人力资源使用和核心竞争能力形成的过程性。这里高校资本资源主要是指物质性资源。在高校核心竞争力形成过程中，物质性资本资源从杂乱无章到形成强大整体优势需要一个过程。专有稀缺资源是一个高校的专有资源，具有不可模仿性和独特性功能，是高校核心竞争力形成的关键性

要素，这个形成需要不断的探索和发现，而且有时又是动态发展的。人力资源是非物质性资源，是第一资源。人才是第一资本已成为高校获取新动力的源泉。人才特别是高层次人才也越来越成为高校间竞争掠夺的对象，而且是一种关键的稀有资源。

高校核心竞争力的形成过程是一个动态的发展过程。应该说高校核心竞争力的形成过程的时空界限不是静止的，而是不断发展变化着的，一旦停止，也就意味着高校核心竞争力的终结。高校核心竞争力形成过程的动态性体现在高校核心竞争力的概念、特征、要素、本质之中。

总之，在"竞争优势——核心竞争力——能力——资源"的分析框架内，高校是知识集合体，一切资源以知识为基础，"高校核心竞争力→强势能力＋（知识＋资产＋资源）整合力→学习力"。高校自身特点以及类企业特点决定了高校核心竞争力的本质特征（知识性）和一般特征（价值性、延展性、异质性和过程性）。前者对应于高校具有知识集合体特性，后者对应于类企业特点，知识性是最高层次特征，过程性是操作性特征，其余特征则处于同一层次，共同作用于概念。

本章通过对国内外有关专家学者对核心竞争力问题的研究综述，对高校核心竞争力概念进行了解析和探索，着重解决"什么是高校核心竞争力"的问题，并进一步回答高校核心竞争力的本质特征即是知识性，一般特征即是价值性、延展性、异质性和过程性等相关问题。首先，分析高校核心竞争力的概念。从技术观、知识观和能力观三个方面概述了当前国内对高校核心竞争力概念及其含义的有关研究成果，并指出其不足在于没有从本质上阐述"什么是高校核心竞争力"。进而在"竞争优势——核心竞争力——能力——资源"的分析框架内，在"高校是知识集合体、一切资源以知识为基础"的前提下，从知识（资源）和能力的角度论述了"高校核心竞争力→强势能力＋（知识＋资产＋资

源）整合力→学习力"的基本含义。其次，对高校核心竞争力的
特征进行阐述。继承前部分的基本前提，在简要概述了已有研究
成果的不足之后，提出了从高校自身特点以及类企业特点出发研
究高校核心竞争力的本质特征（知识性）和一般特征（价值性、
延展性、异质性和过程性）。前者对应于高校具有知识集合体特
性，后者对应于类企业特点，并建立特征分析模型图，即知识性
是最高层次特征，过程性是操作性特征，其余两个特征则处于同
一层次，共同作用于概念。

第五章　高校核心竞争力本质分析

以知识为基础的高校核心竞争力的概念的提出，为高校核心竞争力研究开辟了新的路径。然而，要从根本上回答"什么是核心竞争力"，还必须对高校核心竞争力的本质进行深入探讨。本章将围绕"高校核心竞争力的本质是学习力"展开研究，以进一步深化对高校核心竞争力概念、特征的理解。

第一节　高校核心竞争力本质探源

一、高校核心竞争力本质的探讨路径

关于高校核心竞争力本质的探索可以从现有的关于高校核心竞争力的概念论述中去寻求。

能力整合论。认为"大学的核心竞争力就是大学以技术能力为核心，通过对战略决策、科学研究以及成果产业化、课程设置与讲授、人力资源开发、组织管理等的整体整合或通过某一要素

的效用凸现而使高校获得持续竞争优势的能力"。①

构成要素论。其中有双要素——学术内核、管理外壳；② 硬件、软件。③ 三要素——教师、管理、校长；④ 制度体系、能力体系、文化体系；⑤ 技术、文化、制度。⑥ 四要素说——学生素质、师资队伍、科研活动、学科建设；⑦ 人力资源、资金资源、高校地位和管理模式。⑧ 五要素说——人、技术、管理、信息、创新。⑨

核心能力论。关于什么是核心能力，可谓众说纷纭，有认为是教师、⑩ 学科建设、⑪ 教学质量、⑫ 学问生产能力⑬等等。这些无疑推动了高校核心竞争力研究的深化，但是到底什么是真正意

① 赖德胜、武向荣：《论大学的核心竞争力》，《教育研究》2002 年第 7 期。

② 张卓：《研究型大学的基本特征和评价体系》，《南京航空航天大学学报（社会科学版）》2002 年第 2 期。

③ 孟丽菊：《大学核心竞争力的含义及概念塑型》，《教育科学》2002 年第 3 期。

④ 王继华、文胜利：《论大学核心竞争力》，《中国高教研究》2001 年第 4 期。

⑤ 别敦荣、田恩舜：《论大学核心竞争力及其提升途径》，《复旦教育论坛》2004 年第 1 期。

⑥ 罗红：《核心竞争力培养与竞争教育平台》，www. doule. net/homepage/jiaoyuii/—llk。

⑦ 宋东霞、赵彦云：《中国高等学校竞争力发展研究》，《教育发展研究》2003 年第 2 期。

⑧ 梁祥凤：《高校核心竞争力研究》，gradschool. ustc. edu. cn/ylb/zzjb/yjsjj/2004. 2/content/tsl. htm. 27k。

⑨ 李景渤：《从核心竞争力的视角看我国西部地区高校如何发挥地域特色》，《贵州师范大学学报（社科版）》2002 年第 4 期。

⑩ 马士斌：《"战国时代"高校核心竞争力的提升》，《学海》2000 年第 5 期。

⑪ 陈传鸿：《着力改革重在建设促进本科教学再上新台阶》，《中国大学教学》2000 年第 4 期；刘一平：《牢固确立现代高等教育管理理念》，《求是》2003 年第 12 期。

⑫ 张晓琪：《面向市场办学是新形势下大学校长的首要任务》，《湖南社会科学》2002 年第 2 期。

⑬ 胡建华：《试析研究型大学的本质——学问的生产能力》，《南京航空航天大学学报（社会科学版）》2002 年第 4（2）期。

义上的核心竞争力？这些研究没有真正地回答这一根本问题。

诸多核心竞争力要素分析的意义在于找出了核心竞争力相关的诸多要素，为寻求核心竞争力本质①提供了基础条件。能力整合论虽已指出了"以技术能力为核心"，整合多种要素形成核心竞争力，但是"核心能力"究竟是什么，却没有很好地得以回答。要素说从不同侧面揭示了高校核心竞争力的本质特征，但是，若将这些要素罗列在一起进行分类比较，就会发现，它们总是和一个更深层次的"关键要素"联系在一起，有的是"关键要素"的外在形式（学术、管理、制度、文化、学科建设等），有的是"关键要素"的载体（如教师、校长、学生、人），而核心能力论所列的要素，教师、学科建设、教学质量、学问生产能力，仅仅是某一类高校核心竞争力的"关键要素"，并没有真正揭示核心竞争力的本质。

二、学习力是核心竞争力理论的原有之义

学习力是获取和整合知识，并把知识资源转化为知识资本，以获取和保持持续竞争优势的能力。一个企业能否赢得竞争优势，关键取决于其能否促使以及在多大程度上促使知识资源转化为知识资本。关于知识对于企业竞争优势形成的意义，西方学者早有论述。

潘罗斯发表于1959年的《企业增长理论》，将企业定义为"被一个行政管理框架协调并限定边界的资源集合"②，并认为企

---

① 本质是事物的根本性质，是事物发展和存在的根据或内在原因，是组成事物各基本要素的特殊的内在联系，是由事物内部特殊矛盾所决定的。哲学上认识事物本质的方法包括：分析和综合的方法、比较的方法。

② 转引自芮明杰、方统法：《论知识型企业学习能力的塑造与增强》，《上海管理科学》2002年第1期。

业的增长源泉是其内部资源。按照她的逻辑对生产性资源的使用产生生产性服务，生产性服务发挥作用的过程推动知识的增加，而知识的增加又导致管理能力的增长，从而推动企业的发展。潘罗斯认为独特的人力资源和知识这些难以模仿的资源是形成稳定竞争优势的重要基础。库克和耶诺学习行动观点认为组织和业务相适应的知识的积累程度决定了一个组织或集体的业绩。德鲁克分析决定知识工作者生产率的六大因素，其中关键两点是：不断的创新必然是知识工作者的工作、任务和责任的一部分；持续不断的学习以及持续不断的教导。实际上，所有的组织都是学习型系统，[1] 都在进行知识获取、知识共享和知识的利用。而尼尔森和温特的《经济变迁的演化理论》将企业看成是知识的库存，企业把已有的知识储存在组织惯例（a hlerarchy of organigational routines）之中（解释企业现有的能力），并在竞争中寻求新的知识和新的惯例（解释企业能力的发展）。[2]

　　核心竞争力的创始人普拉尔德和汉默尔将企业核心竞争力定义为"组织中的积累性学识，特别是关于如何协调不同的生产技能和有机结合多种技术流派的学识"，一个组织的生存和成长能力是以优势为基础的，这些优势来自于代表着集体性学习的核心竞争力。[3] 美国哈佛大学的德罗茜、巴顿认为企业核心竞争力是使企业独具特色并为企业带来竞争优势的知识集合。这个集合由四个

　　① 参见 D. Alfred, C. handler, Jr. *Scale and scope：the dynamics of industrial capitalism*. 1990。

　　② 参见 C. K. Prahalad , G. Hamel. The core competence of the corporation. *Harvard Business Review*，May—June，1990. pp. 79—90。

　　③ 参见 Leonard—Barton, Dorothy. Core capabilities and core rigidities：A Paradox in Managing New Product Development. *Strategic Management Journal*，vol. 13，1992. pp. 111—125。

要素组成即"雇员的知识和技能",并融入"技术系统"之中,知识创造和控制的过程由"管理系统"所指导,以及与各类被体现和嵌入的知识以及知识创造和控制过程相联系的"价值和规范"。①

综上所述,可以得出以下结论,核心竞争力理论的经典作家都是从知识入手去研究、组织企业的,虽然其分析框架不完全相同,但是知识存在于组织(企业)之中。在组织或企业内部存在着的"知识流",这是共同的。具有核心竞争力的组织(企业)内部的知识存在于雇员的技能、组织的惯例、无数个小型决策以及组织的价值、规范之中。而且知识既有静态的,又有动态的,对组织(或企业)的发展既有解释作用,又有推动作用。无论是基于技术或资源的核心竞争力,本质上都是组织(企业)利用技术或资源的独特能力,即掌握了使用技术或资源的知识。只有这种独特的知识,才是构成组织(或企业)核心竞争力本质的基础。一个学习型组织,既要不断学习获取自身应具有的知识,又必须发掘和利用外部知识,并与自身的知识相结合形成具有自身独特印记的"新知识",才能形成持久竞争优势的不竭源泉。这种获取和整合知识的能力就是学习力,其组织形式是知识管理。高校作为组织具有类企业性质,因而企业核心竞争力理论适用于高校核心竞争力研究。

随着高等教育的迅猛发展,高校的组织结构显得越来越复杂,明显呈现出学术部门与经营部门并存的异质性结构特征。②学术将高校的教师和学生联系起来,其组织用专业手段进行教学,用专业标准去组织知识、评价学生成就;经营部门将专业世

---

① 参见曾晓东、孙贵聪:《研究大学类企业行为 提升大学管理的专业化水平》,《比较教育研究》2002 年第 4 期。

② 参见彼得·圣吉:《第五项修炼——学习型组织的艺术与实务》,上海三联书店 1998 年版。

界与外部世界联系起来，其组织文化是管理文化，突出对工作业绩的追逐和行为导向。其中经营部门表现出许多与企业趋同的行为，这与传统高校组织行为有很大的差异性。高校管理的本质是实现资源约束下的最优选择，高校的"企业行为"是指随着高校规模的扩大、结构和功能的复杂化而在高校运营过程中出现的保证高校作为一个组织在资源限制的条件下整体运转良好的管理行为。因此，有必要运用经济学、管理学提供的工具，对高校管理行为进行分析，型构（formulating）高校管理规则和组织文化。尽管高校与企业尚存许多不同点，如原材料和产品的差异性、生产过程和组织文化的差异性等，但是，高校的这种类企业行为性质，为高校移植核心竞争力提供了可能。企业核心竞争力的本质同样适用于高校。

第二节　高校核心竞争力本质的依据分析

凡组织都以知识作为形成核心竞争力的基础，学习力是组织核心竞争力的本质，那么高校核心竞争力的本质是否也是学习力？回答仍是肯定的。

一、高校的内部矛盾运动与学习力

高校具有学习型组织特征。所谓学习型组织，就是组织"充分发挥每个员工创造性的能力，努力形成一种弥漫于群体与组织的学习气氛，凭借着学习，个体价值得到体现，组织绩效得以大

幅度提高".①

组织行为学家斯蒂芬·P·罗宾斯概括出学习型组织的五个特性：有一个人人赞同的共同构想；在解决问题和从事工作时，摒弃旧的思维方式和常规程序；作为相关关系系统的一部分，成员们对所有组织过程、活动、功能和与环境的相互作用进行思考；人们之间坦率地相互沟通（跨越纵向和水平界限，不必担心受到批评或惩罚）；人们摒弃个人利益和部门利益，为实现组织的共同构想一起工作。② 学习型组织的最大特征就是善于不断学习，强调终生学习、全员学习、全过程学习和团体学习。这是从"知识"和"学习"两个方面来考察一个组织所提出的必然要求。

高校具有学习型组织的三个特征：知识是高校创造财富的最主要资本，在资源配置的要素中，知识成为最主要的配置力量；高校拥有高能级和高素质的人才群体，被德鲁克称之为"知识工作者"；创新是高校成长的灵魂，是高校发展的不竭动力。从以上分析，可以看出高校本质上是两个相互关联的系统：知识系统和学习系统的结合体。以工作流程为基础的知识流具有五项特征，即信息的积累、信息的分类、信息的抽象、信息的类推以及信息的变形管理。③

知识系统内的矛盾运动体现为一系列知识的流动过程（knowledge flow）。知识资源转化为知识资本的过程就是知识流动的过程，知识流就是知识的生产、分配、交换、传播和消费的

① 参见彼得·圣吉：《第五项修炼——学习型组织的艺术与实务》，上海三联出版社1998年版，第3页。

② 参见斯蒂芬·P·罗宾斯：《组织行为学》，中国人民大学出版社1997年版，第556页。

③ 参见 Zhuge, Hai. A knowledge flow model for peer-to-peer team knowledge sharing and management. *Expert System with Application*, 2002 (23). pp. 23—30。

过程。知识的设计和管理常用流程的方法和实务的方法。[①] 本书采用的是流程方法，借用艾达米的分析框架，[②] 对高校内部知识流进行分析（如表5—1所示）。

表5—1　高校"知识流"分析框架

类　型	知识举例	流向（始—终）
环境知识	市场信息、社会发展需求"供应商"关系、"客户"关系	环境 高校
高校知识	学术声誉、社会声誉、品牌效应、毕业生及技术输出综合评价	高校 环境
内部知识	校园文化、校园精神、基本数据、师生员工的技巧	高校内部流动

一是从外部环境流向高校的知识流。即高校获取市场的、社会的各种信息和技术情报、社会经济发展对高校建设的需求，分析与"供应商"（生源分布状况和技术需求）、"客户"（用人单位及技术服务对象）之间的关系。

二是从高校流向外部的知识流。高校社会声誉和学术声誉所产生的品牌效应，毕业生就业去向综合反映高校的声誉、教学质量、课程设置、管理水平乃至校园精神的评价结果。高校的社会声誉在高校评价中占有极重要的分量，如在《美国新闻》的本科评价中占 25％，研究生院评价中占 40％，博士生评价中占 100％，在《麦克林》中的权重占 15％。

三是高校内部的知识流。高校的校园文化、校园精神、基本数据以及师生员工在技能方面所表现出来的知识，需要通过个人学习、团队学习、组织培训等手段加以流动，并发挥效能。

---

① 参见 Davenprot，Thomas，H. Robert，J. Thomas，Susan Cantrell. The mysterious art and science of knowledge—worker performance。（《知识工作者绩效的艺术和科学》《史隆管理评论》2002 秋季号）

② 参见达尔·尼夫主编：《知识经济》，珠海出版社 1998 年版 ，第 174 页。

　　高校知识流的重要特点就是教师时时刻刻需要处理信息和知识，并不断形成新的知识。它的整个流程是："消费者"提供的市场信息作为"环境知识"从环境流向高校。在高校内部，通过培训、学习，教师不断分析这种环境知识，最终形成"内部诀窍"——教师的独特技能，并为大家分享和继承。这样，高校自身就形成了既紧跟市场又引导社会发展的公众形象，高校知识又从高校向环境扩散。这就是"高校知识的获得与传播过程"。其中新形成的内部员工——教师，他们的独特技能就是核心竞争力（如图5－1所示）。这时，知识已经从资源转化为资本，而高校内部就已经形成了以知识为基础的学习力。

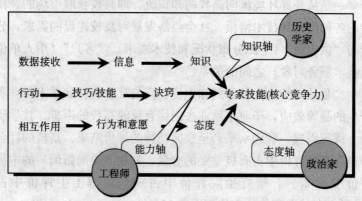

图5－1　高校核心竞争力的"知识"模型

　　与"知识流"过程相伴的，就是学习系统内的学习过程。

　　高校学习过程包括个体学习、团体学习和组织学习的运行。其实，高校学习过程可以分为知识获得、知识共享和知识利用三个阶段。[1] 知识获得阶段，主要获得技能洞察力、关系的发展或创造。知识共享主要是高校内部学习内容的扩散。知识利用主要是学习的综合。整个学习过程就是"知识流"流动的过程。其中知识不仅仅是信息，还包括信息的意义或诠释以及许多无形的知识（如教学、科研、管理过程中的"暗默性"知识），这些往往决定高校的核心竞争力。

主价值链（学术部门完成）

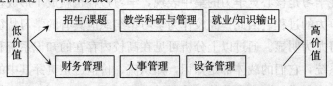

副价值链（管理部门完成）

图5—2 高校的价值链模型

高校内部存在的价值链是一个综合的学习系统。（如图5—2所示）这是高校的另外一个"流"——"价值的增值流"。在高校有两条价值链，主价值链是由学术部门实施，将"原材料"——中学生培养成用"新知识"武装起来的大学生或研究生，并为社会提供知识产品；辅助价值链是由管理部门实现，是主价值链运行的支持系统，其实质就是物化了的"知识流"。价值的增值过程，也是知识增值并流动的过程。将价值链作为一个综合的学习系统，也就把每个重要步骤中的工作看做学习试验的分系统。取得成果的结构和过程可以被作为"作业任务"和"学习练习"。高校将每个增值阶段作为一个业务步骤，不断推演，直到这个过程结束。从本质上看，高校就是创造知识增加值的基

---

① 参见安德鲁·坎贝尔、凯瑟琳·萨默斯·卢斯著，严勇、祝方译：《核心能力战略——以核心竞争力为基础的战略》，东北财经大学出版社1999年版，第40页。

本单位。

"集体性学习"① 是高校学习系统（过程）最重要形式。"文化的创造和成员在文化中的社会化都依赖于学习过程来形成一种制度化的现实。"② 阿吉里斯和斯恩强调双循环学习和单循环学习,③ 圣吉提倡的"适应性学习"（adaptive learning）,④ 都是转型变革的学习方式，这些同样适用于当今的高校集体性学习。集体性学习是核心竞争力的集中表现，学习过程也就成了形成核心竞争力的过程。因此，高校作为学习型组织应具有的学习特征就显得尤为明显。通过以上分析可见在高校内存在的知识系统和学习系统，它们的载体都是知识，知识流、价值链是贯穿其中的主线，而促进知识流和价值链有效运行的正是"学习力"。价值增值的过程就是核心竞争力形成的过程，知识资源就变成了知识资本，最终形成持续竞争优势。

二、高校的最终竞争与学习力

图5－3所反映的是一种递进关系。按照传统观点，高校争夺市场份额的竞争实质上是产品（毕业生和知识）的竞争，产品的竞争又是技术的竞争，归根到底是人才的竞争，是人才学习力

---

① 参见 J. Child, A. Kieser. Development of organizational over time, in N. C. Nystrom and W. H. Starbusk（eds.）, *Handbook of Organizational Design*. Oxford: Oxford University Press, 1981, pp. 28－64; and E. H. Shein, *Organizational Culture and leadership*. San Francisco: Jossey—Bass, 1992。

② J. Van. Maanen, E. H. Schain. Toward a theory of organizational socializatio. *Research in Organizational Behavior*, 1979,（1）. pp. 1－37.

③ 参见 C. Argyris, *A. schon. organizational learning: a theory of action perspective*. Addison Wesley, 1978.

④ 参见彼得·圣吉:《第五项修炼——学习型组织的艺术与实务》, 上海三联书店1998年版。

的竞争。但是，最新的学习组织理论告诉我们，高校的竞争力最终一定是学习力的竞争。学习力是高校核心竞争力的本质。

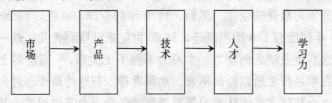

图 5-3　学习力——高校竞争最终的决定力

高校之间的竞争说到底是人才的竞争。知识生产能力关键是"知识工作者"（德鲁克）的能力，人才生产能力除有优秀的教师的"教"和学生孜孜不倦的"学"与"习"，是无法体现的，管理力的外在形式是整合资源的能力和增强办学效益的能力，而关键点却在于管理者的创新力，文化力也表现为全体师生员工所创立的校园精神以及体现在他们身上的核心价值观。这些无不跟人才密切相关，而人才竞争的背后是学习力的竞争。正如有"全球第一 CEO"之称的杰克·韦尔奇所说："最终的竞争优势有赖于一个组织的学习能力。"[①]

高校犹如一棵大树，学习力就是大树的根。树根理论告诉我们，评价一个高校在本质上是否有竞争力，不仅仅看这个高校取得了多少成果，而是要看该高校有多强的学习力。就像观察一棵大树的生长情况一样，不能只看到大树的郁郁葱葱、果实累累的美好外表，因为外表再美如果根烂掉，那么眼前的繁荣就会消失。[②]

学习力是最本质的竞争力，这不仅为一些"长寿企业"的发

---

① 转引自程路：《愿景 & 学习》，www.HROOF.com/home。

② 参见张声雄：《学习力——学习型组织真谛之一》，www.21tb.com。

展历史所证实，而且几乎所有的"长寿高校"的经验也充分证明了这一点。当代被《财富》杂志列为世界 500 强的大公司，堪称全球竞争力最强的企业。然而，1970 年的全球 500 强，到 20 世纪 80 年代已有 1/3 销声匿迹，到 20 世纪末已所剩无几。这一现象与这些企业缺乏创新力、学习力不强不无关系。① 而世界上众多的百年名校之所以经久不衰、永葆青春，与这些高校通过自我超越、心智模式、团队学习等提高和增强学习力密切相关。其成功的奥秘在于：一是能以最快速度、最短时间从内外资源中学到新知识，获取新信息；二是全体员工，尤其领导层能不断提高学习能力；三是加强"组织整体学习"，集思广益，取得实效；四是以最快速度、最短时间把学到的新知识、新信息应用于管理创新和组织变革之中，以适应经济建设和社会发展的需要。

第三节　高校核心竞争力本质——学习力解析

在高校，学习力结构是如何构建的，这在高校核心竞争力研究中尚属空白。

一、高校学习的类型

根据主体不同可将高校的学习分为三个层次：个体学习、团体学习和组织学习。

（一）个体学习及个体心智模式

高校学习力最终是通过师生的学习来体现的。考夫曼发明了

---

① 参见徐文龙：《学习力：最本质的竞争力》，《解放日报》2002 年 3 月 27 日。

个体学习模式，即观察—掌握—设计—实验（OADI）循环，[①]
为我们研究高校师生的个体学习机制奠定了基础。在 OADI 循
环中，个体的经验同具体实践相结合，并能动地掌握着发生的事
件。通过观察思考积累自己的经验，形成抽象的概念。通过实践
检验，逐步积累经验，开始新一轮循环。丹尼尔·金把个体心智
模式融入了 OADI 循环，更进一步解释了学习和记忆、概论化
学习和掌握型学习的原则。个体心智模式反映了一个人对世界的
看法，包括框架和规则分别对应于个体学习中的概念化学习和操
作型学习的两个层次（如图 5—4 所示）。

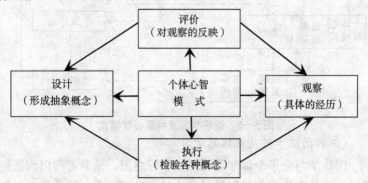

图5—4 个体学习及个体心智模式图

（二）组织学习及共享心智模式

组织学习是组织成员知识和能力的共享。丹尼尔·金提出的
组织学习集成化模型——OADI－SMM 模型，即观察、评估、
设计、执行共享心智模式，有效地解释了个体学习与共享心智式
之间进行信息交换而产生的学习循环问题。个体学习循环指信念
改变过程以及将这些改变发展成个体的心智模式的过程，个体学

---

① 参见芮明杰、方统法：《论知识型企业学习能力的塑造与增强》，《上海管理
科学》2002 年第 1 期。

习循环通过组织的共享心智模式影响组织层次上的学习。共享心智模式包括组织的世界观和组织常规两部分。具体表现为组织的主导逻辑、战略假设、组织文化等（如图5—5所示）。①

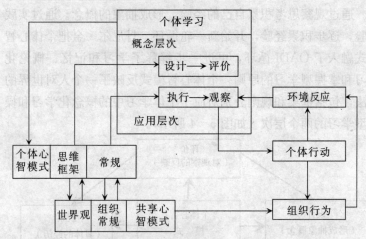

图5—5　组织学习及共享心智模式

（三）团队学习及双环路学习

团队学习介于个体学习和组织学习之间，是两者得以沟通的桥梁，也是高校实现组织学习的途径。圣吉认为，团队学习是组织修炼的最基本形式，也是提升组织学习能力的主要方式。② 团队学习的主要特征在于交互作用和共同输出，其重要性就是将个体的心智模式和共享心智模式结合起来，把简单的线性单环路学习模式转化为互动的双环路学习模式：只有当个体心智模式通过共享心智模式而成为组织的一个部分并进一步影响组织行为时，

①　参见芮明杰、方统法：《论知识型企业学习能力的塑造与增强》，《上海管理科学》2002年第1期。

②　彼得·圣吉：《第五项修炼——学习型组织的艺术与实务》，上海三联书店1998年版。

才发生组织的双环路学习。双环路学习有助于寻找组织中潜藏的假设和规范，为持续的改善提供了机会。沃特金斯和马席克认为，"在现代组织中，是团队而不是个人成为基本的学习单位"。[①]

（四）组织学习的过程模型及知识库的建立

高校学习力主要考量组织学习状况。组织学习是指组织在特定的行为和文化下，建立和完善组织的知识和运作方式，通过不断应用相关的方法和工具来增强组织适应性与竞争力的方式。[②]

组织学习模型用来抽象地描述组织学习的过程，对分析该过程中发生的问题有很好的辅助作用，最早的有代表性的是阿吉瑞斯·熊恩的四阶段模型，即发现（discovery）、发明（invention）、执行（production）和推广（generalization）[③]（见图5—6所示）。

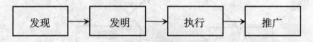

发现 → 发明 → 执行 → 推广

图5—6 经典的组织学习模型

阿吉瑞斯认为，组织要作为一个整体进行学习，必须完成四个阶段："发现"包括发现组织内部潜在的问题或外界环境中的机遇，然后在"发明"阶段组织着手寻找解决问题的方法，解决

---

① 参见芮明杰、方统法：《论知识型企业学习能力的塑造与增强》，《上海管理科学》2002年第1期。

② 参见 S. C. Gos, Toward a learning organization：the strategic building block. *Sam Advanced Management Journal*，Spring，1998. pp. 15—22. M. Dodgson, Organizational learning：a review of some literatures. *Organization Studies*，1993. pp. 25—34。

③ 参见 S. W. Nason, *Organizational learning disabilities：an international perspective*. USA：University of South California, 1997。

方法在"执行"阶段得以实施，即产生了新的或修改了的操作程序、组织机构或报酬系统，学习要传播到组织内所有相关区域，就不仅要从个体水平上升到组织水平，还须贯穿组织的各部门或组织边界，这就是"推广"。

针对经典的组织学习模型的不足——不能反映学习全过程；不能反映学习既作为有反馈的螺旋过程，又作为积累组织知识的过程，陈国权、马萌提出改进的组织学习过程模型[①]（如图5－7所示）。

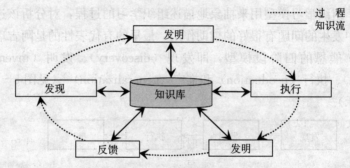

图5－7　组织学习过程模型

该模型的最大优点就是增加"反馈"环节，使学习过程成为一个封合循环系统。同时增加"知识库"。"知识库"并非实际存在的技术上的"数据库"，而是指知识一部分保存在组织的每个成员的头脑中，也有部分存在于组织的经验、数据库、操作规范或组织文化之中。"知识库"反映知识的积累和组织学习的螺旋上升过程。

新的组织学习过程模型真实地反映高校进行学习的过程。从

---

① 参见陈国权、马萌：《组织学习的过程模型研究》，《管理科学学报》2000年第3期。

这个模型出发，可以更清晰地认识高校在学习中存在的问题，并加以纠正，从而更有效地组织学习。

二、学习力的内涵

"学习力"一词最早出自 1965 年美国学者佛睿斯特的一篇文章。[①] 他运用系统动力学原理非常具体地构想出未来企业的思想组织形态——层次扁平化、组织咨询化、系统开放化，逐步由从属关系转向工作伙伴关系，不断学习、不断重新调整的结构关系。20 世纪 90 年代中期，学习力逐渐成为知识经济时代应运而生的一项前沿的管理理论，受到管理者的重视。

学习力是什么？国外有学者解释为："学习力是一个人学习动力、学习毅力、学习能力的总和。"（有的加上"学习创新力"。）[②]

《学习型城市发展宣言》认为，"学习力是把知识资源转化为知识资本，以获取和保持持续竞争优势的状态和过程。"[③]

高校的学习力是高校为了形成其核心竞争力，围绕信息和知识所采取各种行动的能力，它是高校对信息和知识的及时认知、全面把握、迅速传递，达成共识，作出正确、快速的调整，以利于组织更好发展的能力，是高校在知识经济时代拥有比自己竞争对手更快获取知识的能力。（学习力的培养是一个长期的过程。）

学习力包含三个要素：学习的动力、学习的毅力和学习的能力。学习的动力体现了学习的目标，学习的毅力反映了学习者的意志，学习的能力则来自于学习者掌握的知识及其在实践中的应用（如图 5—8 所示）。

---

①② 参见李德进：《学习和学习力》，《人民论坛》2004 年第 9 期。

③ 中国学习论坛首届年会组委会：《学习力 创新力 竞争力》，http.//www.sina.net 2003 年 12 月 19 日。

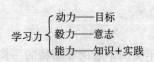 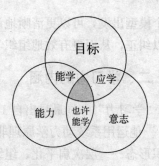

学习力 { 动力——目标
　　　　毅力——意志
　　　　能力——知识+实践 }

图5—8　学习力模型图

作为高校核心竞争力本质的学习力包括个体学习力、团体学习力和组织学习力三个层面。

个体的学习力具体体现在快速全面获取信息和知识的能力、及时地适应时代发展需要而更新观念的能力、符合实际地促进教育教学改革推进经济社会发展的创新思维能力。个体学习力结构包括学习力原发层面、学习力内化层面和学习力外化层面等三个层面。① 学习力原发层面包括学习的意志、兴趣、动机、价值观等内容；学习的内化层面包括现有的知识基础、智力、记忆力、理解力、思考力、学习的效率以及观察力、分析力、评价力等内容；而学习力的外化层面则包括所学知识的释放力、应用力、适应力、创新力等。三个层面之间既相互叠加，又相互包容。

高校的组织学习力由学习精神、学习机制和学习过程三个层面构成。②

学习精神是高校全体员工对于学习的一种意识，是高校学习态度、动机的综合体现。学习精神是文化力中校园精神的升华，

---

① 参见《学习力——领导干部能力高低的一个重要标准》，《领导科学》2004年第4期。
② 参见芮明杰、方统法：《论知识型企业学习能力的塑造与增强》，《上海管理科学》2002年第1期。

是校园精神在学习力层次上的体现，它决定学习力的方向和作用效果。彼此信任与理解，愿意承担风险，鼓励对话、共享与合作，鼓励个体与组织共同成长，惟有这些，才能造就组织学习力。

学习机制。高校学习力的有效运行，需要一定机制来支持和推动。学习机制是高校造就学习力的内在机制，是增强学习力的保证。学习型组织是高校学习机制的重要载体。学习型组织是一种代表未来的新型组织形式，它以持续性的、与工作相融合的学习为特征，强调通过学习（特别是组织层面的学习）来改善组织的工作绩效。与个体学习不同的是，高校的组织学习是群体行为，具有特殊的机制。建立学习型组织，便于明确目标、加强管理，尤其是团队学习，其学习方法是互相配合以萃取高于个人智慧的集体智慧，没有学习型组织是难以保证的。① 建立学习型组织是高校持续提升学习力的根本保证。

学习过程。高校的学习过程就是在学习精神的指引和学习机制的保证下，高校的学习型组织不断修炼的过程。高校的学习过程是一个校内"知识流"和"价值链"流动的过程。圣吉的五项修炼：自我超越、改变心智模式、建立共同愿景、团队学习、系统思考，就是建立学习型组织的完整的学习过程。自我超越是学习型组织的精神基础；改变心智模式要求人学会有效地表达自己的想法，并以宽容的态度接纳别人；建立共同愿景是将个体的愿望和远景整合为组织的共同愿景；团队学习是学习型组织最基本、最有效的学习形式；系统思考使人从迷失复杂的细节到掌握动态的均衡搭配。通过五项修炼，促进学习型组织发挥应有的效

---

① 参见史东明：《核心能力论：构筑企业与产业的国际竞争力》，北京大学出版社 2002 年版。

能，使知识和信息被吸收、传播、共享、转化，从而促进高校的价值链持续增值。

高校的团队学习力是个体学习力的提升，又是组织学习力的基础，它通过知识库和人才将个体学习力和组织学习力联系在一起，推动高校整体学习力的形成。

本章从考察高校核心竞争力本质的探索经历入手，找出知识在高校核心竞争力中的关键作用。从核心竞争力理论的本来之义和高校具有学习型组织的特征来论述高校核心竞争力的本质即学习力，并对学习力结构进行解析，即个体、团体和组织三个层面构建学习力的模型。

在前一章从知识和能力的角度提出高校核心竞争力的概念和特征的基础上，本章进而说明高校核心竞争力就是强势能力加整合力，本质上就是学习力。和前一章一起形成了本书的基本理论框架，即特征部分与概念部分相互照应："本质特征——知识性"与"本质——学习力"；"一般特征——价值性、延展性、异质性、过程性"与"强势能力——知识（资源＋资产）整合力"相互对应，为后面各章的研究奠定了基础。

第六章 高校核心竞争力研究调查分析

高校核心竞争力的研究涉及核心能力的内涵、特征、外延、识别以及评价等诸多方面的问题。在所有这些研究内容中的一个重要问题就是高校核心竞争力的构成要素问题，即高校核心竞争力的构成要素有哪些、构成要素之间的相互关系如何以及构成要素对提升高校核心竞争力的作用是怎样的等，这些都是高校核心竞争力研究中的重要问题。

关于高校核心竞争力构成要素是什么，长期以来众说纷纭，没有共识，而且缺乏相关的理论支撑和实证研究。那么，能否找出核心竞争力构成要素的共性呢？这一直是有关专家和学者探讨的重要问题。

第一节 高校核心竞争力研究调查的思路与方法

一、调查的基本思路及技术路线

（一）研究意义

高等学校是一个国家高等教育改革和发展的主战场，也是培养和造就高层次人才的载体。近年来国家十分重视高等学校发展的规模、效益和竞争力的高低。于是在全国掀起了对高校核心竞争力进行评估和排名的热潮。诸如中国网大排名、武书连的大学排列榜等。每一次评估都引发了这样或那样的评说和争议，但评说归评说，争议归争议，每一高校对所谓的大学排名都抱谨慎态度，甚至试着去分析自身的不足，力求在排名中有一个较好的位置。时至今日，人们对这样的排名已经司空见惯，或者说已习以为常。但没有多少学者能认真考究高校核心竞争力构成要素的合理性和彼此之间的关系，甚至高校核心竞争力构成要素与高校核心竞争力的本质内涵之间的内在联系等问题还未能清楚阐述。

笔者试图着手研究高校核心竞争力的构成、要素存在的合理性和对高校核心竞争力评价的手段和方法。在国内外学者对核心竞争力构成要素研究的基础上，设计较为合理的调查问卷，并运用 KJ 图表分析、德尔菲法、SPSS 相关性研究等方法认真验证高校核心竞争力构成要素的合理性，从而能为高校领导决策和相关教育主管部门提供政策咨询服务。

（二）高校核心竞争力分析模型调查基本思路及技术路线

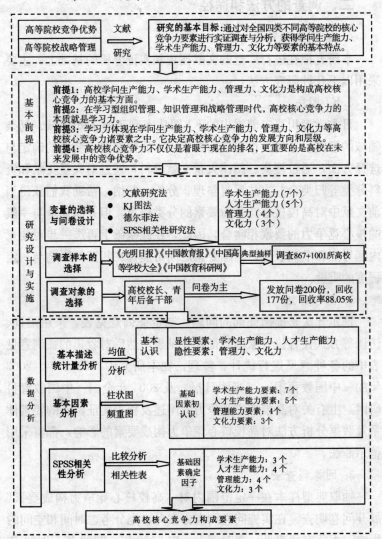

二、调查的方法和途径

（一）调查研究的方法

本研究拟在进行广泛的文献搜集和实证分析的基础上，主要采用以下几种研究方法：

1. KJ 图法

日本学者川喜二郎提出的 KJ 图法有利于对未知领域、复杂领域的事实、意见、设想进行探索。本研究在要素变量的确定与选择方面，通过搜集、阅读大量文献资料，通过对大量文献和资料分类等归类合并方法反复整理、分析、归纳，帮助我们获得当前文献中对高校核心竞争力要素的分类信息，但并非完全与一般的核心竞争力的要素相吻合，因此，在此基础上再进一步对要素内涵界定和准确表述，消除要素之间可能存在相互的影响与一定程度的重叠。

2. 德尔菲法

德尔菲法是提出征询的问题，制定征询意见表，采用函询、访谈等方式让各位专家填写征询意见表，然后对收集的征询意见表中的各种意见进行统计、整理。在本研究中，2002 年、2003 年的《中国教育报》、《光明日报》及 2004 年全国《中国教育科研网》上有关对高校核心竞争力的阐述及相关实证调查的要素体系及数据分析方法对高校核心竞争力构成要素的影响，都将采用德尔菲法。

3. 问卷调查法

抽取典型样本在一定范围内对"高校核心竞争力构成要素"展开问卷调查。在实施问卷调查方案时，充分考虑时间和空间的影响，力争有代表性。在时间上，以 2002 年、2003 年、2004 年三年高校发展的动态变化为研究调查依据，明确每一次调查都是在前一次实证研究基础上的进一步研究；在空间上，选择全国范围内所有省、自治区的大学进行分类分析，并以江苏、上海、北京等高等教育发达省市和高等教育欠发达地区进行分类比较。调查问卷的要素设计，是根据相关理论文献资料分析以及多次实证研究的要素体系，并请战略管理领域的专家及学者进行可行性论证后确定得出，以保证提出的要素具有代表性和权威性。

在调查过程中，为了保证调查的效率和效果，问卷采取匿名方式填写，调查人员对调查对象的填写内容进行严格保密，以保证调查对象填写问卷的真实性。

4. SPSS 相关性分析法

SPSS (Statistical Package for the Social Science)，即社会科学用软件包，是世界上著名的统计分析软件之一。它和 SAS (Statistical Analysis System，统计分析系统)、BMDP (Biomedical Programs，生物医学程序) 并称为国际上最有影响的三大统计软件。SPSS 名为社会学统计软件包，这是为了强调其社会科学应用的一面（因为社会科学研究中的许多现象都是随机的，要使用统计学和概率论的定理来进行研究），而实际上它在社会科学、自然科学的各个领域都能发挥巨大作用，并已经应用于经济学、生物学、教育学、心理学、医学以及体育、工业、农业、林业、商业和金融等各个领域。SPSS 具有完整的数据输入、编辑、统计分析、报表、图形制作等功能。自带 11 种类型 136 个函数。SPSS 提供了从简单的统计描述到复杂的多因素统计分析方法，比如数据的探索性分析、统计描述、列联表分析、二维相关、秩相关、偏相关、方差分析、非参数检验、多元回归、生存分析、协方差分析、判别分析、因子分析、聚类分析、非线性回归、Logistic 回归等功能。

运用此软件主要是验证高校核心竞争力各构成要素之间的相

关程度，对数据进行探索性分析，并列联表分析，最终获得高校核心竞争力的信度和效度。

（二）研究的途径

我们根据对中国期刊网和 Google 网核心竞争力关键词的检索，在对核心竞争力构成要素的种类及其被中国学者认同的程度等方面进行充分调查和分析的基础上，获得了一些有意义的结论，并据此初步设计了全国高校核心竞争力调查表和调查问卷。利用设计好的调查问卷先对 2002—2003 年全年的《中国教育报》和《光明日报》理论版上有关高校的简介、有关大学校长的访谈和对高校特色建设的进行了认真仔细的梳理，获得了一些基本的研究数据。第二步在对调查表进行适当微调的基础上，对中国教育网上全国高校在线的高等学校主页上的学校简介进行下载，系统分析每一所高校的现状并统计符合高校核心竞争力要素的各项的数据。第三步又根据《2003 年中国高等学校大全》、《2004 年中国高等学校大全》提供的信息数据进行了全面统计和分析，对统计的数据根据高校核心竞争力设计的调查表对一级和二级、三级指标进行了对比分析，并对四种不同类型的高校核心竞争力要素指标情况进行了分析，绘制了大量有说服力的图式。第四步，作者利用在北京高校校长干部班学习培训的机会，设计高校核心竞争力调查表，对全国与会的高校校长和青年干部进行深入细致的调查，对所得的数据进行了统计和分析，并利用 SPSS 统计软件进行相关性分析，进一步论证调查表的合理性、科学性，从而为确定高校核心竞争力要素提供佐证。在此基础上提出了高校核心竞争力的构成要素和构成要素的评价标准，并提出了一些针对高校核心竞争力构成要素研究的有益建议。

三、核心竞争力构成要素概述

关于什么是核心竞争力构成要素，有学者认为核心竞争力以技术能力（即 R&D 能力）、创新能力为核心，通过战略决策、生产、市场以及组织管理的整合使组织获得长期竞争优势；也有学者把核心竞争力概括为技术能力、市场能力和管理能力；还有学者把核心竞争力分成五个方面，即员工的知识和技能、技术开发和创新能力、管理和生产能力、创造品牌和运用品牌的能力、独特的文化和价值观。[①]

于建源针对核心竞争力构成要素提出三个观点。观点之一：企业的核心竞争力首先是管理能力，即由优秀的管理能力形成竞争中的成本领先优势。观点之二：企业的核心竞争力是在管理能力的基础上，通过提高营销能力形成企业市场领先的竞争优势。观点之三：企业的核心竞争能力是在营销能力基础上，通过提高创新能力来形成产品、技术领先的竞争优势。其中营销能力是企业核心竞争力的中心能力：它上承管理能力所形成的成本优势，使之变成利润优势；下载创新能力形成的产品/技术优势，使之成为保持和增长利润的优势。[②]

卢志渊认为核心竞争力的基本要素应包括两个方面：一是技术，二是组织。组织战略的关键就在于培养和发展能使组织在未来市场中居于有利地位的核心技术能力。[③] 把组织作为核心竞争

[①]　参见余伟萍、陈维政、任佩瑜：《中国企业核心竞争力要素实证研究》，《社会科学战线》2003 年第 5 期。

[②]　参见于建源：《企业核心竞争力构成要素概论》，《企业活力》2000 年第 8 期。

[③]　参见卢志渊：《企业核心竞争力的构成要素及培育》，《上海企业》2002 年第 10 期。

力的一个构成要素，就是着重于组织的体制和机制问题。

邓修权、吴旸、上官春霞、王林花在对中国期刊全文数据库中有关核心能力的文献进行收集和消化的基础上，提出核心能力构成要素应包括表6—1所列要素。①

表6—1　核心能力构成要素

序号	1	2	3	4	5	6	7	8	9	10	11	12	13	14	15	16	17	18	19	20	21	22	23	24	25	26	27	28	29	30	31
构成要素	技术	协调运用资源能力	研究和开发能力	企业文化	知识	不断创新的能力	响应能力	市场营销能力	前线执行能力	转化能力	决策能力	管理系统	组织结构	组织界面管理能力	人员	产业扩大能力	信息	学习能力	综合服务能力	资本运用的能力	商誉	洞察预见能力	吸收能力	可持续发展能力	高效运营能力	防范风险能力	战略管理能力	市场	设备	知识产权	分享能力

邓修权等对31种构成要素仔细分析后发现，它们的性质并不完成相同，其中一部分具有"资源"的性质，而另一部分具有"能力"的性质，根据构成要素这种性质的不同，可以将31种构成要素分为资源类构成要素和能力类构成要素两大类。资源是竞争优势的基础，既包括了有形资源也包括了无形资源，据此可将资源类构成要素进一步细分为软资源类和硬资源类。根据能力类构成要素作用范围的不同，可进一步将其细分为经营管理能力类、技术创新能力类和其他能力类。邓修权等又对222篇有关核心能力构成要素的文章做的统计调查表明，某些指标出现的频率比较多，其中15个指标具有较高的被认同程度（如表6—2所示）。

---

① 参见邓修权、吴旸、上官春霞、王林花：《核心能力构成要素的调查分析——基于中国期刊全文数据库》，《科研管理》2003年第3期。

表6—2 高于平均认同程度的核心能力构成要素

分类	资源要素				能力要素							
	软资源			硬资源	经营管理能力类			技术创新能力			其他类	
构成要素	技术	知识	企业文化	管理系统	组织结构	人员	市场营销能力	决策能力	协调运作能力	界面管理能力	不断创新能力	研究开发能力	转化能力	前线执行能力	响应能力

（资料来源：核心能力构成要素的调查分析——基于中国期刊全文数据库）

聂卉提出核心竞争力内源性要素应包括三个方面：一是以宗旨目标为核心的资源整合能力；二是以技术优势为基础的创新培养能力；三是核心竞争力的组织土壤——管理能力；四是强化和发展核心竞争力的关键——组织学习。[①]

李志刚、伍竞艳、桑丽萍认为核心竞争力由人才竞争力、制度竞争力、文化力、信誉竞争力和学习竞争力五个方面组成，为组织的长期发展提供相对竞争优势和可持续动力的整体综合竞争实力。[②]

王秉安认为，核心竞争力由硬核心竞争力和软核心竞争力两类竞争力组成。硬核心竞争力是以核心产品和核心技术或技能形式为主要特征的核心竞争力，这类核心竞争力在技术密集型行业尤为重要。软核心竞争力指组织在长期运作中形成的具有核心竞争力特征的经营管理方面的能力，这类核心竞争力更加无形化，

[①] 参见聂卉：《论企业核心竞争力的内源性要素》，《江苏商论》2003 年第 2 期。

[②] 参见李志刚、伍竞艳、桑丽萍：《企业核心竞争力构成要素分析》，《企业活力》2003 年第 4 期。

更难以识别与模仿。①

王毅等认为核心竞争力是由能力及能力构架与层次组成的一个两维知识系统。组织是一个能力系统，核心竞争力是其子系统，它蕴藏于组织所涉及的各个层次，由能力源和能力构架组成，能使组织获得持续竞争优势并在动态中发展。②

周卉萍认为，核心竞争力由领先于竞争对手的三要素构成。这三要素是：技术和体现在这一技术的新产品、新服务方式；管理文化氛围；新理论、新经验的学习率和传递率。③

邹海林认为，核心竞争力应由五个要素构成。这五个要素是研究开发能力，创新能力，将技术和发明创造成果转化为产品或现实生产力的能力，组织协调各生产要素、进行有效生产的能力，应变能力。④

胡大立认为，核心竞争力是一个系统，它是组织的技术能力，而把技术能力予以有效结合的组织构成了要素之间的关系。技术能力可视为微型化的硬能力，也可视为像品牌管理的软能力。组织能力也不仅包括组织结构、体制等硬协调手段，也包括组织文化之类的软协调手段。

此外，在核心竞争力来源与构成问题上，越来越多的学者认为核心竞争力不等于组织经营资源的拥有量，而是来自于组织的创造性工作。其代表人物巴顿（D. B. Barton）认为，核心竞争力不只是技术和技能，而更是一种制度化的相互依存、相互联系，能够识别和提供竞争优势的知识体系。其构成包括四个方面

---

① 参见王秉安：《企业核心竞争力理论探讨》，《管理科学》2000 年第 7 期。
② 参见王毅：《企业核心竞争力理论溯源与逻辑结构剖析》，《管理科学学报》2000 年第 3 期。
③ 参见周卉萍：《如何提升企业核心竞争力》，《政策与管理》2000 年第 11 期。
④ 参见邹海林：《论企业核心其形成》，《中国软科学》1999 年第 3 期。

的内容：知识与技能、管理体制、实物系统、价值观。[1]

谢林淙认为，高校核心竞争力是高校长期积累、发展而形成的知识技能、独特文化、机制所决定的巨大的发展实力和能力，其要素主要包括以下四个方面：核心知识技术能力、竞争要素的整合能力、对外影响能力、应变转换能力。[2]

左相国认为高校竞争力的构成要素可以分为一般构成要素和核心要素两个大类。从逻辑关系上看，高校竞争力的一般构成要素是高校核心竞争力要素的基础和具体表现，竞争力的核心要素是竞争力一般构成要素的综合和升华。其中高校的资源要素是指高校所拥有的一切可以用来增强竞争力的资产，包括人力的、财力的、物质的、组织形式的、有形和无形资产。[3] 他把资源要素归纳为人力资源、物质资源和无形资源三大类。资源要素是基础，人力资源、物质资源和无形资源是一个高校办学的基本条件，是形成高校综合实力和竞争力的前提。资源要素和能力要素所包括的六个方面提炼出决定高校核心竞争力的因素——核心竞争力要素：高校的人力资源、办学能力和创新能力。也就是说，高校的核心竞争力水平主要取决于其自身具有的人力资源、学习能力和创新能力。物质资源、无形资源和整合能力可以看成是高校的人力资源运用、办学能力和创新能力发挥的结果和积累。

陈克认为，不同层次、不同类型的高等学校核心竞争力往往是不同的，而具有相同核心竞争力的高校评价指标也可能存在着

---

① 参见胡大立：《企业核心竞争力的构成要素及其构建》，《科技进步与对策》2003 年第 5 期。

② 参见谢林淙：《论公安高等院校的核心竞争力（上）》，《公安教育》2003 年第 10 期。

③ 参见左相国：《高校"核心竞争力"的构成要素分析》，《中国冶金教育》2003 年第 5 期。

差异。他以科研与教学为主的高校为研究对象，构建了核心竞争力的评价指标体系。[①]（如表6-3所示）

表6-3 核心竞争力评价指标体系

高校核心竞争力											
学科队伍			科学研究				人才培养			学科效益		融资能力	
队伍层次地位	中青年状况	队伍来源	科研经费	科研项目	科研论著	科研奖励	生源规模和就业	培养质量	教学成果	科研效益	教学效益	融资渠道	资产负债力

牛津大学前校长柯林·卢卡斯认为高校核心竞争力必须具备十个要素：品牌、国际化、资金、科研质量、基础设施、教员素质、资源调配、发展思路的灵活性、品学兼优的学生、面向综合领域的研究方向。"毋庸置疑，拥有国际知名的品牌是世界一流大学的首要特点，"卢卡斯对大学的品牌效应推崇备至，"大学的品牌效应是与大学的历史、与知名人士相关，并且包含对社会的适应性。"[②] 卢卡斯认为，"国际化"也是世界一流大学的一个重要特点。他说，学生和教员都需要国际化，同时与其他国家高等教育机构的合作也非常重要，因此他对学生参与国际学术交流始终非常积极。对于敏感的资金问题，卢卡斯校长丝毫不回避。他认为，大学的资金来源应该是多元化的，除政府资助外，更多的应来自校友和企业的捐赠。相对于筹措资金，卢卡斯更注重对于经费的合理有效使用。他指出，难以募集资金是致命的，但是仅有钱而不做规划则更加不够。在教员的素质管理、科研的方向、资源的调配和大学的发展方面，卢卡斯认为应理论研究与应用研

---

① 参见陈克：《高等学校核心竞争力研究》，《学术交流》2004年第7期。
② 转引自夏红卫：《执掌七年的老船长——英国牛津大学校长柯林·卢卡斯》，《国际人才交流》2004年第7期。

究并重，资源调配兼顾传统与跨学科。同时，学校提供从历史、文学、哲学到法律、数学、化学等多门学科的课程方案，学生可自由选择课程进修。

国内外专家学者对核心竞争力、高校核心竞争力构成要素的论述，对于高校核心竞争力分析模型的调查具有很强的指导意义。

第二节　《中国教育报》、《光明日报》资料分析

一、《中国教育报》、《光明日报》资料统计

表6—4　2002年全国10所研究型高校核心竞争力调查统计表

高校类型	高校核心竞争力																	
	显性要素										隐性要素							
	学术生产能力						人才生产能力					管理力			文化力			
	名师	学科竞争力	学问生产能力	教授数	副教授数	博士数	硕士数	生产规格	生产数量	生产质量	在校生数	就业率	管理者	争取发展经费和空间	创建良好学术环境	提高办学效益	校园精神	校园文化	校风
华北																		
北京	3	3	3	0	0	0	0	1	1	2	0	0	1	2	3	2	1	1	1
天津																		

（续表）

高校类型	名师	学科竞争力	学问生产能力	教授数	副教授数	博士数	硕士数	生产规格	生产数量	生产质量	在校生数	就业率	管理者	争取发展经费和空间	创建良好学术环境	提高办学效益	校园精神	校园文化	校风
	学术生产能力							人才生产能力					管理力				文化力		
	显性要素												隐性要素						
河北																			
山西	0	1	1	0	0	0	0	0	0	0	0	0	0	0	0	0	0	0	0
内蒙古																			
东北																			
辽宁																			
吉林																			
黑龙江																			
华东（北）																			
江苏	1	1	1	0	0	0	0	0	0	0	0	0	1	1	1	1	0	0	0
安徽																			
山东																			
华东（南）																			
上海																			
浙江																			
江西																			
福建																			
华中																			
湖北	1	1	1	0	0	0	0	0	0	1	1	0	1	0	0	1	1	0	0

(续表)

高校类型	高校核心竞争力																		
	显性要素												隐性要素						
	学术生产能力							人才生产能力					管理力				文化力		
	名师	学科竞争力	学问生产能力	教授数	副教授数	博士数	硕士数	生产规格	生产数量	生产质量	在校生数	就业率	管理者	争取发展经费和空间	创建良好学术环境	提高办学效益	校园精神	校园文化	校风
湖南	1	2	2	1	1	1	0	1	1	1	1	1	1	2	2	2	0	0	0
河南	1	1	1	0	0	0	0	0	0	0	0	0	0	1	1	1	0	0	0
华南																			
广东	1	1	1	1	1	1	1	1	1	1	1	0	1	1	0	0	0	0	1
广西																			
海南																			
西南																			
重庆																			
四川																			
贵州																			
云南																			
西藏																			
西北																			
陕西																			
甘肃																			
宁夏																			
青海																			
新疆																			

（续表）

高校类型	高校核心竞争力																		
	显性要素												隐性要素						
	学术生产能力							人才生产能力					管理力				文化力		
	名师	学科竞争力	学问生产能力	教授数	副教授数	博士数	硕士数	生产规格	生产数量	生产质量	在校生数	就业率	管理者	争取发展经费和空间	创建良好学术环境	提高办学效益	校园精神	校园文化	校风
合　计	10	8	10	10	2	2	2	1	3	4	5	2	3	3	7	9	7	1	1

（资料来源：2002 年全年《中国教育报》、《光明日报》发表的有关高校资料摘录信息）

表 6—5　2002 年全国 30 所教学研究型高校核心竞争力调查统计表

高校类型	高校核心竞争力																		
	显性要素												隐性要素						
	学术生产能力							人才生产能力					管理力				文化力		
	名师	学科竞争力	学问生产能力	教授数	副教授数	博士数	硕士数	生产规格	生产数量	生产质量	在校生数	就业率	管理者	争取发展经费和空间	创建良好学术环境	提高办学效益	校园精神	校园文化	校风
华北																			
北京	1	1	1	0	0	0	0	0	0	0	0	0	0	0	0	0	0	0	1
天津	1	1	1	0	0	0	0	0	0	0	0	0	1	1	1	1	0	0	1
河北	2	2	0	1	1	1	1	0	0	0	1	1	2	1	2	1	0	1	1
山西								3	1	0	0	1	0	0	1	0			1
内蒙古								2	0	0	1	1	0	0	1	0			1

（续表）

高校类型	名师	学科竞争力	学问生产能力	教授数	副教授数	博士数	硕士数	生产规格	生产数量	生产质量	在校生数	就业率	管理者	争取发展经费和空间	创建良好学术环境	提高办学效益	校园精神	校园文化	校风
东北																			
辽宁	2	2	2	0	0	0	0	0	0	0	1	0	0	0	0	2	0	0	0
吉林									2	2	0	1	2	0	0	0	2		
黑龙江	2	1	2	1	0	0	0	0	0	0	1	0	2	0	0	1	0	0	0
华东（北）																			
江苏	2	3	3	0	0	0	0	0	1	1	1	0	1	2	1	1	0	0	0
安徽									4	1	1	0	1	0	0	0	1		
山东	3	4	4	1	1	1	1	0	1	1	1	1	1	2	1	1	0	0	0
华东（南）																			
上海									6	0	0	1	4	0	0	2			
浙江									1	0	0	0	0	0	0	0			
江西									1	0	0	0	0	0	0	1			
福建									3	0	0	0	1	0	0	1			
华中																			
湖北	2	2	2	2	2	1	1	0	0	0	0	1	0	1	1	2	2	0	1
湖南	1	1	1	1	1	1	0	0	0	0	0	1	0	1	1	1	1	0	0
河南									2	0	0	0	0	0	0				
华南																			

(续表)

高校类型	名师	学科竞争力	学问生产能力	教授数	副教授数	博士数	硕士数	生产规格	生产数量	生产质量	在校生数	就业率	管理者	争取发展经费和空间	创建良好学术环境	提高办学效益	校园精神	校园文化	校风
（高校核心竞争力：显性要素 = 学术生产能力 + 人才生产能力；隐性要素 = 管理力 + 文化力）																			
广东	2	2	3	2	1	2	1	1	2	3	1	0	0	2	2	2	0	0	0
广西											3	0	0	1	3	0	0	0	1
海南											0	0	0	1	0	0	0	0	0
西南																			
重庆											4	0	0	2	3	0	0	0	2
四川											6	1	0	4	4	0	4	0	3
贵州											3	0	1	3	3	0	0	0	1
云南											2	0	0	1	2	0	1	0	2
西藏											1	0	0	0	1	0	0	0	0
西北																			
陕西											3	1	1	3	3	0	0	0	1
甘肃											1	2	2	3	0	0	0	0	0
宁夏											1	0	0	0	0	0	0	0	0
青海											1	0	0	0	0	0	0	0	0
新疆											0	1	1	0	0	0	0	0	0
合计	18	19	19	8	6	6	4	2	4	7	58	11	14	32	41	9	7	2	22

（资料来源：2002 年全年《中国教育报》、《光明日报》发表的有关高校资料摘录信息）

表 6－6　2002 年全国 22 所教学型高校核心竞争力调查统计表

高校类型	高校核心竞争力																		
	显性要素												隐性要素						
	学术生产能力							人才生产能力					管理力				文化力		
	名师	学科竞争力	学问生产能力	教授数	副教授数	博士数	硕士数	生产规格	生产数量	生产质量	在校生数	就业率	管理者	争取发展经费和空间	创建良好学术环境	提高办学效益	校园精神	校园文化	校风
华北																			
北京																			
天津	1	1	1	0	0	0	0	0	1	1	1	0	0	1	0	0	0	0	0
河北																			
山西																			
内蒙古																			
东北																			
辽宁	3	4	3	2	2	1	1	2	2	2	4	1	1	2	3	2	0	0	1
吉林																			
黑龙江																			
华东（北）																			
江苏	2	3	3	1	0	0	0	0	2	2	2	3	0	3	0	1	2	1	1
安徽																			
山东	1	3	3	0	0	0	0	0	1	0	1	1	0	1	1	2	1	1	1
华东（南）																			
上海																			
浙江																			
江西																			

（续表）

高校类型	高校核心竞争力																		
	显性要素												隐性要素						
	学术生产能力							人才生产能力					管理力				文化力		
	名师	学科竞争力	学问生产能力	教授数	副教授数	博士数	硕士数	生产规格	生产数量	生产质量	在校生数	就业率	管理者	争取发展经费和空间	创建良好学术环境	提高办学效益	校园精神	校园文化	校风
福建																			
华中																			
湖北	1	1	1	0	0	1	1	0	0	0	0	1	0	1	0	1	0	0	0
湖南	1	1	1	1	1	1	0	1	1	1	0	1	1	0	0	0	0	0	0
河南	1	2	2	0	0	0	0	1	1	0	0	0	0	1	0	0	0	0	1
华南																			
广东	1	3	3	2	0	1	0	0	0	0	2	0	0	2	2	1	0	0	0
广西																			
海南																			
西南																			
重庆																			
四川																			
贵州	1	1	1	0	0	0	0	1	1	1	0	0	0	1	1	0	1	1	1
云南																			
西藏																			
西北																			
陕西	3	2	2	0	0	0	0	0	1	1	0	0	1	2	2	1	0	0	0
甘肃																			

(续表)

高校类型	高校核心竞争力																		
	显性要素												隐性要素						
	学术生产能力							人才生产能力					管理力				文化力		
	名师	学科竞争力	学问生产能力	教授数	副教授数	博士数	硕士数	生产规格	生产数量	生产质量	在校生数	就业率	管理者	争取发展经费和空间	创建良好学术环境	提高办学效益	校园精神	校园文化	校风
宁夏																			
青海																			
新疆																			
合计	15	21	20	6	3	4	2	9	9	10	11	2	9	9	12	7	3	3	3

（资料来源：2002 年全年《中国教育报》、《光明日报》发表的有关高校资料摘录信息）

表 6—7　2003 年全国 68 所高校核心竞争力调查统计表

高校类型	高校核心竞争力																		
	显性要素												隐性要素						
	学术生产能力							人才生产能力					管理力				文化力		
	名师	学科竞争力	学问生产能力	教授数	副教授数	博士数	硕士数	生产规格	生产数量	生产质量	在校生数	就业率	管理者	争取发展经费和空间	创建良好学术环境	提高办学效益	校园精神	校园文化	校风
研究型																			
华北	2	2	2	0	0	0	0	0	0	0	0	0	2	0	0	2	1	0	0
东北	1	1	1	0	0	0	0	0	0	0	0	0	0	0	0	0	0	0	0

（续表）

高校类型	高校核心竞争力																		
	显性要素												隐性要素						
	学术生产能力							人才生产能力					管理力				文化力		
	名师	学科竞争力	学问生产能力	教授数	副教授数	博士数	硕士数	生产规格	生产数量	生产质量	在校生数	就业率	管理者	争取发展经费和空间	创建良好学术环境	提高办学效益	校园精神	校园文化	校风
研究型																			
华东（北）	1	1	1							1									
华东（南）	5	5	3					3	1	3			2		1				
华中	3	3	3						1	2									1
华南	1	1	1							1									
西南																			
西北	1	1	1												1				
合　计	14	14	12	0	0	0	0	4	1	9	0	0	2	3	2	0	0	0	1
教学研究型																			
华北	6	7	4	0	0	0	0	2	0	6	0	0	1	1	1	0	0	1	0
东北	2	2	2	0	0	0	0	0	0	0	0	0	0	0	0	0	0	0	0
华东（北）	6	6	3	0	0	0	0	1	0	2	0	0	2	0	0	0	0	0	0
华东（南）	0	0	0	0	0	0	0	0	0	0	0	0	0	0	0	0	0	0	0
华中	4	3	2	0	0	0	0	0	0	2	0	0	0	0	0	0	0	1	0
华南	3	2	2	0	0	0	0	0	0	0	0	0	0	0	0	0	0	0	0
西南	4	4	3	0	0	0	0	0	0	2	0	0	0	0	0	0	1	1	1
西北	1	1	0	0	0	0	0	0	0	1	0	0	0	0	0	0	1	0	0
合　计	26	25	17	0	0	0	0	5	0	17	0	0	5	2	1	0	2	5	1

（续表）

高校类型	高校核心竞争力																		
	显性要素												隐性要素						
	学术生产能力							人才生产能力					管理力				文化力		
	名师	学科竞争力	学问生产能力	教授数	副教授数	博士数	硕士数	生产规格	生产数量	生产质量	在校生数	就业率	管理者	争取发展经费和空间	创建良好学术环境	提高办学效益	校园精神	校园文化	校风
教学型																			
华北																			
东北	5	4	5	1					1		2			2	1	1		1	1
华东（北）	8	3	5	2					1		6			2	1	2			1
华东（南）	7	4	6	3					2	1	6			2				1	1
华中	5	3	3	1					2		2							1	
华南	5	2	3	2					2		5			1				1	1
西南	1	1																	
西北	3	3	3	2							1	2							
合　计	28	26	25	17	0	0	0	0	5	0	17	0	0	5	2	1	0	2	5

（资料来源：2003年全年《中国教育报》、《光明日报》发表的有关高校资料摘录信息）

二、《中国教育报》、《光明日报》资料分析图

笔者在对 2002 年、2003 年全年《中国教育报》、《光明日报》有关形象广告、访谈文章进行系统分析后，绘就统计分析图。

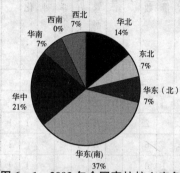

图 6—1　2003 年全国高校核心竞争力调查研究型院校地区分布图

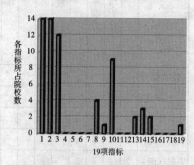

图 6—2　研究型院校 19 项指标占 14 所调查院校比例图

图 6—3　2003 年全国高校核心竞争力调查教学研究型高校地区分布图

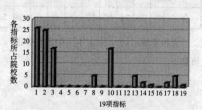

图 6—4　教学研究型院校 19 项指标占 26 所调查院校比例图

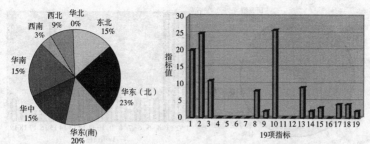

图6—5 2003年全国高校核心竞争
力调查教学型院校地区分布图

图6—6 2003年全国高校核心竞争
力调查34所教学型院校19项指标
比例图

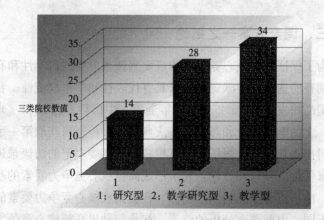

1：研究型 2：教学研究型 3：教学型

图6—7 2003年全国高校核心竞争力调查三类院校数比例图

197

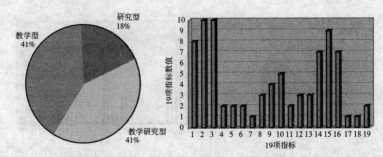

图 6—8 2002 年全国高校核心竞争力调查三类高校比例图

图 6—9 2002 年全国高校核心竞争力调查 8 所研究型院校 19 项指标比例图

三、调查方案一之结论

为了保证高校核心竞争力构成要素调查分析的科学性和有效性，调查所选择的文献资料力求具有代表性和学术权威性。我们对全国高校发表在 2002—2003 年全年《中国教育报》和《光明日报》上的学校简介和高校校庆庆典活动宣传资料获取第一手资料，对出现在这两份报纸上的高校校长和党委书记的访谈录进行了认真仔细的梳理和分析，初步形成高校核心竞争力要素的基本框架。由于资料来源的不均衡性，各类高校核心竞争力要素的获取率不同，由前调查分析的结果，初步勾勒出高校核心竞争力要素由 19 个三级指标、4 个二级指标和 2 个一级指标组成（如表 6—8所示）。

表6-8 高校核心竞争力基本构成要素

高校核心竞争力																		
一级指标	显性要素										隐性要素							
二级指标	学术生产能力							人才生产能力				管理力				文化力		
三级指标	名师	学科竞争力	学问生产能力	教授数	副教授数	博士数	硕士数	生产规格	生产数量	生产质量	在校生数	就业率	管理者	争取发展经费和空间	创建良好学术环境	提高办学效益	校园精神	校园文化	校风

第三节 中国教育科研网资料分析

一、中国教育科研网资料统计表

表6-9 2003年全国34所研究型高校核心竞争力调查统计表

高校类型	高校核心竞争力																		
	显性要素											隐性要素							
	学术生产能力							人才生产能力					管理力				文化力		
	名师	学科竞争力	学问生产能力	教授数	副教授数	博士数	硕士数	生产规格	生产数量	生产质量	在校生数	就业率	管理者	争取发展经费和空间	创建良好学术环境	提高办学效益	校园精神	校园文化	校风
华北	10	10	10	9	9	10	5	10	7	7	7	7	7	7	7	7	8	8	8
北京	6	6	6	6	6	6	2	6	5	5	5	5	6	6	6	6	6	6	6
天津	1	1	1	0	0	1	1	1	1	1	1	1	1	1	1	1	1	1	1

（续表）

高校核心竞争力

显性要素（学术生产能力 / 人才生产能力）　　隐性要素（管理力 / 文化力）

高校类型	名师	学科竞争力	学问生产能力	教授数	副教授数	博士数	硕士数	生产规格	生产数量	生产质量	在校生数	就业率	管理者	争取发展经费和空间	创建良好学术环境	提高办学效益	校园精神	校园文化	校风
河北	1	1	1	1	1	0		0	1	1	1	0	0	1	0	0	0	0	0
山西	1	1	1	1	1	1	1	1	0	0	1	1	0	0	0	0	1	1	1
内蒙古	1	1	1	1	1	1	1	1	1	1	1	0	0	0	0	0	0	0	0
东北	3	4	2	4	3	2	0	4	1	1	4	0	0	3	1	0	2	2	1
辽宁	1	2	1	2	2	0	0	2	0	0	2	0	0	2	0	0	1	1	0
吉林	2	2	1	2	1	2	0	2	1	1	2	0	0	2	1	0	1	1	1
黑龙江	0	0	0	0	0														
华东（北）	3	3	3	4	2	3	0	4	2	3	4	1	2	3	2	3	4	4	4
江苏	1	1	1	1	0	1	0	1	1	1	1	0	1	1	1	1	1	1	1
安徽	1	1	1	2	1	1	0	1	1	1	1	0	1	2	1	1	2	2	2
山东	1	1	1	1	0	1	0	1	0	1	1	0	0	0	0	0	1	1	1
华东（南）	4	4	1	4	4	2	0	4	3	0	4	0	1	3	1	3	4	4	4
上海	3	4	1	3	3	2	0	3	2	0	3	0	1	2	1	3	3	3	3
浙江	1	1	0	1	1	0	1	0	1	1	1	0							
江西																			
福建																			
华中	6	7	5	7	6	4	2	6	1	0	6	1	0	2	1	3	3	3	3
湖北	3	3	3	3	3	2	0	3	0	0	3	0	1	0	1	0	1	1	1

(续表)

高校类型	高校核心竞争力																		
	显性要素												隐性要素						
	学术生产能力							人才生产能力					管理力				文化力		
	名师	学科竞争力	学问生产能力	教授数	副教授数	博士数	硕士数	生产规格	生产数量	生产质量	在校生数	就业率	管理者	争取发展经费和空间	创建良好学术环境	提高办学效益	校园精神	校园文化	校风
湖南	2	2	1	2	2	0	0	2	1	0	2	0	0	1	1	1	2	2	2
河南	1	2	1	2	1	2	2	1	0	0	1	0	0	0	0	1	0	0	0
华南	1	2	0	1	1	1	0	1	1	0	1	0	0	0	0	1	1	1	1
广东	1	2	0	1	1	1	0	1	1	0	1	0	0	0	0	1	1	1	1
广西																			
海南																			
西南	2	2	1	2	2	1	0	1	2	0	2	0	0	1	0	0	2	2	2
重庆																			
四川	2	2	1	2	2	1	0	1	2	0	2	0	0	1	0	0	2	2	2
贵州																			
云南																			
西藏																			
西北	1	1	1	1	1	0	0	1	1	1	1	0	1	0	0	1	0	1	0
陕西	1	1	1	1	1	0	0	1	1	1	1	0	1	0	0	1	0	1	0
甘肃																			
宁夏																			
青海																			
新疆																			

（续表）

高校类型	高校核心竞争力																		
	显性要素												隐性要素						
	学术生产能力							人才生产能力					管理力				文化力		
	名师	学科竞争力	学问生产能力	教授数	副教授数	博士数	硕士数	生产规格	生产数量	生产质量	在校生数	就业率	管理者	争取发展经费和空间	创建良好学术环境	提高办学效益	校园精神	校园文化	校风
合　计	30	33	23	32	29	23	7	31	18	14	31	9	11	21	12	17	24	25	23

（资料来源：中国教育科研网）

表6—10　2003年全国133所教学研究型高校核心竞争力调查统计表

高校类型	高校核心竞争力																		
	显性要素												隐性要素						
	学术生产能力							人才生产能力					管理力				文化力		
	名师	学科竞争力	学问生产能力	教授数	副教授数	博士数	硕士数	生产规格	生产数量	生产质量	在校生数	就业率	管理者	争取发展经费和空间	创建良好学术环境	提高办学效益	校园精神	校园文化	校风
华北	12	24	11	31	31	17	10	35	21	1	31	4	4	6	21	0	2	0	12
北京	7	12	8	16	16	7	5	19	7	0	15	1	3	3	16	0	0	0	8
天津	2	3	1	4	4	3	0	4	2	0	4	0	1	0	1	0	1	0	0
河北	2	6	2	7	5	5	0	2	2	0	2	0	0	2	0	0	1	0	2
山西	0	1	0	2	2	1	1	3	0	0	1	0	0	0	1	0	0	0	1
内蒙古	1	2	0	2	1	1	2	2	0	0	2	0	0	1	0	0	0	0	1
东北	6	9	2	12	11	7	4	15	13	1	14	3	0	3	8	0	2	0	7

（续表）

高校类型	高校核心竞争力																		
	显性要素												隐性要素						
	学术生产能力							人才生产能力					管理力				文化力		
	名师	学科竞争力	学问生产能力	教授数	副教授数	博士数	硕士数	生产规格	生产数量	生产质量	在校生数	就业率	管理者	争取发展经费和空间	创建良好学术环境	提高办学效益	校园精神	校园文化	校风
辽宁	1	3	0	3	3	1	1	5	5	0	5	0	0	0	2	0	0	0	1
吉林	0	0	0	3	3	2	2	3	1	1	2	2	0	1	2	0	0	0	2
黑龙江	5	6	2	6	5	4	1	7	7	0	7	1	0	2	4	0	2	0	4
华东（北）	13	16	11	19	19	6	4	12	17	4	22	5	6	7	12	0	1	0	6
江苏	9	10	9	10	10	1	1	2	9	2	11	3	5	7	10	0	1	0	3
安徽	1	3	1	2	2	1	1	3	1	4	1	1	0	1	1	0	0	0	1
山东	3	3	1	7	7	3	3	6	5	1	7	1	0	0	1	0	0	0	2
华东（南）	6	10	4	12	12	2	2	11	8	0	11	0	0	1	4	0	2	0	4
上海	3	6	1	7	7	1	1	5	6	0	6	0	0	1	4	0	2	0	2
浙江	1	1	1	1	1	0	0	1	1	0	1	0	0	0	0	0	0	0	0
江西	1	1	0	1	1	0	0	1	0	1	0	1	0	0	0	0	0	0	1
福建	1	2	2	3	3	1	1	2	1	2	1	0	0	0	0	0	0	0	0
华中	6	8	4	7	7	2	1	9	6	3	6	2	0	0	2	0	0	1	3
湖北	4	4	2	3	3	0	0	3	3	3	3	1	0	0	2	0	0	1	2
湖南	1	2	1	2	2	1	0	2	1	2	1	0	0	0	0	0	0	0	1
河南	1	2	1	2	2	1	1	2	2	0	2	0	0	0	0	0	0	0	0
华南	7	10	9	10	10	6	3	10	2	1	8	1	0	7	9	0	0	0	3
广东	6	6	5	6	6	3	1	7	0	0	5	1	0	5	6	0	0	0	2

（续表）

高校类型	高校核心竞争力																		
	显性要素												隐性要素						
	学术生产能力							人才生产能力					管理力				文化力		
	名师	学科竞争力	学问生产能力	教授数	副教授数	博士数	硕士数	生产规格	生产数量	生产质量	在校生数	就业率	管理者	争取发展经费和空间	创建良好学术环境	提高办学效益	校园精神	校园文化	校风
广西	0	3	3	3	3	2	2	3	2	0	3	0	0	1	3	0	0	0	1
海南	1	1	1	1	1	0	0	0	0	1	0	0	0	1	0	0	0	0	0
西南	5	16	15	17	16	6	4	3	7	0	16	1	1	10	13	0	5	0	8
重庆	1	4	4	3	3	1	2	0	2	0	4	0	0	3	0	0	0	0	2
四川	4	7	6	8	7	2	1	0	2	0	6	1	0	4	4	0	4	0	3
贵州	0	2	2	2	2	1	1	1	1	0	2	0	0	1	2	0	0	0	2
云南	0	2	2	2	2	1	1	1	1	0	2	0	0	1	2	0	0	0	2
西藏	0	1	0	0	0	0	0	0	0	0	1	0	0	0	0	0	0	0	0
西北	4	9	6	8	5	1	2	3	5	4	6	4	4	6	3	0	0	0	1
陕西	3	4	3	3	3	0	2	0	3	2	3	1	1	4	3	0	0	0	1
甘肃	1	3	3	3	0	0	0	1	3	1	2	2	3	0	0	0	0	0	0
宁夏	0	1	1	0	0	0	0	0	1	0	0	0	0	0	0	0	0	0	0
青海	0	0	1	1	1	0	0	0	0	0	0	0	0	0	0	0	0	0	0
新疆	0	1	0	0	0	0	0	0	1	1	0	1	1	0	0	0	0	0	0
合　计	59	102	62	116	111	47	30	96	79	14	114	20	15	40	73	0	12	1	44

（资料来源：中国教育科研网）

表 6—11　2003 年全国 352 所教学型高校核心竞争力调查统计表

高校类型	高校核心竞争力																		
	显性要素												隐性要素						
	学术生产能力							人才生产能力					管理力				文化力		
	名师	学科竞争力	学问生产能力	教授数	副教授数	博士数	硕士数	生产规格	生产数量	生产质量	在校生数	就业率	管理者	争取发展经费和空间	创建良好学术环境	提高办学效益	校园精神	校园文化	校风
华北	33	36	30	44	44	24	25	34	15	5	49	5	4	12	12	4	27	1	4
北京	15	17	11	15	14	8	8	19	6	1	20	1	0	3	8	1	11	1	0
天津	5	9	5	6	6	2	2	9	2	0	8	1	0	4	0	1	6	0	1
河北	9	7	11	16	16	12	12	5	5	3	14	1	3	0	0	0	8	0	0
山西	1	1	1	3	4	1	2	0	1	1	4	1	2	1	1	1	1	0	2
内蒙古	3	2	2	4	1	1	1	1	1	0	3	1	1	2	1	0	1	0	1
东北	24	29	24	28	26	7	7	18	19	7	30	9	12	5	26	3	5	4	6
辽宁	15	20	15	21	19	6	6	14	13	5	22	7	11	3	19	2	2	3	3
吉林	5	5	5	5	0	0	0	2	4	1	5	2	1	2	5	1	0	0	1
黑龙江	4	4	4	2	7	1	1	2	2	1	3	0	0	0	2	0	3	1	2
华东（北）	36	24	31	50	49	27	27	12	27	12	43	10	11	7	24	8	10	5	10
江苏	16	9	15	25	18	11	11	4	8	4	12	2	4	1	6	2	4	1	6
安徽	10	5	8	13	13	5	5	4	8	4	13	2	3	5	5	3	3	3	1
山东	10	10	8	13	18	11	11	4	11	4	18	6	4	1	13	3	3	1	3
华东（南）	23	26	16	30	27	19	19	19	21	0	33	0	7	0	7	2	5	7	8
上海	5	9	4	7	6	4	4	6	6	0	6	0	0	0	0	0	2	2	3
浙江	9	8	4	9	8	5	3	7	8	0	8	0	2	0	0	0	0	0	1
江西	4	5	4	7	6	4	4	6	4	0	9	0	1	0	1	1	2	3	3

（续表）

高校类型	高校核心竞争力																		
	显性要素												隐性要素						
	学术生产能力							人才生产能力					管理力				文化力		
	名师	学科竞争力	学问生产能力	教授数	副教授数	博士数	硕士数	生产规格	生产数量	生产质量	在校生数	就业率	管理者	争取发展经费和空间	创建良好学术环境	提高办学效益	校园精神	校园文化	校风
福建	5	4	4	7	6	4	3	2	3	0	7	0	0	0	0	0	1	2	1
华中	32	30	23	43	43	30	29	14	23	11	41	8	17	4	8	0	5	6	17
湖北	7	13	10	16	16	12	11	8	7	3	17	0	1	3	1	0	1	4	3
湖南	3	2	2	3	3	1	1	0	3	0	3	0	2	0	1	0	0	0	1
河南	22	15	11	24	24	17	17	6	13	8	21	8	14	1	6	0	4	2	13
华南	28	17	12	24	24	16	14	12	8	8	24	11	7	3	5	0	1	0	7
广东	17	12	6	15	15	12	10	8	5	6	15	7	3	6	5	3	1	0	5
广西	9	4	5	7	7	4	3	3	2	2	7	4	4	0	2	0	0	0	2
海南	2	1	1	2	2	1	1	1	1	2	0	0	0	0	2	0	0	0	0
西南	39	27	16	32	32	19	20	15	11	6	33	12	18	8	8	5	7	3	8
重庆	7	7	6	4	4	3	3	3	4	2	3	4	3	0	1		1	1	2
四川	17	10	8	13	13	8	8	5	6	6	8	6	2	6	4		3	1	5
贵州	5	3	0	5	5	3	0	0	0	0	0	0	1	0	0	0	1	0	2
云南	10	5	2	10	10	5	7	5	7	2	7	7	3	0	0	1	3	0	1
西藏																			
西北	38	31	18	36	34	17	17	9	13	7	27	10	15	5	12	7	0	6	
陕西	16	14	7	16	14	6	6	1	8	5	12	8	7	2	6	4	4	0	3
甘肃	12	9	5	11	11	8	8	1	2	9	2	4	1	3	0	2	3	0	2

（续表）

高校类型	高校核心竞争力																		
	显性要素												隐性要素						
	学术生产能力							人才生产能力					管理力				文化力		
	名师	学科竞争力	学问生产能力	教授数	副教授数	博士数	硕士数	生产规格	生产数量	生产质量	在校生数	就业率	管理者	争取发展经费和空间	创建良好学术环境	提高办学效益	校园精神	校园文化	校风
宁夏	1	1	1	1	1	0	0	0	0	0	1	0	1	0	1	0	0	0	0
青海	4	3	2	4	1	1	2	0	2	0	0	0	0	0	0	1	0	0	0
新疆	5	4	3	4	4	2	2	3	2	0	3	0	3	2	1	1	0	0	1
合　计	253	220	170	287	279	159	152	131	137	56	274	68	84	54	101	34	67	26	66

（资料来源：中国教育科研网）

二、中国教育科研网资料分析图

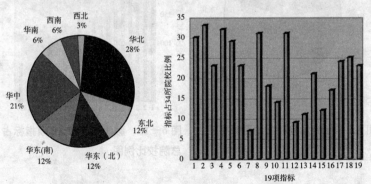

图 6—10　研究型院校地区分布图　　图 6—11　研究型院校 19 项指标占总院校比例图

207

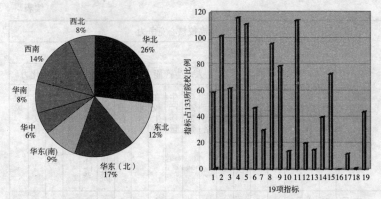

图6—12 教学研究型院校地区分布
图

图6—13 教学研究型19项指标占
总院校比例图

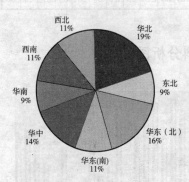

图6—14 教学型院校地区分布图

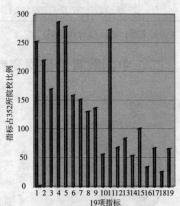

图6—15 教学型院校19项指标占
总院校比例图

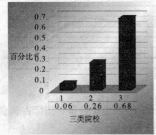

图6—16 三类院校占总院校数比例图

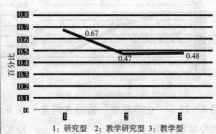

1：研究型 2：教学研究型 3：教学型

图6—17 "学问生产能力"占调查院校数比例图

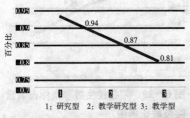

1：研究型 2：教学研究型 3：教学型

图6—18 "教授数"占调查院校数比例图

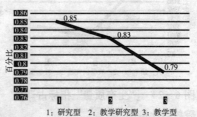

1：研究型 2：教学研究型 3：教学型

图6—19 "副教授数"指标占调查院校数比例图

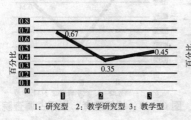

1：研究型 2：教学研究型 3：教学型

图6—20 "博士数"占调查院校数比例图

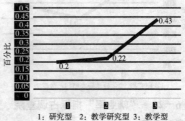

1：研究型 2：教学研究型 3：教学型

图6—21 "硕士数"指标占调查院校数比例图

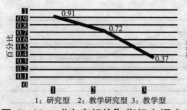

图6—22　"生产规格"指标占调查
院校数比例图

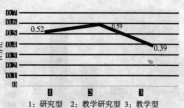

图6—23　"生产数量"指标占调查
院校数比例图

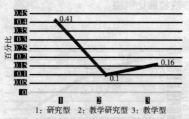

图6—24　"生产质量"指标占调查
院校数比例图

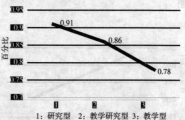

图6—25　"在校生数"指标占调查
院校数比例图

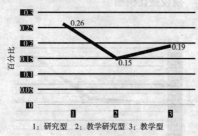

图6—26　"就业率"指标占调查院
校数比例图

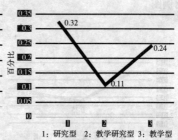

图6—27　"管理者"指标占调查院
校数比例图

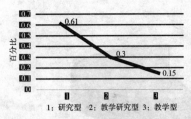

图6—28 "争取发展经费和空间"指标占调查院校数比例图

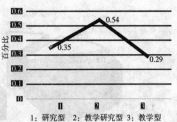

图6—29 "创建良好学术环境"指标占调查院校数比例图

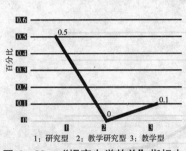

图6—30 "提高办学效益"指标占调查院校数比例图

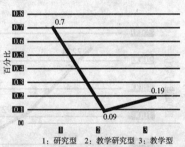

图6—31 "校园精神"指标占调查院校数比例图

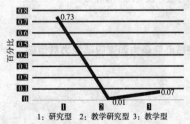

图6—32 "校园文化"指标占调查院校数比例图

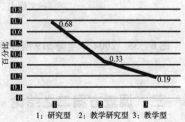

图6—33 "校风"指标占调查院校数比例图

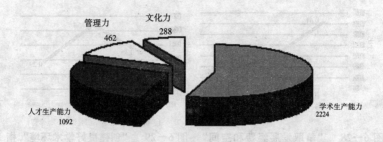

图6—34　2004年全国519所高校核心竞争力调查四项能力比例图

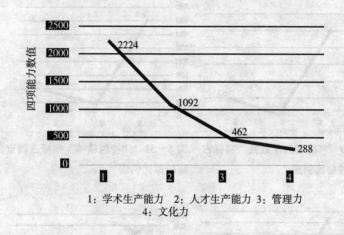

1：学术生产能力　2：人才生产能力　3：管理力
4：文化力

图6—35　2004年全国519所高校核心竞争力调查四项能力数值图

三、调查方案二之结论

对中国教育科研网上公布的中国高等院校学校简介进行检索和分析后，我们选择了519所高校进行了统计和分析，根据上述的分析结果，我们可以看出，此次调查面较广，地区分布均衡，假设的三类院校研究型、教学研究型、教学型院校相关数据获取率较高。但在调查中发现，教授数指标和副教授数指标虽然获取率较高，但与名师指标存在较大的模糊性和重复性，生产数量与在校生数指标也存在交叉与重复，校园精神、校园文化指标教学研究型、教学型高校获取率相对较低，由此经过反复论证，我们再次得出高校核心竞争力分析模型的构成指标，分别由 15 个三级指标，4 个二级指标、2 个一级指标构成，列表如下：

表 6—12 高校核心竞争力基本构成要素

高校核心竞争力														
一级指标	显性要素								隐性要素					
二级指标	学术生产能力				人才生产能力				管理力				文化力	
三级指标	名师	学科竞争力	学问生产能力	博士数	硕士数	生产规格	生产质量	在校生数	就业率	管理者	争取发展经费和空间	创建良好学术环境	提高办学效益	校园精神	校风

第四节 《中国高等学校年鉴大全》资料分析

一、《中国高等学校年鉴大全》资料统计表

表6—13 2004年全国1001所高等院校核心竞争力构成要素调查频率初步统计表

高校类型	高校核心竞争力																		
	显性要素												隐性要素						
	学术生产能力							人才生产能力					管理力				文化力		
	名师	学科竞争力	学问生产能力	教授数	副教授数	博士数	硕士数	生产规格	生产数量	生产质量	在校生数	就业率	管理者	争取发展经费和空间	创建良好学术环境	提高办学效益	校园精神	校园文化	校风
研究型 34所	34	34	23	34	34	33	34	32	34	20	34	34	11	33	11	17	24	25	23
教学研究型 142所	140	125	49	142	142	99	132	134	115	42	142	136	13	126	61	0	10	1	39
教学型 457所	441	358	143	472	474	82	240	451	338	108	475	436	59	314	91	34	50	23	50
第四类 350所	141	63	0	245	346	0	0	5	22	162	346	307	0	108	0	0	0	0	0
合计 (1001)	756	580	215	903	996	214	406	622	509	332	997	813	83	581	163	51	74	49	112
排序	5	8	12	3	2	13	10	6	9	11	1	4	16	7	14	18	17	19	15

（资料统计数据来源于《中国高等学校2004年年鉴大全》，新华出版社2004年版）

表 6—14　2003 年全国 876 所高等院校核心竞争力构成要素调查频率初步统计表

高校类型	高校核心竞争力														
	显性要素									隐性要素					
	学术生产能力					人才生产能力				管理力		文化力			
	名师	学科竞争力	学问生产能力	博士数	硕士数	生产规格	生产质量	在校生数	就业率	管理者	争取发展经费和空间	创建良好学术环境	提高办学效益	校园精神	校风
研究型 34 所	32	33	25	26	26	21	11	29	5	4	14	15	7	8	8
教学研究型 147 所	107	127	80	74	84	87	18	127	15	14	32	38	25	38	28
教学型 695 所	293	224	222	67	101	145	65	600	94	75	73	125	86	126	113
合计 (876)	432	384	327	167	211	253	94	756	114	93	119	178	118	172	149
排序	2	3	4	9	6	5	14	1	13	15	11	7	12	8	10

（资料统计数据来源于《中国高等学校 2003 年年鉴大全》，新华出版社 2003 年版）

二、《中国高等学校年鉴大全》资料分析图

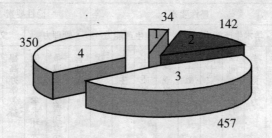

1：研究型高校　　2：教学研究型高校
3：教学型高校　　4：专科、职校类高校

图6—36　2004年全国1001所高校核心竞争力调查四类院校分布图

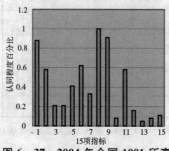

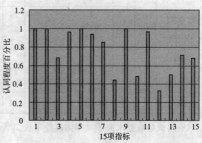

图6—37　2004年全国1001所高校核心竞争力15项要素指标调查认同程度比例图

图6—38　2004年全国34所研究型高校核心竞争力15项指标调查认同程度比例图

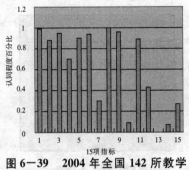

图6-39 2004年全国142所教学研究型高校核心竞争力15项指标调查认同程度比例图

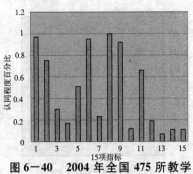

图6-40 2004年全国475所教学型高校核心竞争力15项指标调查认同程度比例图

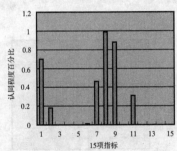

图6-41 2004年全国350所专科、职校类高校核心竞争力15项指标调查认同程度比例图

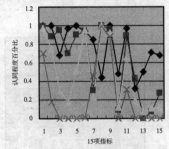

图6-42 2004年全国四类院校核心竞争力15项指标调查认同程度比较图

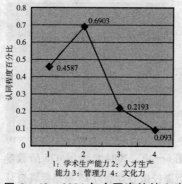

图 6－43　2004 年全国高校核心竞争力调查四项能力认同程度图

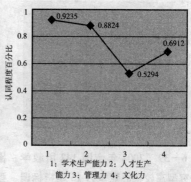

图 6－44　2004 年全国 34 所研究型高校核心竞争力四项能力调查认同程度图

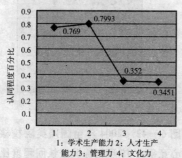

图 6－45　2004 年全国 142 所教学研究型高校核心竞争力四项能力调查认同程度图

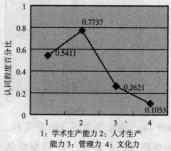

图 6－46　2004 年全国 475 所教学型高校核心竞争力四项能力调查认同程度图

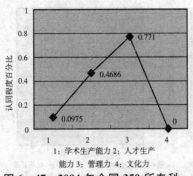

图6—47 2004年全国350所专科、职校类高校核心竞争力四项能力调查认同程度图

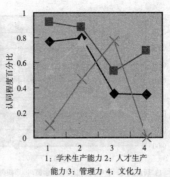

图6—48 2004年全国1001所四类高校核心竞争力四项能力调查认同程度图

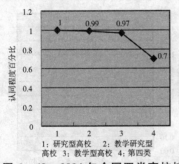

图6—49 2004年全国四类高校核心竞争力"名师"指标调查认同程度比较图

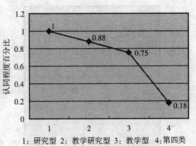

图6—50 2004年全国高校核心竞争力四类高校"学科竞争力"指标调查认同程度比较图

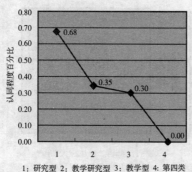

1：研究型 2：教学研究型 3：教学型 4：第四类

图6—51 2004年全国四类高校核心竞争力"学问生产力"指标认同程度比较图

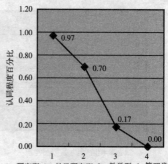

1：研究型 2：教学研究型 3：教学型 4：第四类

图6—52 2004年全国四类高校核心竞争力"博士数"指标调查认同程度比较图

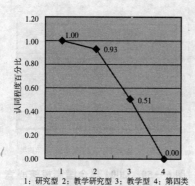

1：研究型 2：教学研究型 3：教学型 4：第四类

图6—53 2004年全国四类高校核心竞争力"硕士数"指标调查认同程度比较图

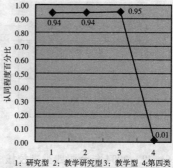

1：研究型 2：教学研究型 3：教学型 4:第四类

图6—54 2004年全国四类高校核心竞争力"生产规格"指标调查认同程度比较图

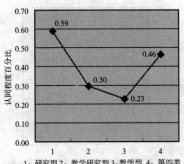

1：研究型 2：教学研究型 3：教学型 4：第四类

图6－55　2004年全国四类高校核心竞争力"生产质量"指标调查认同程度比较图

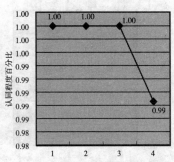

1：研究型 2：教学研究型 3：教学型 4：第四类

图6－56　2004年全国四类高校核心竞争力"在校生数"指标调查认同程度比较图

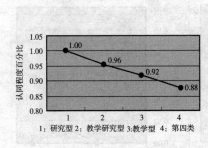

1：研究型 2：教学研究型 3：教学型 4：第四类

图6－57　2004年全国四类高校核心竞争力"就业率"指标调查认同程度比较图

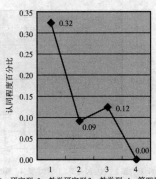

1：研究型 2：教学研究型 3：教学型 4：第四类

图6－58　2004年全国四类高校核心竞争力"管理者"指标调查认同程度比较图

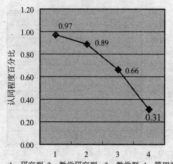

1：研究型 2：教学研究型 3：教学型 4：第四类

图6－59 2004年全国四类高校核心竞争力"争取发展经费空间"指标调查认同程度比较图

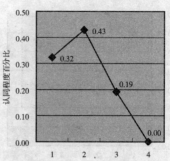

1：研究型 2：教学研究型 3：教学型 4：第四类

图6－60 2004年全国四类高校核心竞争力"创建良好学术环境"指标调查认同程度比较图

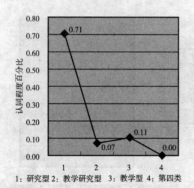

1：研究型 2：教学研究型 3：教学型 4：第四类

图6－61 2004年全国四类高校核心竞争力"校园精神"指标调查认同程度比较图

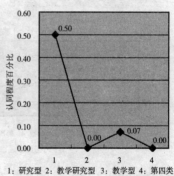

1：研究型 2：教学研究型 3：教学型 4：第四类

图6－62 2004年全国四类高校核心竞争力"提高办学效益"指标调查认同程度比较图

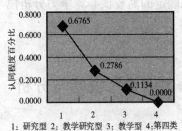

图6－63 2004年全国高校核心竞争力"校风"指标调查认同程度比较图

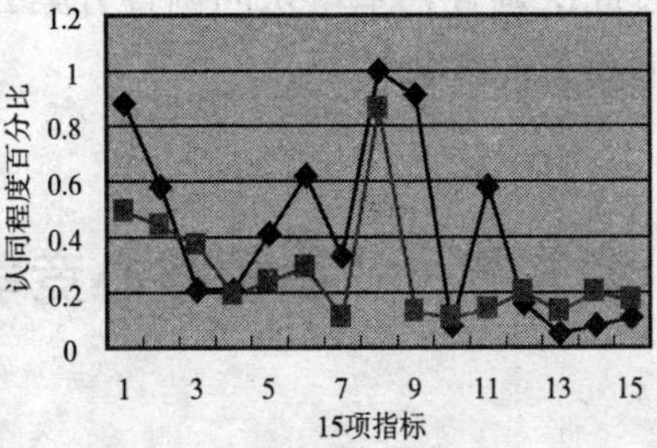

图6－64 2004年、2003年全国高校核心竞争力调查15项指标认同程度比较图

三、调查方案三之结论

调查方案三是在前两次调查统计分析的基础上的一次验证，由上述调查统计分析我们可以获知，此次调查选择的样本范围广，分别采用了2003年、2004年中国高等教育统计年鉴上876所、1001所高校作为样本，对每一所院校的15项指标进行了统计分析。在分析中，我们获知，研究型高校各指标获取率较高，专科、职校类院校各指标获取率较低，教学研究型、教学型院校中学术生产能力、人才生产能力指标的获取率明显高于管理力、文化力指标所涵盖的要素获取率。这一现象与高校的现行实际是基本吻合的。但专科、职业技术院校作为新时期政府大力扶持的院校来说，是适应经济和市场发展需要的新生力量，这一类型的院校在某些方面有其存在的价值和竞争优势，我们不可忽略。教学型、教学研究型院校在某些指标上存在相对获取率为零的情况，这说明这两类院校在某个别指标上重视程度不够，或者在宣传上未能充分体现，这给调查论证带来了一定程度上的影响。通

过此次调查，基本认同调查方案二确定的高校核心竞争力分析模型要素的构成情况。

第五节 "高校核心竞争力调查"说明与分析

笔者在国家行政学院高校校长进修班学习期间，针对高校核心竞争力构成要素设计了调查问卷，对全国 120 位高校校长和 170 位高校青年干部进行了问卷调查，高校校长班发放 130 份问卷，收回 112 份，回收率 86%，其中有效问卷 104 份。高校青年干部班发放 100 份问卷，收回 89 份，回收率 89%，其中有效问卷 73 份。调查表见附录。

一、SPSS 软件分析问卷调查结果

下面对调查问卷中涉及高校核心竞争力构成要素相关问题选项结果进行统计，运用 SPSS 软件进行简要分析。

（一）调查的面相对较广

表 6—15　高校核心竞争力调查对象所属高校类型

类型 / 调查对象	研究型高校	教学研究型	教学型	专科职校	其他	部属高校	省属高校	省市共建	民办高校
校长班	0	35.6%	34.6%	6.7%	23.1%	1.9%	40.4%	21.2%	3.8%
青年干部班	6.8%	37%	24.7%	4.1%	27.4%	4.1%	39.9%	9.6%	2.7%
平均值	3.40%	36.30%	29.65%	5.40%	25.25%	3.00%	40.15%	15.40%	3.25%
排序	6	2	3	5		8	1		7

由表 6—15 可以看出，此次调查对象所在院校教学研究型和

教学型院校比重较高,这符合我国高校群体中的中间层面较多的现象,这也是我们在以后对全国高校核心竞争力进行实证分析时选择教学研究型和教学型作为个案分析的原因之一。

(二)调查对象层次较高

表6—16　高校核心竞争力调查对象职级表

职级 调查对象	博导	硕导	教授	副教授	党委书记	校长	副书记	副校长	其他
校长班	11.5%	16.3%	47.1%	29.8%	13.5%	15.4%	18.3%	46.2%	0
青年干部班	12.3%	6.8%	19.2%	47.9%	0	0	1.4%	5.5%	65.8%
平均值	11.9%	11.5%	33.15%	38.85%	6.75%	7.70%	9.85%	25.85%	32.9%
排序	5	6	2	1	9	8	7	4	3

由表6—16可以看出,此次调查对象的职称、学术水平较高,带有一定的权威性,对所要调查的各项能够作出科学的、客观的、公正的评价,对选择题支作出的判断具有理论深度和实践内涵。而且被调查对象都是高校的主要领导,对高校的学术、人才结构、管理、文化底蕴都有相当高的发言权,基本能够代表全国高校核心领导层的共同的心声。

(三)调查对象意义赞同性较高

表6—17　高校核心竞争力调查必要性表

调查必要性 调查对象	很有必要	有必要	无所谓	没有必要
校长班	31.7%	57.7%	3.8%	1.9%
青年干部班	28.8%	54.8%	2.7%	2.7%
平均值	30.25%	56.25%	3.25%	2.30%
排序	2	1	4	3

由表6—17可以看出,调查中认为有必要和很有必要的人数占到了被调查对象的86.5%,被调查对象普遍认为对全国高校

核心竞争力进行调查分析，上升到理论层面进行科学分析是必要的，目前国内对高校核心竞争力的研究几乎都停留在引用企业核心竞争力的相关理论和评价体系上，缺乏系统的、结合高校实际的专门高校核心竞争力理论体系。调查对象对此的认可度也给我们增添了自信和使命感。

表6－18　高校核心竞争力提升意义调查反馈表

提升意义 调查对象	增强我国国际竞争力的战略基础	高校持续竞争优势的真正源泉	我国高校整体迎接入世的战略举措	提升高校管理水平和办学效益的客观需要
校长班	25.0%	40.4%	15.4%	60.6%
青年干部班	20.5%	32.9%	5.5%	49.3%
平均值	22.75%	36.65%	10.45%	54.95%
排序	3	2	4	1

表6－18调查显示，高校核心竞争力的提升对提升高校管理水平和办学效益具有十分重要的意义。这从另一个层面说明高校的管理能力如何、管理者的水平如何、高校提高办学效益的程度如何也会在一定程度上影响高校核心竞争力的优劣。因此，这也说明高校管理者素质和提高办学效益是高校核心竞争力的基本构成要素。

（四）高校核心竞争力构成要素趋同性程度高

表6－19　高校核心竞争力构成要素情况调查反馈表

高校核心竞争力构成要素 调查对象	学术生产能力	人才生产能力	管理力	文化力
校长班	67.3%	67.3%	33.7%	45.2%
青年干部班	57.5%	63.0%	49.3%	34.2%
平均值	62.40%	65.15%	41.50%	39.70%
排序	2	1	3	4

由表6－19可以看出，高校校长、党委书记对高校核心竞争力应包括学术生产能力、人才生产能力、管理力和文化力都有较

高的认同性。特别是对人才生产能力和学术生产能力这两项指标认同度分别达到 65.15％和 62.40％，这也在一定程度上说明了当前全国高校提升核心竞争力的战略重点和高校生存发展的生命线之所在。

表6-20　高校核心竞争力构成要素"学术生产能力"情况调查反馈表
（北京调查）

学术生产能力 调查对象	名师	学科竞争力	学问生产能力	教授数	副教授数	博士数	硕士数
校长班	62.5％	78.8％	39.4％	11.5％	2.9％	12.5％	2.9％
青年干部班	56.2％	63.0％	46.6％	11.0％	1.4％	6.8％	1.4％
平均值	59.35％	70.90％	43.00％	11.25％	2.15％	9.65％	2.15％
排序	2	1	3	4	6	5	6

由表6-20可以看出，调查对象对高校核心竞争力二级指标"学术生产能力"中的"名师"、"学科竞争力"、"学问生产能力"认同度较高。其中学科竞争力要素指标达到 70.90％，而教授数、副教授数、博士数、硕士数要素指标认同度相对较低。这在一定程度上反映了当前高校群体中存在着职称泛滥、学历贬值等现象。在一定意义上这也影响了高校核心竞争力的有效提升。

表6-21　高校核心竞争力构成要素"人才生产能力"情况调查反馈表
（北京调查）

人才生产能力 调查对象	生产规格	生产数量	生产质量	在校生数	就业率
校长班	34.6％	29.8％	77.9％	11.5％	34.6％
青年干部班	32.9％	27.4％	80.8％	13.7％	19.2％
平均值	33.75％	28.60％	79.35％	12.60％	26.90％
排序	2	3	1	5	4

由表6-21可以看出"人才生产质量是高校生存和发展的生命线"这句话的道理之所在。高校培养的学生质量如何一方面会

影响学生的就业率，一方面又会影响市场和社会对高校的认可度，这在很大程度上决定高校对外的形象。而生产规格是一所高校办学的结构模式，这决定高校的办学方向和高校未来的发展趋势，生产数量、就业率相对前两者而言，重要性稍逊色一点。在校生数认同度最低。这与我国当前高校学生扩招的现状有一定的关系。北大、清华多次声明本科生原则上不再增加名额，美国加州大学在校生数始终保持三千人左右，"在校生数的多少并不是一所高校核心竞争力的优势之所在"的观点已越来越为绝大多数学者和专家所认可。

表6—22　高校核心竞争力构成要素"管理力"情况调查反馈表
（北京调查）

管理力 调查对象	管理者	争取发展经费和空间	创建良好学术环境	提高办学效益
校长班	30.8%	35.4%	56.7%	70.0%
青年干部班	32.9%	47.9%	65.8%	50.7%
平均值	31.85%	41.65%	61.25%	60.35%
排序	4	3	1	2

由表6—22可以看出，高校核心竞争力管理能力构成要素中"创建良好学术环境"指标专家认同度相当高，这也验证了高校核心竞争力中学术生产能力的重要性，"提高办学效益"和"争取发展经费和空间"这两项指标认同度也较高，说明在市场经济条件下、在国家放开对高校的资助和管理的情况下，高校为寻求自身的发展和提升核心竞争力，提高办学效益和争取较多的发展经费和空间是高校管理者面临的一个突出问题。

表 6—23　高校核心竞争力构成要素"文化力"情况调查反馈表

(北京调查)

文化力 调查对象	校园精神	校园文化	校风
校长班	64.4%	60.6%	51.0%
青年干部班	54.8%	60.3%	35.6%
平均值	59.60%	60.45%	43.30%
排序	2	1	3

由表 6—23 可以看出，对高校核心竞争力"文化力"指标涵盖的三个要素指标的认同度较高，高校的发展不仅要重视人才生产、学术竞争力等外在表现形式的建设，更要重视高校的内涵建设，形成文化底蕴，形成文化特色。校园文化、校园精神、校风建设在很大程度上能够凝聚人心，形成合力，形成人文特色，从而提升高校的核心竞争力。

根据运用 SPSS 相关性测试软件对调查结果的研究分析，我们对高校核心竞争力要素指标进行了相关性分析，分析结果如下：

表 6—24　高校核心竞争力构成要素相关性表

(北京调查)

	高校核心竞争力			
	学术生产能力	人才生产能力	管理力	文化力
学术生产能力	1.000	0.752	0.649	0.681
人才生产能力	0.752	1.000	0.589	0.594
管理力	0.649	0.589	1.000	0.718
文化力	0.681	0.594	0.718	1.000

由表 6—24 可以看出，学术生产能力与人才生产能力、管理力、文化力的相关度分别为 0.752、0.649、0.681，人才生产能

力与管理力、文化力的相关度分别为 0.589、0.594，管理力和文化力的相关度为 0.718，都大于 0.50，这说明高校核心竞争力四项构成要素的相关度较高，这四项作为高校核心竞争力的构成要素是可行的。

表 6-25　高校核心竞争力学术生产能力各构成要素相关性表
(北京调查)

	学术生产能力						
	名师	学科竞争力	学问生产能力	教授数	副教授数	博士数	硕士数
名师	1.000	0.758	0.544	0.587	0.532	0.595	0.524
学科竞争力	0.758	1.000	0.622	0.516	0.393	0.525	0.518
学问生产能力	0.544	0.622	1.000	0.346	0.137	0.269	0.358
教授数	0.587	0.516	0.346	1.000	0.682	0.610	0.424
副教授数	0.532	0.393	0.137	0.682	1.000	0.167	0.292
博士数	0.595	0.525	0.269	0.610	0.167	1.000	0.417
硕士数	0.524	0.518	0.358	0.424	0.292	0.417	1.000

由表 6-25 可以看出，高校核心竞争力学术生产能力要素指标中，名师与学科竞争力、学问生产能力、教授数、副教授数、博士数、硕士数指标的相关度分别为：0.758、0.544、0.587、0.532、0.595、0.524。学科竞争力与学问生产能力、教授数、副教授数、博士数、硕士数指标的相关度分别为 0.622、0.516、0.393、0.525、0.518。学问生产能力与教授数、副教授数、博士数、硕士数指标的相关度分别为 0.346、0.137、0.269、0.358。教授数与副教授数、博士数、硕士数指标的相关度分别为 0.682、0.610、0.424。副教授数与博士数、硕士数指标的相关度分别为 0.167、0.292，博士数与硕士数的相关度为 0.417。由此可见名师与教授数、副教授数、博士数、硕士数指标相关度较高，而在表 6-20 中调查对象对教授数、副教授数、博士数、

硕士数指标的认同度较低，这为我们将高校核心竞争力初始确定的 19 项指标中的教授数、副教授数、博士数、硕士数指标可并入名师这一要素指标提供了理论依据。

表 6－26　高校核心竞争力人才生产能力要素各构成要素相关性表
（北京调查）

	人才生产能力				
	生产规格	生产数量	生产质量	在校生数	就业率
生产规格	1.000	0.583	0.655	0.276	0.445
生产数量	0.583	1.000	0.681	0.344	0.389
生产质量	0.655	0.681	1.000	0.384	0.495
在校生数	0.276	0.344	0.384	1.000	0.336
就业率	0.445	0.389	0.495	0.336	1.000

从表 6－26 可以看出，高校核心竞争力人才生产能力要素指标中，生产规格与生产数量、生产质量、在校生数、就业率的相关度分别为 0.583、0.655、0.276、0.445。生产数量与生产质量、在校生数、就业率的相关度分别为 0.681、0.344、0.389。生产质量与在校生数、就业率的相关度分别为 0.384、0.495。在校生数与生产规格、生产数量、生产质量、就业率的相关度分为 0.276、0.344、0.384 和 0.336。由此可见在校生数要素指标与其他要素的相关度都较低，这与表 6－21 中调查对象对这一指标的认可度低是一致的。这也将成为我们对此指标进行调查的理由之一。

表6—27　高校核心竞争力管理力要素各构成要素相关性表

（北京调查）

	管理力			
	管理者	争取发展经费和空间	创建良好学术环境	提高办学效益
管理者	1.000	0.559	0.550	0.506
争取发展经费和空间	0.559	1.000	0.692	0.592
创建良好学术环境	0.550	0.692	1.000	0.656
提高办学效益	0.506	0.592	0.656	1.000

　　从表6—27中可以看出，高校核心竞争力管理力要素指标中，管理者与争取发展经费和空间、创建良好学术环境、提高办学效益要素指标相关度分别为0.559、0.550、0.506。争取发展经费和空间与创建良好学术环境、提高办学效益要素指标相关度分别为0.692、0.592。创建良好学术环境与提高办学效益要素指标相关度为0.656。这表明管理力蕴涵的四项要素指标相关性都比较高。

表6—28　高校核心竞争力文化力要素各构成要素相关性表

（北京调查）

	文化力		
	校园精神	校园文化	校风
校园精神	1.000	0.652	0.636
校园文化	0.652	1.000	0.667
校风	0.636	0.667	1.000

　　从表6—28可以看出，校园精神与校园文化、校风要素指标的相关度分别为0.652，0.636。校园文化与校风的相关度为0.667。文化力指标蕴涵的三个要素指标相关性相当高，都大于0.60，这与表6—23所透视出的信息是一致的。可见，文化力是

高校核心竞争力构成要素中不可或缺的因素。

二、问卷调查结果分析

此次调查问卷是在全面考虑前三次调查分析的基础上设计而成的。由表 6—20 可以看出，二级指标"学术生产能力"中的"名师"、"学科竞争力"、"学问生产能力"要素认同度高，而"教授数"、"副教授数"、"博士数"、"硕士数"要素认同度相对较低。在"人才生产能力"二级指标中"生产规格"、"生产数量"、"生产质量"、"就业率"要素相对认同度高，而"在校生数"要素认同度只有 12.60%，相对较低。"管理能力"四个要素"管理者"、"争取发展经费和空间"、"创建良好学术环境"、"提高办学效益"要素认同度均较高，最高达 61.25%，较低也达到 31.85%。"文化力"三个要素"校园精神"、"校园文化"、"校风"认同度依次达到 59.60%、60.45%、43.30%，认同度较高。由表 6—25 可知，"名师"与"教授数"、"副教授数"、"博士数"、"硕士数"指标的相关度分别为 0.587，0.532，0.595，0.524，相关度高。因此可以将"教授数"、"副教授数"、"博士数"、"硕士数"要素并入"名师"，根据不同情况赋予相应的层级或分值。由表 6—26 可知，"在校生数"与其他要素相关度较低，因此这一要素存在与"生产数量"雷同，因此也应该并入"生产数量"之中。由表 6—27、表 6—28 可知，"管理力"、"文化力"几个要素的相关性都较高，特别是"校园文化"要素指标在表 6—23 中的认同度平均值达到 60.45%，与"校园精神"、"校风"的相关度分别达到 0.625、0.667。因此"校园精神"也应该是衡量高校核心竞争力的一个重要因素。由此得到高校核心竞争力分析模型的构成要素如下表 6—29。

表6—29 高校核心竞争力基本构成要素

高校核心竞争力											
显性要素						隐性要素					
学术生产能力			人才生产能力				管理力			文化力		
名师	学科竞争力	学问生产能力	生产规格	生产数量	生产质量	就业率	管理者	争取发展经费和空间	创建良好学术环境	提高办学效益	校园精神	校园文化	校风

本章借助调查手段设计调查表和调查问卷，采用 SPSS 软件对结果进行相关性分析，主要解决了高校核心竞争力构成要素是什么的问题。

首先，根据对《中国教育报》和《光明日报》上有关中国高校的信息进行分析梳理，形成初步的调查思路，设计调查表。

其次，对中国教育网上的全国高等学校信息进行处理分析，分析调查表设计的合理性。

再次，根据 2003 年、2004 年《中国高等教育年鉴大全》上提供的数据进行统计。

最后，运用设计的调查问卷对全国部分高校的校长和青年干部进行问卷调查，并运用 SPSS 统计软件进行相关性分析。

通过四次不同层次、不同对象、不同方式的调查统计分析发现，调查方案一选择的样本虽然表面看起来量很大，但真正有用、有价值的信息不是很多，故调查方案一只提供了一些调查的思路。调查虽然不是很成功的，但提供了很好的研究佐证。调查方案二、调查方案三是相对比较成功的，也是可信的。选择的面比较大、有针对性，基本上能反映出各调查院校的真实情况。但由于各个院校在宣传上的重视程度不尽相同，仍存在着很大的偏差，因此获得的信息在部分指标上出现较大的差异性，是在所难免的。调查方案四是选择在各高校第一线工作的领导，他们这一群体对高校最有发言权，对高校存在的优势与劣势了解颇深。200 所来自不同的地区、不同层次的院校，能够代表高校的绝大多数，因此对他们进行调查获取的信息，结合前三个调查方案得到的信息进行相关性分析是行之有效的，也是科学合理的。综合四种调查方案为最终确定高校核心竞争力研究的构成要素奠定了基础。

第七章　高校核心竞争力
构成要素分析

　　本章在已有调查和统计的基础上，系统分析了四种不同类型高校核心竞争力构成要素的频重，并据此计算出四种类型高校核心竞争力构成要素指标的权重，并运用数学知识构建高校核心竞争力通用计算公式。最后选择四种类型院校进行检验，对高校核心竞争力构成要素进行实证分析。

第一节　构成要素确定原则及理论依据

　　高校核心竞争力进行比较的一种有效手段就是对已确定的高校核心竞争力要素指标赋予权重，而权重的给予不是随意的，而是在大量调查统计的基础上，特别应运用科学的推演工具和进行相关的逻辑分析。

一、构成要素确定原则

理论的研究是为了推动其在实践中更好地应用，对理论进行推广应用的前提便是对理论在实践应用中的有效性进行合理、有效的构建与评价，核心竞争力理论也不例外。在对社会、经济现象进行认识时，建立科学、合理的指标体系是评价工作取得成功的关键因素，只有建立科学、合理的指标体系，才能"对症下药"，用理论指导实践。当然，在指标体系的研究中，对同一个问题，不同的学者出发的角度不同，所建立的指标体系往往也不同，不同的指标体系所得出的评价分析结论也是不一样的。如何搭建从核心竞争力理论过渡到高校实践中的桥梁，建立一套核心竞争力的要素指标评价体系，对各高校有效判断评估和培育核心竞争力，这将显得十分必要。带着上述问题，笔者试图借鉴核心竞争力要素研究的有关成果，从高校核心竞争力的内涵和特征角度出发，基于指标体系的设计原则，建立高校的核心竞争力要素指标体系，对建立高校核心竞争力分析模型及其识别做一些有意义的探索。

高校核心竞争力是一个多元和复杂的系统，要对高校的核心竞争力作出正确的识别，指标体系的设计是最主要的。所建立的指标体系不仅需要较好地反映高校核心竞争力，而且也必须便于在实际中应用。对于指标体系的选取只有采用统一的标准和方法，才能对高校核心竞争力作出正确的评价，只有具有可比性的计算结果，才可能给正确决策以有效支持。所以，在设计指标体系时应遵循以下原则：

（一）科学性原则

建立高校核心竞争力指标体系，必须符合研究的目的和任务，基于高校的自身特点和属性，遵循组成高校核心竞争力各个因素的科学内涵和外延的要求，正确分析各个因素的具体内容、数量特征和相互关系，从不同侧面设计反映核心竞争力状况的若干指标，使各个指标设计符合科学、合理、客观的要求，从而满足科学性要求。

（二）可操作性原则

建立的核心竞争力指标要在高校内普遍使用，其所设计的指标，空间范围、计算口径、统计方法应可比，操作简单，既便于高校的横向对比，又便于高校的纵向比较。

（三）确定性原则

建立的指标体系既要系统全面，又要简单可行，各要素指标要含义明确，信息集中，既能全面反映高校核心竞争力的真实含义，又能做到计算方法简明扼要。各要素指标给定的权重一旦确定，应对所要分析的所有类型院校都适用。

（四）灵活性原则

由于高校核心竞争力的宏观影响因素和微观影响因素总是处于不断的发展变化之中，而且不同类型的高校，比如研究型、教学研究型、教学型、专科职校类存在着许多不同的特点，这导致了高校核心竞争力会不断地发生变化，从而决定了高校核心竞争力的要素指标不是一成不变的，需要根据人们的认识和各时期发展的特点作出调整和设置。所以要以动态为主，结合静态分析，突出高校核心竞争力的动态性。对高校核心竞争力的测定不仅要分析过去与当前的竞争行为，还要研究发展的后劲、潜在的核心竞争力，预测未来的核心竞争力。

（五）定量结合原则

所建立的指标体系应系统、全面，力求客观反映高校核心竞争力的内涵和本质。由于评价问题的复杂性，许多因素不能量化，所以要根据实际情况，把定性指标与量化指标结合使用，既体现显性指标外在的特点，兼顾高校的过去和未来，又能包含隐性指标内在的前瞻性和个性化的特点，将两者有机统一起来。

二、构成要素确定的理论依据

建立高校核心竞争力要素指标体系，目前可以从两种角度出发：

一是从高校核心竞争力的基本特征考虑，即高校核心竞争力的价值性、延展性、异质性、过程性等方面，因为这些基本特征是使高校核心竞争力区别于一般竞争力的关键特性所在。把高校核心竞争力的指标体系分析归纳为和其内涵及本质特征密切相关的要素，这样既突出了高校核心竞争力中的核心所在，又明确区分了高校核心竞争力与竞争力，有利于增强对高校核心竞争力的认识。从此角度进行的评价明了、直观，而且指标简单，操作方便，使用价值高。当然，用这种方法建立的指标体系可能会剔除一些影响核心竞争力的次要因素。

二是从高校核心竞争力的构成要素来建立指标体系，目前绝大多数的文献都采用了这种方法来建立指标体系。我们知道核心竞争力的影响因素很多，有主要的、次要的，无法用一个明确的界限来区分，如果选择全面细致的指标体系，则这样的评价指标又包含了很多的竞争力指标体系，又可称之为竞争力要素指标体系。其中有些定性指标很难以量化，进行相同条件下的比较需要动用很多资源；有些定量指标也需要综合测算、分解，这样造成了使用上的烦琐，降低了其实用性价值。如果选择指标体系太少，则又不全面。

高校核心竞争力的影响因素很多，本书出于实用性考虑，基于高校核心竞争力的内涵，重点突出了高校核心竞争力的本质特性。基于要素体系建立的原则、评价目的和依据，本书采用第一种角度初步建立高校的核心竞争力要素指标体系。

通过四个方面的调查统计分析，我们对表 6－8 中所列出高校核心竞争力的 19 项指标进行了认真的论证和取舍，最终构建出高校核心竞争力三级要素指标构成模式，其中一级指标（B）2 个，二级指标（C）4 个，三级指标（D）14 个，如表 7－1 所示：

表 7－1　高于平均认同程度的高校核心竞争力基本构成要素

高校核心竞争力													
显性要素 B_1						隐性要素 B_2							
学术生产能力 C_1			人才生产能力 C_2				管理力 C_3				文化力 C_4		
名师 D_1	学科竞争力 D_2	学问生产能力 D_3	生产规格 D_4	生产数量 D_5	生产质量 D_6	就业率 D_7	管理者 D_8	争取发展经费和空间 D_9	创建良好学术环境 D_{10}	提高办学效益 D_{11}	校园精神 D_{12}	校园文化 D_{13}	校风 D_{14}

从高校核心竞争力的本质及特征综述和对高校核心竞争力构成要素分析的基础上，我们分析知识资源和能力可以有效地提升高校核心竞争力。学术生产能力和人才生产能力都是借助于知识资源和知识资本，充分运用管理者的综合能力，营造高校特色的文化氛围，全面提升高校的学习力，从而达到提升高校核心竞争力的目的。在这一过程中，学习力贯穿于高校核心竞争力提升的始终，影响和决定着高校能否具备优质的核心竞争力，因此是高校核心竞争力的内质性要素。如图 7－1 所示：

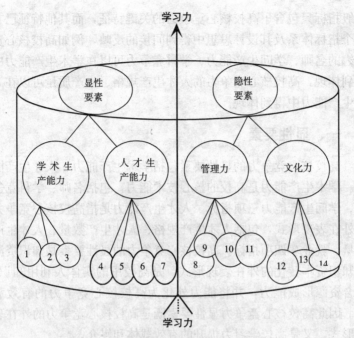

图 7—1　高校核心竞争力图示模型

第二节　分析模型要素内涵和识别标准

　　本书遵循指标体系建立的原则，以构成要素为基础，以实现高校自身价值为目的，以高校核心竞争力的本质和特征为依据，紧扣高校核心竞争力的内涵，结合高校核心竞争力关键特征，初步设计出了 2 个一级指标：显性要素和隐性要素，4 个二级指标和 14 个三级指标，建立了高校核心竞争力要素指标评价体系。

一级指标只包含了高校核心竞争力的关键特征，而其他特征已在整个指标体系及其设计思想中得到间接的反映，例如高校核心竞争力的名师、学问生产能力、学科竞争力可以在学术生产能力中得到体现，高校核心竞争力的人才生产规格、生产质量可以在人才生产能力中得到体现。

一、显性要素

高校核心竞争力的显性要素包括学术生产能力、人才生产能力。学术生产能力是高校的核心技术能力，包括名师、学科竞争力、学问生产能力三项指标。人才生产能力是指高校核心竞争力的外在表现形式，包括人才生产规格、人才生产数量、人才生产质量、就业率四项指标。高校核心竞争力的显性要素是知识资源向知识资本转化的外在表现形式，是高校中的实体人利用知识、整合资源形成能力，并将能力外化为高校核心竞争力的有效载体。因此高校核心竞争力显性要素既是高校核心竞争力的外在表现形式，又是高校学习力提升的有效载体和媒介。

（一）学术生产能力——学习力所表现出来的综合力量

2004 年 8 月 6 日上午，牛津大学第一副校长威廉姆·D·麦克米伦教授在第二届中外大学校长论坛上做了题为"21 世纪大学的学术战略：牛津大学的实践"的演讲。他认为高校应该做好以下几件事情：为谁制定学术战略。制定学术战略，要着眼于整个高校，而不是其中的某个学院、学术分部或系，要充分考虑高校自身的特点。同时，学术战略的制定要考虑其他相关的利益群体，要考虑到许多其他相关的公共部门，还要考虑提供研究资助的私有机构和慈善机构的利益；最为重要的，当然还要考虑学生的利益，同时还不能忽视公众的要求。这就是既要满足学校的内部要求，又要满足外部要求。

何时制定学术战略，也就是制定战略需要一个时间过程，同时还要明确战略计划适用的时段。

为什么要制定学术战略。高校在年收入远远低于主要竞争对手的情况下，要保持核心竞争优势的地位，势必需要一种高标准而又实际的计划；高校需要制定一个更为具体的学术战略；高校管理改革后在学术分部和学院之间出现的招生和资源配置分歧问题也促使建立高校学术战略。

学术战略包括的内容。在高校学术战略的长远规划中，具体涉及了以下七方面的问题：规模和结构、研究、教学、招生和入学、创新和知识转移、外部关系、标准和评估。麦克米伦教授还列出了学术组织研究工作的八项原则或称为是八方面的内容：学术自由和良好的实践、决策的补充、在国际水平上追求卓越、学科多样性、规划学术活动的灵活性和统一性、学院内部及相互间的合作、促进企业发展、拥有的机遇与抓住机遇的能力。

学术战略是如何制定的。麦克米伦教授简单归纳为三方面的内容：责任、资源和范围。责任方面包括：谁决定和制定学术战略，以及责任机构是否有恰当的职权范围和必要的管理；资源方面包括：制定战略阶段需要哪些资源，以及我们能否找到这些资源；范围方面涉及的主要问题是：相关的财务规划、大学内部的激励机制、政策的完善等。①

1. 名师

大学的发展必须以人为本，过去几年我国高等教育取得成功的关键在于有效解决"人"的问题。我国大学与世界一流大学的最根本差距就在教师。要把"人"的积极性充分调动起来，无论是大学的发展规划，还是学科建设，都要把建设高素质的师资队伍放在"重中之重"的地位，建立科学的激励机制、约束机制保

①　参见威廉姆·D·麦克米伦：《21世纪大学的学术战略——牛津大学案例》，选自《中外大学校长论坛文集》，中国人民大学出版社2004年版，第121—138页。

证整体质量的提高。

名师要素指标主要指一个院校的在国内外的某一学科领域具有相当影响的教师在教师群中所占的比重。名师不是一般行政意义上赋予的，也不是自封的，而是在长期的教书育人实践中逐步形成的。名师一般应具备表率、模范、专家的特点，是某一或几个学科的前沿领军人物或在某一方面具有相当深的造诣。根据对全国 1001 所高校核心竞争力的调查统计分析，88.4％的高校均重视名师的培育和发展。

这一指标主要涵盖这样几个要素：中科院、工程院、第三世界科学院院士数；教授、副教授数；博士生导师、硕士生导师数；长江学者特聘教授人数；国内外学者或知名人士担任客座教授、名誉教授和兼职教授数；国家级学科带头人、国家重点课题主持人、部委学部委员数等。

2. 学科竞争力

学科是承载高校人才培养、科学研究和社会服务职能的基本单元和中心环节。高校的学科竞争力是指基于高校的办学基础、办学层次和类型，适应社会需求和学科发展要求，构建和形成的特色明显的学科体系结构、富于创新的学科梯队、设施配套的学科基地和平台、富有活力的学科运行机制、推动学校办学特色和持久优势的形成、支持学校办学水平和质量持续提高的能力。就高校内部而言，高校的学科竞争力一是看能否形成结构合理、特色鲜明的学科结构体系；二是看能否形成结构合理、富于创新的学科组织和梯队；三是看能否形成设施配套、手段先进的学科基地和平台；四是看能否形成运行高效、富有活力的学科运行机制。对高校外部而言，高校的学科竞争力一方面体现为本校相对于其他高校学科的特色和水平，没有特色就没有比较优势，没有水平或水平一般也无法形成学科竞争力；另一方面体现为高校人才培育、科研成果、社会服务适应和满足社会需求的状况，毕业生有市场、受欢迎，科研成果应用转化率高，社会服务需求旺才是检验高校核心竞争力特别是学科竞争力的主要标准；也表现为在区域、行业乃至国内外一定的知名度和影响力。① 什么是"中国特色的世界一流高校"？

"一流高校应该坚持正确的办学思想，注重形成优秀的办学传统，形成鲜明的办学风格，发展优势学科，努力建设一支高素质、高水平的教师队伍，为国家和民族的兴旺发达作出贡献。一流高校应该站在国际学术的最前沿，紧密结合先进生产力的发展要求，依托多学科的交叉优势，努力进行理论创新、制度创新、科技创新，特别要抓好科技的源头创新，并推动科技成果加速转化为现实生产力。一流高校应该成为继承传播民族优秀文化的重要场所和交流借鉴世界进步文化的重要窗口，成为新知识、新思想、新理论的重要摇篮，努力创造和传播新知识、新理论、新思想，不断促进社会主义文化的发展。一流高校应该成为培养人才的重要基地，不断为祖国为人民培养出具有正确的世界观、人生观、价值观，具有创造精神和实践能力的全面发展的人才。"②

学科竞争力是指高校中的学科作为竞争主体，在争取本学科发展的优势地位时所具有的力量。包括学科研究方向、学科带头人与骨干（名师）、学科关键实验设备、学科运行机制。学科建设是高校工作的龙头。学科发展的水平是一所高校在国内外地位的主要标志。高校在知识经济和经济全球化的大背景中既要与国内高校竞争保持自身的实力，又要与国际高校相竞争保持自身的优势，以学科建设为龙头，强化特色，提升竞争实力，对于高校

---

① 参见朱明：《地方高校核心竞争力的构成及内在关系》，《生产力研究》2005年第1期。

② 江泽民：《在庆祝清华大学建校90周年大会上的讲话》，《人民日报》2001年4月30日。

的发展至关重要。学科建设须确立人才资源是第一资源的理念，实施人才强校战略。坚持学术人才、教学人才和管理人才三支队伍一起抓，通过培养、吸引、使用，建设一支由学科带头人、学术带头人和学术标兵组成的学科队伍，实现高校学术创新、人才创新，形成学科竞争特色和竞争优势的学科综合核心竞争力。

这一指标主要涵盖这样几个要素：国家重点一级学科数目；独特的学科体系；设有研究生院（目前全国只有 56 家）；拥有硕士点、博士点、博士后流动站数目；全国重点实验室、部级研究基地和省校级重点实验室、研究基地数目。

3. 学问生产能力

2004 年 8 月 5 日参加第二届中外大学校长论坛的北京大学校长许智宏认为，要建设世界一流大学，学术论文数量和质量是一个方面，更重要的是要有良好的学术环境。许智宏认为"世界一流高校不但是高水平的教学中心，而且是高水平、有影响的研究中心"。[①] 中国高校要进入世界一流，必须在科学研究上狠下工夫，争取有更大突破。

有数据显示，我国高校承担了国家自然科学基金 70％以上的规划项目和一半左右的重点项目，完成了国家"863 计划"30％以上的项目。高校已成为我国科研，特别是基础研究的一支生力军。

但是，与世界一流大学相比，我国高校的科研规模和研究水平确实存在不小的差距。许智宏提出，应该充分发挥综合性高校学科齐全、人才密集、信息灵敏，而且具有教学与科研相互促进的特色，尽快提升知识创新能力，成为高水平科学研究中心。

许智宏认为，目前，许多学科之间已经没有截然分明的界

---

① 许智宏：《北京大学创建世界一流大学的发展战略与实践》，选自《中外大学校长论坛文集》，中国人民大学出版社 2004 年版，第 92—103 页。

限，自然科学、技术科学、社会科学、人文科学内部各分支领域以及相互间的依赖程度越来越大，解决经济社会发展中遇到的人口、环境、生态、能源、空间等重大问题有赖于各种专业和社会力量的协同努力。他不无遗憾地指出：我们过去对于学科分化的负面影响认识不足，产生了一些人为设置的界限，加上目前在职称评审、奖励制度中存在的种种弊端，阻碍了不同学科之间的交流和融合。

如何建立和发展新学科、改造传统老学科，建立起有利于发挥师生积极性和创造性的学科管理机制，是高校急需思考和解决的重要问题。高校不仅须保持在基础学科方面的优势，而且要为不同学科的交叉、融合进而形成新的学科生长点搭建起一个大平台。许智宏认为，如何缩短与世界一流大学之间的差距，早日变"中国重点"为"世界一流"，这是关键也是亟待讨论和探寻的问题。①

对于一个国家来说，高校的质量、数量是决定国家教育的整体水平和社会贡献程度的重要影响因素。从对高校的作用与主要任务的认识角度出发，可以认为具有较高的学问生产能力是高校核心竞争力的本质特征。所谓学问生产能力是指一所高校或一个高校系统在科学的理论、法则、概念、物质的发现与发明方面的数量与质量。影响高校的学问生产能力的主要因素有：宏观方面，科学赖以存在的文化与氛围、高等教育体制、学术共同体的传统和政府的科学政策等；微观方面，教师与学生的质量和研究资金的充足程度等。

这一指标主要涵盖这样几个要素：获得国家最高科学技术奖、成果奖、国家自然科学奖数目；硕士生、博士生优秀毕业论

---

① 参见许智宏：《北京大学创建世界一流大学的发展战略与实践》，选自《中外大学校长论坛文集》，中国人民大学出版社 2004 年版，第 92—103 页。

文数目;每年国家、部级、省市级科研成果奖数目;承担国家重点科研项目数;在 SCI、EI、ISTP、CSTP、CSSCI、SSCI、A&HCI(即科学引文索引、工程索引、科学技术会议录索引、中国科技论文统计和引文数据库、中文社会科学引文索引、社会科学引文索引、艺术人文科学引文索引)等国际权威科研索引资料上发表论文数;科技成果转化率及创新成果数。

(二)人才生产能力——提升学习力所应具备的综合能力

人才生产能力是指高校核心竞争力的外在表现形式,包括人才生产的规格、数量和质量。高校的核心是教师和学生。世界著名大学,如剑桥、牛津、哈佛、斯坦福等都是以拥有世界级大师和培养了许多世界著名人才而闻名的。学校有好的声誉才能培养高精尖人才,形成长盛不衰的竞争力。无论是从哈佛还是牛津的经验看,学生是学校的主体,学校的发展必须以学生为本。我们的大学要致力于人的终身发展,在课程设置、教学模式方面重视发挥学生的能动性,帮助学生学习知识的同时更重要的是帮助学生学会学习,培养学生的创新能力、学习能力。因此,拥有优秀的教师和学生是高校核心竞争力的重要方面。在著名大学中,师生都能在自豪、自信、自强中提升自身素质与能力,从而提高学校的核心竞争力。

1. 人才生产规格

"高等教育本身就是多层次、多样化的,真正对政府、社会和下一代负责的做法是每所学校都能科学定位,包括学科领域、办学类型、办学层次和规模、办学目标。……任何层次都能办出特色,办成一流",中国人民大学校长纪宝成在第二届中外校长论坛上严肃地说,"在高等教育进入大众化的今天,高等教育的人才培养规格应是多样化的,社会对高等教育的评价也应有多样化的评价体系,只要办出成绩,就该得到社会的褒奖,这才是一种良性循环"①。这样才能为社会提供多种选择,满足受教育者的不同需求。

人才生产规格主要是指培养研究生、本科生、专科生的比例,本专科入学成绩排名以及留学生在研究生中的比例。这指标主要包括拥有的人才生产培养体系结构:本科—硕士—博士—博士后;留学生。

2. 人才生产质量

出席第二届中外大学校长论坛的知名校长对高校的人才生产质量都提出了自己的看法和意见。

北京大学校长许智宏说,新生首先要适应新环境。美国很多大学在新生阶段淘汰率很高,我们的学生也应该注意在新环境的适应和过渡。

四川大学校长谢和平说,新生们跨入校门就意味着真正走向社会,要注意从高中生到大学生的角色转换,树立远大的人生目标并为之奋斗。新生们大多出生于 20 世纪 80 年代,要注意从以"自我"为中心向以"集体"为中心的转变,关怀他人,关注社会,多一份社会责任感。在大学里,首先要学会做人;其次要学会做有用的人,学好知识,将来能够对社会有所贡献;此外才是学会做成功的人。

北京邮电大学校长林金桐说,新生入学后要拓宽视野,把眼光从家庭转向社会,从中国转向世界,从中华民族转向全人类。这三个转变是一个人真正成熟的标志。

南开大学校长侯自新说,新生要树立远大理想,要有为振兴中华作出自己贡献的历史责任感。大学的学习方式与高中时有很大不同,要积极适应大学生活,踏踏实实地学习,从基础开始,

---

① 丰捷:《高等学校要努力办出特色——中外大学校长论坛综述》,《光明日报》2004 年 8 月 5 日。

同时注意德、智、体、美全面发展。

复旦大学校长王生洪说，要珍惜在大学的学习机会。现在的社会对人力资源的要求更高，也给青年人提供更大的发展空间。大学生应利用上大学的机会很好地充实自己的知识，发展自己的能力。大学的环境相比中学有很大变化，大学更强调独立。大学新生应更积极、主动地适应并融入到大学环境里去。多找老师谈想法，多向高年级同学讨教。

清华大学校长顾秉林说，大学的学习最主要是靠自觉，比如课堂上、同学之间相互学习，边研究边实践学习等。理工科学生要加强人文学科的学习，文科学生也要加强科学素质修养。在生活上，新生们要增强自我管理能力。遇到问题时主要靠自己调整、解决，要承担起应负的责任。在为学之前，应首先学会为人。

西安交通大学校长郑南宁说，大学中的学习内容与中学有所不同，当然也有一定延续性。新生们可以适当提前了解大学课程设置和内容，准备一些必要的工具书和参考书籍。

校长们表示，能考上理想的大学很不容易。然而，考上大学并不是目标，应看做吸取新知识和培养自己各种能力的一个机会。上大学后千万不能放松，要继续努力学习。同时，还要多了解社会，参加实践，争取思想上的进步与综合素质的提高。从高分到高层次、高素质是一个艰苦的过程，有很长的路要走。

美国耶鲁大学校长理查德·C·莱温教授给在校大学生提出了最好的建议："参加课外活动，在课外活动中培养领导能力。"莱温教授认为："耶鲁大学特别鼓励学生参加课外活动，在课外活动中培养学生的领导能力。耶鲁大学有200多个课外文化小组活跃在校园中，包括辩论赛小组、撰写新闻小组、音乐小组、社区服务小组以及政治团体等等。""课外活动小组是培养未来领导人素质的实验室，小布什当时就曾经积极参与社团的活动，这对他担任总统起到了很大作用。"①

日本早稻田大学校长白井克彦教授认为，大学生学习不能闭门造车，要努力使自己成为对社会有贡献的个体，学生要深入本地企业、银行，白井克彦教授说："这不仅推动了当地经济的发展，也让学生在实践中体会知识操作，掌握基本生存技巧，掌握处理人与人之间关系的技能，适应当地的文化、习俗和语言，从而达到学习的根本目的。"②

德国柏林工业大学校长库特·赖纳·库茨勒教授认为"理工科固然需要缜密的思维，但千万不能制约学生大胆的幻想力"。数理化是所有理工科的基础，理工科学生要对数理化有强烈的感觉、强烈的兴趣。在本科低年级阶段，要夯实数理化基础知识，训练缜密的推理能力。但缜密的推理，并不妨碍学生大胆幻想的可能。"在头脑清醒和目标明确的前提下，理工科学生要充分发挥自己的想象力，假设所有的可能性，然后进行求证推理。鉴于这种想象力的需要，理工科学生在学习本专业以外，应该多学习文化、艺术和社会学方面的知识。"③ 库茨勒教授同时认为，没有经济头脑的人是无法进行理工科研究的。此外，理工科的学生还要格外注意英语的学习。在库茨勒教授看来，熟练的英语阅读与表达是学好理工科的又一重要环节。精准的英语能够使人直接阅读工科教材原文，而顺畅的表达可以帮助设计者推销自己的研发项目。

美国哥伦比亚大学校长李·C·伯林格教授认为"全球化产

---

① 教育部中外大学校长论坛领导小组编：《中外大学校长论坛文集》，中国人民大学出版社 2004 年版，第 29—48 页。

② 教育部中外大学校长论坛领导小组编：《中外大学校长论坛文集》，中国人民大学出版社 2004 年版，第 61—77 页。

③ 教育部中外大学校长论坛领导小组编：《中外大学校长论坛文集》，中国人民大学出版社 2004 年版，第 193—206 页。

生的影响日益增大，大学要培养学生具备全球化眼光"。21 世
纪，全球变暖、艾滋病、饥饿、安全威胁、社会公正等诸多方面
的新问题正在涌现，"大学教育不仅仅是简单地向学生传播知识，
更要通过其广泛革新的跨学科领域认真探讨全球性难题，引导学
生增强认识的深度和广度，以使其能够应对未来生活的挑战"。
哥伦比亚大学特别重视学生的外语学习，全校开设的外语语种多
达 71 种，是美国大学中外语语种最齐全的一个。"这也是我们培
养学生具有国际视野的一个显著特点。"① 柏林格教授称。

产生过 8 位诺贝尔奖得主的俄罗斯莫斯科国立罗蒙诺索夫大
学（简称莫大）的校长维·安·萨多夫尼奇教授认为：本科生早
期学习宜广博不宜太专。"对高校本科生来说，广博地学习各个
领域的知识很重要。"萨多夫尼奇说，高校先要对本科阶段学生
进行通识教育，再进行专业教育。"先进科学技术的掌握需要以
广泛的通识教育为基础，如果学生不了解各领域最基本原理的
话，也很难专业化。"在莫大，大学生前 3 年主要学习自然科学、
人文科学领域的基础知识，不进行专业教育。例如数学、化学等
学科只教授一般性的知识。到了第四年和第五年，开始进行专业
化教育。如化学学科要分为有机化学、无机化学等。在萨多夫尼
奇看来，"培养具有宽泛知识面的专家比培养具有狭窄知识面的
专家更重要。""所有受过高等教育的人，都应该掌握自然科学的
基础知识。"萨多夫尼奇认为，自然科学通过改变人的思维和生
活方式而具有改变世界发展方向的能力。"学生了解最新的科学
成果，加强科学学习尤为重要"。萨多夫尼奇说，学生学习自然
科学必须注意三个方面的问题："一是纯粹理工科的学生，主要
障碍是知识面过窄，对整个自然科学没有一个全面的理解；二是

---

① 教育部中外大学校长论坛领导小组编：《中外大学校长论坛文集》，中国人民
大学出版社 2004 年版，第 78—91 页。

学习实用知识的学生，主要障碍是他们学的东西过于实用化、模式化；三是对人文科学生来说，主要障碍是他们没有足够的动力，害怕学习自然科学。"①

2005 年 5 月 19 日，"一流大学建设系列研讨会"在南京大学举行，首批入围我国"985 工程"的 9 所研究型大学——北京大学、清华大学、南开大学、复旦大学、浙江大学、上海交通大学、西安交通大学、中国科技大学、哈尔滨工业大学的校长们，在南京大学研讨如何建设世界一流大学。校长们认为，一流大学重在培养一流人才，但人才的培养不可急功近利。②

人才生产质量是指毕业生的市场占有率和市场评价水平。高校的人才生产质量问题是高等教育界永恒的研究课题，也是高校存在与发展过程中一个备受关注的话题。不同时期由于人们的价值观不同，所以对质量问题的认识就不同，衡量标准也就多种多样，价值判断的结论自然也就变得复杂多样。厦门大学王伟廉教授认为，高校人才生产质量的评价标准主要涉及五个范畴的问题：学术标准与市场标准、长远利益标准与当前利益标准、针对性标准与适应性标准、适应性标准与创造性标准、道德标准与才能标准。

这一指标主要涵盖这样一些要素：毕业流向好，流向部委机关、部省直属国营企业；考上研究生的人数占本科毕业生人数的比例；就业率。

3. 生产数量

美国著名经济学家、诺贝尔经济学奖获得者舒尔茨在继承前

---

① 教育部中外大学校长论坛领导小组编：《中外大学校长论坛文集》，中国人民大学出版社 2004 年版，第 78—91 页。

② 参见宋莹、宇江、英杰：《九著名大学校长在宁研讨 人才培养不可急功近利》，《扬子晚报》2005 年 5 月 20 日。

人研究成果的基础上发表了《人力资本的投资》一文，1963 年又发表了《教育的经济价值》等论著，创立了人力资本理论。舒尔茨等人第一次将资本区分为物质资本和人力资本。人力资本是体现在人身上、以人的知识与技能为基础的资本。人力资本有数量和质量两个方面。人力资本理论认为教育支出形成的教育资本是人力资本的主要部分，高校人才生产数量和质量的提高，是国民经济发展和国民收入增长的重要因素。这一指标主要涵盖在校生规模。

4. 就业率

随着市场经济的发展和国家对高校毕业生统分统配时代的结束，高校毕业生毕业后将直接走向市场。就业率成为很多高校衡量核心竞争力的一个标志。这一指标主要指高校的毕业生中就业人数占毕业人数的百分比。

二、隐性要素

管理力和文化力是一所高校所拥有的难以测量但明显可以促进高校提升核心能力和展示核心优势的隐性要素，是高校显性核心能力的支撑系统和赖以成长的土壤，是高校长期形成的大学理念、价值、文化、管理机制、规划和政策措施等的综合体现。隐性要素指标同时也是隐性知识的外在表现，体现着高校管理者掌握知识、运用知识、创新知识、实现效益最大化的一种途径，更是高校学习力能否有效提升的孵化器。

（一）管理力——学习力的推动力量

高校办学过程中的各个系统、各种要素、各类资源、各种能力及其运行过程的每一个阶段、每一个环节都离不开高校的组织、协调、管理整合。管理的目的是人尽其才、物尽其用、地尽其利，本质是实现 $1+1>2$ 的倍增效应和整合效果，管理的核心是人的积极性的调动、创造性的激发和运行机制的优化。高校的管理能力是指高校建立在对教育本质、办学规律、时代特征和自身特点深刻认识基础之上的，最大限度地发挥人力、财力、物力、信息资源的作用，利用校内外各种有利条件和机会，优化组合，最有效地实现高校教育目标的能力。管理能力的强弱和水平既决定了高校的环境资源条件能否优化组合、高效运行，又决定了高校整个系统能否按照办学目标将组织、资源等条件集中于学科建设和学术能力的提高上，体现在办学水平、办学质量和办学效益的提高上。①

1. 管理者

"现代的大学必须有现代的管理，一流的大学必须有一流的管理，高校校长责任重大。"在中外大学校长论坛上，原教育部部长陈至立阐述了大学校长的基本素质：具有战略思维和长远眼光、国际视野和前沿意识，善于进行科学的定位和制定长远发展战略，善于协调高校与社会的关系，善于动员和配置各种资源。②而如何促进我国高校领导者拓展国际视野，提高战略思维和领导管理水平，增强创新意识和能力，也是教育部门亟待解决的问题。

提高我国高校校长素质具有紧迫性。我国高等教育规模空前发展，到2001年，全国普通高校在校生由1998年的643万人增长到1214万人。高等教育毛入学率由1998年的9.8%提高到2001年的13.2%。同时，高等教育面临的挑战又很严峻。一方面来自我国加入世界贸易组织对教育服务所作出的承诺，一方面来自经济结构和产业结构调整的要求。陈至立说："高等教育必

---

① 参见朱明：《地方高校核心竞争力的构成及内在关系》，《生产力研究》2005年第1期。
② 参见教育部中外大学校长论坛领导小组编：《中外大学校长论坛文集》，中国人民大学出版社2004年版，第1—11页。

须抓紧思考新的历史条件下大学的建设与领导管理问题。"①

当今世界高等教育还出现一个新的趋势，就是对高校管理者提出更高的要求。一个好的校长不仅仅是看他的学术水平和融资能力，还要看他能否管理好一个学校。中国政法大学校长徐显明认为，一个好的校长应该具备四种能力：第一个是具有先进的办学理念，第二是寻找一批能力比他强并愿意与他一起工作的人，第三是寻找并发现资源，第四是能够进行价值判断和选择。在大学管理过程中，无数的价值取向处在冲突中。大学校长在创新与传统、公平与效益中作出选择，把冲突降低到最低点，实现学校利益的最优化。

2004 年 8 月 9 日上午，在中外大学校长论坛上中山大学校长黄达人教授认为，在市场经济条件下如何有效地降低成本和提高效率，是目前中国高校管理体制改革过程中亟待解决而又容易被忽略的问题。从某种意义上说，成本意识和效率观念应该贯穿于中国高校管理体制改革的始终。围绕这一中心观点，黄达人教授从以下方面展开了阐述。

（1）高校管理需要引进经营理念

黄达人教授认为，随着市场经济体制在我国的进一步确立，中国的企业和政府在体制上发生了变革，市场经济的无形之手已经日益深刻地影响着中国社会的方方面面，高效率成为中国企业和政府的一个共同追求。与企业、政府的改革力度相比，中国大学管理模式的改革，落后于中国社会的变革，中国大学的管理形式，在某种程度上仍然是政府管理职能的一种延伸，在教学、科研乃至人事制度、分配制度等方面与目前的市场经济很不相适应。这种模式从有利的一方面说，大学可以保持与政府管理部门

---

① 参见教育部中外大学校长论坛领导小组编：《中外大学校长论坛文集》，中国人民大学出版社 2004 年版，第 1—11 页。

的顺利衔接，政府的政策在大学里可以得到最直接和最充分的体现，同时也可以保证大学的管理在相对严谨的模式下运行。但是，随着中国高等教育的快速发展以及日益国际化，这一管理模式的弊端也是显而易见的。大学作为人才培养、科学研究和服务社会的场所有其特殊性，目前的大学管理体制，在某种程度上会冲淡大学所应有的学术氛围，同时难以避免地造成管理成本的高昂和管理效率的低下。

黄达人教授认为，大学管理需要引进经营理念，需要借鉴现代企业和政府管理体制改革的经验，继续深化改革高等教育管理体制，已成为许多中国大学校长的共识。所谓"经营"，指的并不是以营利为目的的一般意义上的"经营"，而是指大学必须要精心地运作和管理。大学需要"经营"，在大学的管理中必须要强调成本与效率的重要性，这一点，对正处于深刻变革中的中国高等教育来说是刻不容缓的。

（2）大学管理需要树立成本意识

黄达人教授认为，大学管理需要树立成本意识，大学的战略规划也应该建立在成本的概念上。作为大学校长，应该有一种投入与产出的概念，当然，我们也十分清楚，在大学的人才培养和科学研究中，投入与回报在很多时候是无法明确界定，尤其是对科研的投入，大量的投入有时并不意味着高质量的回报，但即便如此，成本仍然应该是在制定战略规划时首先必须考虑的问题。长期以来，中国的大学服从于指令性计划，许多大学的管理者在扩大或者缩小办学规模时，往往缺乏成本意识。当大学与市场越来越贴近的时候，这种"不计成本"的办学模式也到了非改不可的地步了。

大学的办学成本分成两个部分，一是管理成本，二是运营成本，前者是刚性的，后者则是软性的，目前中国大学所面临的最大问题，就是管理成本过高，在大学的办学经费基本不变的前提下，刚性成本不断增长，必然会挤占软性的运营成本。

中国高校财政的总体状况是十分紧张的。首先是政府的投入仍然有限。近年来，中国大学的持续扩招，在现行的拨款模式下，大学获得的政府拨款也相应有了很大增长。但是与此同时，大学的支出也在大幅增加，其中最主要的部分是人力资源成本的增长，这一成本是大学刚性成本中的最大部分。教职员工的薪酬也就是所谓"人头费"是大学刚性成本支出的首要项目。政府所拨的日常运行经费以在校学生人数决定，与一所大学有多少教职工并没有直接关系，但随着办学规模的扩大，学校的教学和行政人员也必然会随之增加，因此"人头费"实际上已成为大学办学成本中最主要的压力。

黄达人教授认为，控制和降低办学成本的核心在于如何使校内有限的资源运用得更为有效，中国的大学应该尽量建立起一个行之有效的校内资源分配系统。我们通常所说的教学、科研、学科建设等等，是大学工作的主干，如何将学校有限的资源进行合理地配置，决不仅仅是靠拍拍脑袋就可以决策的。资源配置的决策依据首先要建立在成本意识上，在目前的财政状况下，大学甚至要比以前更加精打细算才行。在大学的管理中，必须坚守成本的底线，坚持"量力而为、量入为出、勤俭节约、开源节流，有所为、有所不为"的原则，实行稳健的、从紧的财经政策，这是对大学、对人民、对历史负责的态度。

（3）大学管理中必须强化效率观念

黄达人教授认为，提高效率与控制成本密切相关，要控制成本最关键的还是资源的配置问题，这同样也是提高效率的关键所在。在考虑大学中的资源配置时，有三个重要的环节，一是机制和环境，必须建立起一个有效的校内资源配置系统。二是投入与产出，在配置资源时，必须尽可能地考虑投入与产出的效率。最后是资源的共享，如果说前面两者在短时间内还难有大的突破，那么在资源配置时尽可能地考虑资源的共享，则是中国大学现阶段提高效率和降低成本最为有效的一个途径。

"211 工程"和"985 工程"的实施，使参与建设的中国高校取得了长足的发展，但也不能否认，在建设的过程中，各高校都或多或少地存在着设备重复购置的现象，浪费了有限的建设资金。这种设备重复购置的现象是与目前中国高校中分散的科研管理体制密切相关的。在这种体制下，几乎每位教授都有自己的实验室，每个实验室都有购置设备的要求，于是，资源的共享就无从谈起，资源的浪费也就不可避免了。正是针对国内高校现行科研体制的弊端，国家最近提出了国家实验室的概念，黄达人教授以为，提出这一概念的最大贡献，就是它为更好地共享资源提供了一种全新的科研组织形式。目前正在进行的"985 工程"二期建设论证工作的核心就是科研平台的组建，这种平台建设的着眼点之一，也在于资源的共享。

黄达人教授认为，科学化的民主决策有利于凝聚学校的人心。实践证明，决策的民主化，有利于提高执行的效率，民主与效率的结合，能够促使学校更为顺畅地运作。在实际的操作过程中，如果决策的民主和决策的效率两者的确不可调和时，各级管理者就必须要有足够的勇气去承担责任，而不是以最没有风险的姿态去面对问题，即事事都靠会议。不断地开会、议而不决是逃避责任的最好办法，但这将大大降低决策效率，对学校事业的发展非常不利。因此，大学的各级行政管理人员应该具备文明、务实、大度、开拓、自律的基本素质以及勇于承担责任和追求效率的意识，而且这种意识必须是自觉的。学校的处长们应该"多汇报，少请示"。这里强调的也是学校行政运行机制中的上下沟通问题，是对学校管理效率的要求。假如大学的所有管理人员都有了这种意识，在工作中更加具有自觉性和主动性，那么我们对大学管理制度的改革，我们构建现代大学制度的努力，我们工作效率的提高，都将会有一个更为良好的基础。

（4）探索基于成本与效率的大学管理新模式

黄达人教授认为，综合上述成本与效率的考虑，如何选择一种更为合理、更为有效的大学管理模式，是我们面临的一个最为重要的问题。对于这种大学管理模式的选择应该主要有两个方面的考虑，即校、院、系之间的关系以及校级机关管理模式的变革。目前中国大学校、院、系之间的管理模式大致有一级（即学校统管）、二级（即校院两级）、三级（即校、院、系三级）三种。中山大学选择了校院两级的管理模式，这主要也是出于成本和效率的考虑。

大学的管理模式归根到底要与学生的培养模式相协调。根据国家社会经济发展与大学生综合素质的要求，中山大学提出本科生应该按照一级学科的口径进行培养。如果本科生培养的专业太窄，无疑会提高办学的成本，而且面对日益激烈的就业竞争，太过专门的本科培养模式并不利于学生综合素质的提高，也不利于学生的就业。但是，本科生培养的专业如果太宽，学生又可能缺乏扎实的学科基础和专业背景，在竞争中同样也会处于下风。

黄达人教授认为，以学院为单位，按一级学科招生，并在一级学科中设计若干专业模块，提供给学生在二三年级时选择，这可能是一种更符合人才培养规律的举措，同时也将有利于教学管理的规范化。学生在一级学科内的基础上学习可以获得更为宽广的基础知识，在这个基础上再选择专业模块，更有针对性，也更有利于提高学生自主学习的兴趣，从而完成其个体素质的塑造。

黄达人教授介绍，中山大学的学院建制多数以一级学科为基础，也有的是以若干个一级学科组建的学院，而系的建制则一般是以二级学科为基础的。从控制成本和提高效率的角度考虑，上述本科生培养模式能在学院的范围内充分利用各种资源，实现资源共享，既节省成本，又可提高学生培养质量，可以说是一种效率较高的培养模式。①

这种校院两级的管理体制要求我们在资源的配置上应更多地考虑与政府的拨款体制相适应，即学校资源的分配应更多地与各学院的学生人数挂钩。在学院的人员编制、职称岗位设置等方面，也应更多地增加各学院所承担的课程学分数和培养学生的总数方面的权重。这是中山大学进行校内资源配置时的一个大方向、大原则。同时，在学校向学院经费划拨的体制方面，应该承接政府的拨款体制，采用"专项经费＋运行经费"的模式。大学的首要任务是培养学生，因此，学校下拨的运行经费首先必须优先保证满足人头费用，以维持学院一级的正常运作，保证教学工作的正常进行。这一费用的划拨应以各学院的学生数作为主要依据，这部分的经费是必须优先考虑的；除运行经费外，专项经费则专款专用，学校应量力而行，根据补的原则来实行。

2004 年 8 月 4 日上午，美国耶鲁大学校长理查德·C·莱温教授在第二届中外大学校长论坛上认为，一个优秀的大学校长应该具备以下领导素质：（1）能够提出一个愿景并很好地传达给他的同事；（2）能制定远大的而又能够实现的目标；（3）能腾出足够的时间集中完成主要的战略任务；（4）敢于冒险；（5）不要为初次失败所阻挠，有些好的主意需要第二次尝试；（6）知道什么时候采取自上而下的方式，什么时候采取自下而上的方式；（7）选择强有力的部门领导，并给予他们充分的自由让他们自己去创造；（8）制定有效的激励机制。②

北京师范大学国际与比较教育研究所王英杰认为，仅仅是教

---

① 参见教育部中外大学校长论坛领导小组编：《中外大学校长论坛文集》，中国人民大学出版社 2004 年版，第 244－255 页。

② 参见教育部中外大学校长论坛领导小组编：《中外大学校长论坛文集》，中国人民大学出版社 2004 年版，第 29－47 页。

授和学者还不能足以成为高校校长，他们还必须是出色的管理者、优秀的规划者、评价者、招募者、革新家、鼓动家和企业家。[①] 许多一流大学规模宏大，大学生上万、教师上千、年开支逾亿，管理者没有出色的管理才能是不可能办好这样的大学的。在财政紧张的情况下，他们要善于游说政府更多地拨款、社会更多地捐款。在科技革命出现时，善于把握时机重点建设相关学科。在学生运动兴起时，善于引导学生，使他们认识到自己的根本利益所在。在学校各种利益集团出现冲突时。善于协调矛盾，以大学精神团结他们。

任何一所高校都是人、财、物、知识和技能的集合体。但是和其他组织一样，高校不是个体要素的简单叠加，而是一个由多种要素和行为组成的体系。这些要素和行为必须得到有效的组织和管理，使产出（学术和人才）达到最大化、最优化，创造出整体大于局部之和的效应，否则一切都是徒劳。这就好比把世界上最美的珍珠凑到了一起，但是没有用线串起来，最终也显不出珍珠的亮丽与璀璨。在这一意义上，没有优秀的管理能力，高校的核心竞争力就不能保持，也就没有了优异的竞争优势。管理所具有的协调或组织的作用是高校实现有效的内外部协调或组合的保证，这种作用尽管是隐含的、难以测量的，却是促进高校核心竞争力的形成、成长和发展的根本性动力。由此可见高校的管理力主要表现在高校建立现代管理制度的能力、资源的最优化配置能力和办学效益最大化等能力建设上。

这个指标主要包括这样一些要素：校领导班子是否具有先进的教育思想观念、鲜明的教育理念、明确的办学思路；是否具有结构合理、素质高的管理队伍；管理者创新能力是否强，是否能

---

① 参见王英杰：《规律与启示——关于建设世界一流大学的若干思考》，《比较教育研究》2001 年第 7 期。

倡导服务型管理模式。

2. 争取发展经费和空间

教育部副部长章新胜在中外大学校长论坛上接受记者采访时表示，大学要进一步加强与科研院所、企业的合作，在支持、服务国家和大学所在地的发展中发展自己。章新胜说，法、美等国的许多国家实验室都放在大学里，利用大学的人才、学科交叉优势，获得一些原创性科研成果。大学像河流，人才经常流动、知识不断更新；科研院所像水库，储蓄了大量的人才、设备等科研资源。综合性大学汇集了众多的学科，大学天然易于学科交叉，大学培养的硕士、博士研究生几年一批，大学具有天然的人才流动优势。国内大学与科研院所结合的规模、层次等还不够。章新胜认为，大学与企业的结合尚有巨大潜能。企业的技术提升和革新需要大学支持，其人员需要到大学深造；大学可以利用企业的资源，达到自己"瘦身"、精简的效果，同时获得科研成果转化的更多机会和更多的经费支持。

每一所高校都拥有丰富的资源，这是高校冶炼核心竞争力的前提。但是一所高校的资源毕竟有限，如何使资源高效地转化为学术和人才"产品"，必须通过资源整合来实现。这种资源整合首先要求高校明确自身在整个高等教育系统中的位置，来确定办学规模、人才培养规格、学科布局、服务面向、管理模式等。因此资源整合必须紧紧地围绕高校发展的战略目标，不断进行观念、技术、管理与机制的创新，合理配置各种资源，以较小的代价实现资源的最佳利用，从而提升自身的整体实力和竞争能力，在高校竞争中占据优势地位。

高校的资源整合既包括对内部各要素的整合，也包括对外部资源的整合。在现代社会日益激烈的竞争中，高校之间不仅仅只有竞争，更重要的是合作。高校之间可以实现互补性的合作，有效地实现整个高校系统的资源共享，这样才能有利于发挥资源的最大效益。

这一指标涵盖的要素有：政府投资额度比重大小、产学研结合程度、社会资源利用程度、社会资源整合程度。

3. 创建良好的学术环境

德国柏林工业大学校长库特·赖纳·库茨勒教授在第二届中外大学校长论坛上指出科技创新和技术转让对现代社会和国家经济发展有重要作用。他认为，德国的国际竞争力和强大国力在很大程度上应归功于科技创新及其应用。科技知识及其带来的实际应用一直是也将继续成为经济结构变化的中心因素。科技发明必须转化为新应用技术、新产品和新的工艺过程，才能推进国家经济的繁荣。高校不仅是发现新科学知识的主要参与者，同时还是促进科技成果转化的重要力量。

库茨勒教授认为，科技转化涉及三个基本因素：一是纯理论研究，二是应用研究和原型开发，三是产品开发和生产制造。科技转化既应成为两种研究之间的纽带，也应成为它们与产品开发及生产制造之间的纽带。创新过程的第一个环节就是以好奇心为基础的纯理论研究。理论研究者进行研究的动力是他们对新知识的渴求而不是能否获得经济利益。但是，纯理论研究有助于推动创新。应用科学是创新过程中的第二个环节。应用研究要求纯理论研究能产生新知识、新的应用领域，并形成原始的、具体的有关新产品或新工艺的方案。创新过程的第三个环节是进行商业化研究和开发，生产符合市场需求的产品。在科技转化方面，大学要尽可能培养高水平的专家，把出色的科研和对学生及年轻科学家的培养结合起来。高校不但在科学知识和工作方法的传播方面起着重要作用，而且对如何解决问题、完成科技的产业化方面也有很大贡献。大学教育必须保证受教者从事科技转化所必需的能力得到完善和提高。[①]

这一指标涵盖的要素有：是否建立优秀人才培养工程；校园学术讲座氛围是否浓厚；名师、专家、学者发挥作用程度；国内外知名学者讲座率；重大科研项目承担和转化情况，是否能带动校园年轻梯队人员参与。

4. 提高办学效益

当前我国高等教育的发展需要政府的大力支持，但光靠政府的投入是远远不够的。要紧紧围绕经济建设的主战场，在教学与科研的结合方面、科技成果开发及其产业化、社会服务等方面取得突破和创新，以寻求更多的资源，以取得更快的发展。[②]

这一指标涵盖的要素有：学校的规划投入起点如何，结构是否合理；资金的投入对人才的生产、学术生产是否有较大的影响作用；投入对学校整体实力影响程度。

(二) 文化力——学习力提炼的熔化炉和催化剂

高校核心竞争力经历长期积淀而深深根植于个性鲜明的高校文化氛围之中。它是高校核心竞争力最深刻的内涵，是高校组织力的灵魂、创新力的源泉。

1. 校园精神

校园精神是在长期的办学实践中逐步形成的，是全体师生对自己学校共同的精神追求和价值准则的认同。校园精神主要表现在办学理念、校风、校训、校歌、规章制度等文化的方面，同时也表现在学校的建筑布局、文化景观等物质的方面，是学校办学特色最核心的内容，它对高校核心竞争力的形成可以起到精神导

---

① 参见教育部中外大学校长论坛领导小组编：《中外大学校长论坛文集》，中国人民大学出版社 2004 年版，第 193—206 页。

② 参见成长春：《基于灰色系统的高校办学效益预测》，《南京工程学院学报》2003 年第 4 期。

向、激励和熏陶作用。一般院校都会将此凝练成简洁的词语。

这一指标涵盖的要素有：是否有明确的办学理念、校风、校训、校歌、规章制度；在学校的建筑布局、文化景观等方面，是否体现学校办学特色。

2. 校园文化

耶鲁大学校长莱温教授认为教育重于教学，注重校园文化熏陶对于学生培养有不可替代的作用。耶鲁大学有一流的研究院，有美轮美奂的图书馆，但莱温教授认为，教育重在思想的形成和品格的养成，教育不仅发生在课堂。如果大学生疲于奔波在教室之间，校园文化环境将无法发挥教育作用。鉴于此，耶鲁大学从20世纪30年代开始模仿英国牛津大学和剑桥大学模式实行"住宿学院制"。每个"住宿学院"由来自不同院系和不同专业的400—450名学生组成，配有院长和若干住院教授。学生在其中居住、进餐、社交，从事多种多样的学术和课外活动，12个学院有自己的报纸、歌咏队、运动队、兴趣俱乐部。莱温教授坚信，耶鲁大学的住宿学院是教育的重要场所，高校的环境创造出的特有文化氛围对于培养人才具有不可替代的作用。①

高校校园文化建设是指通过校园内主体（教师和学生）的直接参与，在一定组织基础上运用现有的文化设施和文化政策，开展丰富多彩的校园文化活动，形成一定的文化环境，倡导一定的文化观念，营造特有的校园文化精神和校园风气。校园文化建设要与时俱进，强化合力，既体现时代精神，又体现鲜明的校园特色和风格，从而真正促进高校核心竞争力的提升。

从校园文化内部构成角度看，应积极建设校园政治文化、科技文化和艺术文化，形成合力。校园政治文化对主流政治文化正

---

① 参见教育部中外大学校长论坛领导小组编：《中外大学校长论坛文集》，中国人民大学出版社2004年版，第29—47页。

由感情上的认同向认知上的认同转变；校园艺术文化在继续保持多层次、多形式的同时，崇尚并吸纳在社会文化艺术中高雅的部分，逐步形成了独特的校园文化；校园科技文化以服务社会、提高自身适应能力为目的，注重与学生的专业学习、生产实践相结合，为学生的全面成长和成才服务。通过校园政治文化、科技文化和艺术文化三者的合力，对积极、健康、向上的校园文化建设，将起到较强的促进作用。从校园文化的内部层面看，应积极建设物质文化、理念文化、制度文化、操作文化，并形成合力。在物质层面，一方面积极运用必要的手段，有效地激起大学生的注意和兴趣，另一方面注重校园硬件条件的改善和提高，建设好校园广播电视系统和网络系统。在观念层面上，要进一步倡导积极、健康、向上的学风、教风、校风。在制度层面上，将优良的校园文化要求用制度和纪律加以规定，渗透到学生的招生就业、平时教育管理和服务工作之中。在操作层面，要开展好各类社团活动，培植大学生的创新精神和实践能力。在校园文化活动的展开过程中，应特别注意强化社会实践环节，让大学生参与到社会文化活动中，把握社会的发展和时代精神。[①]

高校校园文化是指围绕着高校教育教学活动所建立起来的一整套价值观念、行为方式、语言习惯、制度体系、知识符号、建筑风格等的集合体。先进的校园文化是高校的制高点，本身具有直接的和巨大的教育意义，既可以直接成为教育教学的要素，又可以作为隐性课程，对师生的身心发展起到潜移默化的作用。

通过对校园文化的培育与相关制度的创新，构建制度文化、学术文化、校园文化和校园环境文化，增强校园文化的渗透力，有效整合高校人力资源，充分激发其趋向于高校战略目标的积极

---

① 参见许桂清、张立新：《论高等学校核心竞争力的实现》，《教育评论》2003年第3期。

性、主动性和创造性，对高校核心竞争力的形成和提升具有重要意义。因此，培育先进的校园文化是打造核心竞争力的关键因素之一。

这一指标主要包括高校的价值观念、群体的行为方式、语言习惯、校风风格、人文情怀等因素。

3．校风

校风，是指由学校师生员工长期共同努力所形成的较为稳定的行为作风。一般院校都会将此凝练成简洁的词语。

这一指标涵盖的要素有：是否有明确的校风、校训；学生是否自觉遵守校纪校规，考风是否良好；师德是否良好；办学理念是否明确，是否有特色。

总之，该指标体系既有定性指标，又有定量指标；既有静态的指标，也有表示动态的指标；既有反映高校现实竞争力的指标，也有预测高校未来竞争力的指标。指标基本在平均认同程度之上。该指标体系可以帮助高校很好地识别"什么是高校核心竞争力"。不同的高校，不同的发展阶段，各高校可以结合实际情况在现有指标体系的基础上进行增减，以便作出更合理的识别评价。具体指标见表7—2。

表7-2 高校核心竞争力要素内涵和识别标准

一级指标（B$_i$）	二级指标（C$_i$）	三级指标内涵与标准（D$_i$）	
显性要素 B$_1$	学术生产能力（C$_1$）是高校的核心技术能力。	名师 D$_1$	主要指一个院校所具有的院士数（包括中科院、工程院和第三世界科学院院士）、知名的教授、副教授、博士生导师和国家级学科带头人、国家重点课题主持人、部委学部委员等。
		学科竞争力 D$_2$	学科作为大学中的竞争主体，在争取本学科发展的优势地位所具有的力量。包括学科研究方向，学科带头人与骨干、学科关键实验设备、学科运行机制。
		学问生产能力 D$_3$	在科学的理论、法则、概念、物质的发现与发明方面的数量和质量。成果转化率，创新能力。
	人才生产能力（C$_2$）是高校核心竞争力的外在表现形式。	生产规格 D$_4$	培养研究生、本科生、专科生的比例，本专科入学成绩排名以及留学生在研究生中的比例。
		生产质量 D$_5$	毕业生的市场占有率和市场评价水平。
		生产数量 D$_6$	在校生规模和毕业生数。
		就业率 D$_7$	就业人数占毕业生的百分比。

（续表）

一级指标（B_i）	二级指标（C_i）	三级指标内涵与标准（D_i）	
隐性要素 B_2	管理力（C_3）是高校核心竞争力的支撑系统；包括高校的管理哲学、管理理论、管理机制和政策措施，资源整合能力以及高校的办学效益和社会贡献率。	管理者 D_8	管理者整合校内资源能力。
		争取发展经费和空间 D_9	争取发展经费包括事业经费、科研经费和社会筹集资金及社会力量办学。
		创建良好学术环境 D_{10}	重大科研项目承担和转化情况，是否能带动校园年轻梯队人员参与。
		提高办学效益 D_{11}	学校的规划的投入起点如何，结构是否合理；资金的投入对人才的生产是否有较大的影响作用；投入对学校整体实力的影响程度。
	文化力（C_4）是高校核心竞争力的基础（土壤），包括校园精神、校园文化、校风，其中最关键的是学习力的形成度。形成科学赖以存在的文化与氛围。	校园精神 D_{12}	校园精神是校园文化的内核，是一所高校工作的灵魂和学校发展的根本动力。
		校园文化 D_{13}	校园文化是指围绕着高校教育教学活动所建立起来的一整套价值观念、行为方式、语言习惯、制度体系、知识符号、建筑风格等的集合体。
		校风 D_{14}	是指由学校师生员工长期共同努力所形成的较为稳定的行为作风。

第三节 高校核心竞争力构成要素权重确定

一、构成要素频重调查统计分析

高校核心竞争力构成要素的种类通过四次对不同侧面的调查和处理，并对所获得的原始数据进行整理，我们统计分析并初步论证出我国高校核心竞争力构成要素共有 14 种，具体如表6－29所示。其中学术生产能力包括 3 种，人才生产能力包括 4 种，管理力包括 4 种，文化力包括 3 种。

表7－3 2004 年全国 1001 所高校核心竞争力调查统计表

高校类型	高校核心竞争力（学习力）U													
	显性要素 B₁						隐性要素 B₂						
	学术生产能力 C₁			人才生产能力 C₂				管理力 C₃				文化力 C₄		
	名师 D₁	学科竞争力 D₂	学问生产能力 D₃	生产规格 D₄	生产质量 D₅	生产数量 D₆	就业率 D₇	管理者 D₈	争取发展经费和空间 D₉	创建良好学术环境 D₁₀	提高办学效益 D₁₁	校园精神 D₁₂	校园文化 D₁₃	校风 D₁₄
研究型（34 所）	34	34	23	32	20	34	34	11	33	11	17	24	25	23

（续表）

高校类型	高校核心竞争力（学习力）U													
	显性要素 B_1							隐性要素 B_2						
	学术生产能力 C_1			人才生产能力 C_2				管理力 C_3				文化力 C_4		
	名师 D_1	学科竞争力 D_2	学问生产能力 D_3	生产规格 D_4	生产质量 D_5	生产数量 D_6	就业率 D_7	管理者 D_8	争取发展经费和空间 D_9	创建良好学术环境 D_{10}	提高办学效益 D_{11}	校园精神 D_{12}	校园文化 D_{13}	校风 D_{14}
教学研究型（142所）	141	125	49	134	42	142	136	13	126	61	0	10	1	39
教学型（475所）	462	358	143	451	108	475	436	59	314	91	34	50	23	50
专科职校类（350所）	244	63	0	5	162	346	307	0	108	0	0	0	0	0
合计（1001所）	881	580	215	622	332	997	813	83	581	163	51	74	49	112
排序	2	6	8	4	7	1	3	11	5	9	13	12	14	10

表7－4　高校核心竞争力构成要素频重初步统计表

一级指标 B_i	一级指标频重	二级指标 C_i	二级指标频重	三级指标（基础指标）D_i	三级指标频重
显性要素 B_1	0.6301	学术生产能力 C_1	0.5165	名师 D_1	0.88
				学科竞争力 D_2	0.58
				学问生产能力 D_3	0.21
		人才生产能力 C_2	0.7153	生产规格 D_4	0.62
				生产质量 D_5	0.33
				生产数量 D_6	1.00
				就业率 D_7	0.91
隐性要素 B_2	0.1603	管理力 C_3	0.2193	管理者 D_8	0.08
				争取发展经费和空间 D_9	0.58
				创建良好学术环境 D_{10}	0.16
				提高办学效益 D_{11}	0.05
		文化力 C_4	0.0816	校园精神 D_{12}	0.08
				校园文化 D_{13}	0.05
				校风 D_{14}	0.11

表7－5　研究型高校核心竞争力要素频重初步统计表

一级指标 B_i	一级指标频重	二级指标 C_i	二级指标频重	三级指标（基础指标）D_i	三级指标频重
显性要素 B_1	0.8866	学术生产能力 C_1	0.8922	名师 D_1	1.00
				学科竞争力 D_2	1.00
				学问生产能力 D_3	0.68
		人才生产能力 C_2	0.8824	生产规格 D_4	0.94
				生产质量 D_5	0.85
				生产数量 D_6	0.44
				就业率 D_7	1.00

（续表）

一级指标 B_i	一级指标频重	二级指标 C_i	二级指标频重	三级指标（基础指标）D_i	三级指标频重
隐性要素 B_2	0.6050	管理力 C_3	0.5294	管理者 D_8	0.48
				争取发展经费和空间 D_9	0.97
				创建良好学术环境 D_{10}	0.32
				提高办学效益 D_{11}	0.50
		文化力 C_4	0.7059	校园精神 D_{12}	0.71
				校园文化 D_{13}	0.74
				校风 D_{14}	0.68

表7—6 教学研究型高校核心竞争力要素频重初步统计表

一级指标 B_i	一级指标频重	二级指标 C_i	二级指标频重	三级指标（基础指标）D_i	三级指标频重
显性要素 B_1	0.7726	学术生产能力 C_1	0.7371	名师 D_1	0.99
				学科竞争力 D_2	0.88
				学问生产能力 D_3	0.95
		人才生产能力 C_2	0.7993	生产规格 D_4	0.94
				生产质量 D_5	0.30
				生产数量 D_6	1.00
				就业率 D_7	0.96
隐性要素 B_2	0.2515	管理力 C_3	0.3521	管理者 D_8	0.09
				争取发展经费和空间 D_9	0.89
				创建良好学术环境 D_{10}	0.43
				提高办学效益 D_{11}	0.00
		文化力 C_4	0.1174	校园精神 D_{12}	0.07
				校园文化 D_{13}	0.01
				校风 D_{14}	0.27

表7—7　教学型高校核心竞争力要素频重初步统计表

一级指标 B_i	一级指标频重	二级指标 C_i	二级指标频重	三级指标（基础指标）D_i	三级指标频重
显性要素 B_1	0.7254	学术生产能力 C_1	0.6611	名师 D_1	0.97
				学科竞争力 D_2	0.75
				学问生产能力 D_3	0.30
		人才生产能力 C_2	0.7737	生产规格 D_4	0.95
				生产质量 D_5	0.23
				生产数量 D_6	1.00
				就业率 D_7	0.92
隐性要素 B_2	0.1868	管理力 C_3	0.2621	管理者 D_8	0.12
				争取发展经费和空间 D_9	0.66
				创建良好学术环境 D_{10}	0.19
				提高办学效益 D_{11}	0.07
		文化力 C_4	0.0863	校园精神 D_{12}	0.11
				校园文化 D_{13}	0.05
				校风 D_{14}	0.11

表7—8　专科、民办高校核心竞争力要素频重初步统计表

一级指标 B_i	一级指标频重	二级指标 C_i	二级指标频重	三级指标（基础指标）D_i	三级指标频重
显性要素 B_1	0.4180	学术生产能力 C_1	0.1943	名师 D_1	0.70
				学科竞争力 D_2	0.18
				学问生产能力 D_3	0.00
		人才生产能力 C_2	0.5857	生产规格 D_4	0.01
				生产质量 D_5	0.46
				生产数量 D_6	0.99
				就业率 D_7	0.88

（续表）

一级指标 B_i	一级指标频重	二级指标 C_i	二级指标频重	三级指标（基础指标）D_i	三级指标频重
隐性要素 B_2	0.0441	管理力 C_3	0.0771	管理者 D_8	0.00
				争取发展经费和空间 D_9	0.31
				创建良好学术环境 D_{10}	0.00
				提高办学效益 D_{11}	0.00
		文化力 C_4	0.0000	校园精神 D_{12}	0.00
				校园文化 D_{13}	0.00
				校风 D_{14}	0.00

二、权重计算分析

由调查获得的数据分析得到的高校核心竞争力指标频重，可以进一步推导出高校核心竞争力各级指标对应权重。推导公式为：

权重 D_i＝频重 $D_i \times (1 \div \sum D_i)$（其中 i＝1—3；4—7；8—11；12—14）

权重 C_i＝频重 $C_i \times (1 \div \sum C_i)$（其中 i＝1—2；3—4）

权重 B_i＝频重 $B_i \times (1 \div \sum B_i)$（其中 i＝1—2）

在上述公式的基础上计算分别得到四类高校指标权重，见表7—9到表7—13。

表7-9　高校核心竞争力构成要素权重表

一级指标 B_i	一级指标权重 W_i	二级指标 C_i	二级指标权重 V_i	三级指标（基础指标）D_i	三级指标权重 K_i
显性要素 B_1	0.79719	学术生产能力 C_1	0.41931	名师 D_1	0.52695
				学科竞争力 D_2	0.34730
				学问生产能力 D_3	0.12575
		人才生产能力 C_2	0.58069	生产规格 D_4	0.21678
				生产质量 D_5	0.11538
				生产数量 D_6	0.34966
				就业率 D_7	0.31818
隐性要素 B_2	0.20281	管理力 C_3	0.72881	管理者 D_8	0.09195
				争取发展经费和空间 D_9	0.66667
				创建良好学术环境 D_{10}	0.18391
				提高办学效益 D_{11}	0.05747
		文化力 C_4	0.27119	校园精神 D_{12}	0.33333
				校园文化 D_{13}	0.20833
				校风 D_{14}	0.45834

表7—10 研究型高校核心竞争力要素权重表

一级指标 B_i	一级指标权重 W_i	二级指标 C_i	二级指标权重 V_i	三级指标（基础指标）D_i	三级指标权重 K_i
显性要素 B_1	0.59440	学术生产能力 C_1	0.50276	名师 D_1	0.37313
				学科竞争力 D_2	0.37313
				学问生产能力 D_3	0.25374
		人才生产能力 C_2	0.49724	生产规格 D_4	0.29102
				生产质量 D_5	0.26316
				生产数量 D_6	0.13622
				就业率 D_7	0.30960
隐性要素 B_2	0.40560	管理力 C_3	0.42856	管理者 D_8	0.21145
				争取发展经费和空间 D_9	0.42732
				创建良好学术环境 D_{10}	0.14097
				提高办学效益 D_{11}	0.22026
		文化力 C_4	0.57144	校园精神 D_{12}	0.33333
				校园文化 D_{13}	0.34742
				校风 D_{14}	0.31925

表7—11 教学研究型高校核心竞争力要素权重表

一级指标 B_i	一级指标权重 W_i	二级指标 C_i	二级指标权重 V_i	三级指标（基础指标）D_i	三级指标权重 K_i
显性要素 B_1	0.75442	学术生产能力 C_1	0.47976	名师 D_1	0.35106
				学科竞争力 D_2	0.31206
				学问生产能力 D_3	0.33688
		人才生产能力 C_2	0.52024	生产规格 D_4	0.29375
				生产质量 D_5	0.09375
				生产数量 D_6	0.31250
				就业率 D_7	0.30000
隐性要素 B_2	0.24558	管理力 C_3	0.74995	管理者 D_8	0.06383
				争取发展经费和空间 D_9	0.63121
				创建良好学术环境 D_{10}	0.30496
				提高办学效益 D_{11}	0.00000
		文化力 C_4	0.25005	校园精神 D_{12}	0.20000
				校园文化 D_{13}	0.02857
				校风 D_{14}	0.77143

表7-12 教学型高校核心竞争力要素权重表

一级指标 B_i	一级指标权重 W_i	二级指标 C_i	二级指标权重 V_i	三级指标（基础指标）D_i	三级指标权重 K_i
显性要素 B_1	0.79522	学术生产能力 C_1	0.46076	名师 D_1	0.48020
				学科竞争力 D_2	0.37129
				学问生产能力 D_3	0.14851
		人才生产能力 C_2	0.53924	生产规格 D_4	0.30645
				生产质量 D_5	0.07419
				生产数量 D_6	0.32258
				就业率 D_7	0.29677
隐性要素 B_2	0.20478	管理力 C_3	0.75230	管理者 D_8	0.11538
				争取发展经费和空间 D_9	0.63462
				创建良好学术环境 D_{10}	0.18269
				提高办学效益 D_{11}	0.06731
		文化力 C_4	0.24770	校园精神 D_{12}	0.40741
				校园文化 D_{13}	0.18518
				校风 D_{14}	0.40741

表7－13 专科、民办高校核心竞争力要素权重表

一级指标 B_i	一级指标权重 W_i	二级指标 C_i	二级指标权重 V_i	三级指标（基础指标）D_i	三级指标权重 K_i
显性要素 B_1	0.90457	学术生产能力 C_1	0.24910	名师 D_1	0.79545
				学科竞争力 D_2	0.20455
				学问生产能力 D_3	0.00000
		人才生产能力 C_2	0.75090	生产规格 D_4	0.00427
				生产质量 D_5	0.19658
				生产数量 D_6	0.42308
				就业率 D_7	0.37607
隐性要素 B_2	0.09543	管理力 C_3	1.00000	管理者 D_8	0.00000
				争取发展经费和空间 D_9	1.00000
				创建良好学术环境 D_{10}	0.00000
				提高办学效益 D_{11}	0.00000
		文化力 C_4	0.00000	校园精神 D_{12}	0.00000
				校园文化 D_{13}	0.00000
				校风 D_{14}	0.00000

本章在统计分析的基础上，对高校核心竞争力构成要素的科学性和合理性进行理论推演，对每一个要素指标进行了系统分析，最终确定二级指标两个，即显性要素指标和隐性要素指标，

三级指标四个，即学术生产能力、人才生产能力、管理力和文化力。基础指标十四个。最后，确定了高校核心竞争力构成要素的评价细则，对每一要素应给的分值进行了说明。

第八章　高校核心竞争力分析
模型及实证分析

　　高校核心竞争力分析模型要体现科学性和可操作性，就必须要借助数学手段，进行量的分析。因此，本章在调查分析的基础上，运用函数知识，构建高校核心竞争力通用分析模型，并对高校核心竞争力进行优劣分析，通过实证研究，选择部分有代表性的高校，验证高校核心竞争力分析模型的合理性和科学性。

第一节　高校核心竞争力分析模型

　　根据国内外学者对核心竞争力构成要素的相关阐述和对调查统计的结果及全国高校的实际情况的分析，我们对高校核心竞争力的构成要素进行了重新的论定。高校核心竞争力可以表述为 $Uc = f_{(B_1, B_2)}$（U＝university C＝competence）。其中，B_1 显性要素包括学术生产力 C_1、人才生产能力 C_2。B_2 隐性要素由管理力 C_3、文化力 C_4 构成。学术生产能力 C_1 是高校的核心技术能力。它包括名师 D_1、学科竞争力 D_2、学问生产能力 D_3 三项指标。人才生产能力 C_2 是指高校核心竞争力的外在表现形式，包括生产规格 D_4、生产质量 D_5、生产数量 D_6 和就业率 D_7 四项指标。

高校核心竞争力的显性要素是知识资源向知识资本转化的外在表现形式，是高校中的实体人利用知识、整合资源形成能力，并将能力外化为高校核心竞争力的有效载体。其中名师要素指标主要指一个院校所具有在国内外的某一学科领域具有相当影响的教师在教师群中所占的比重。学科竞争力是指高校中的学科作为竞争主体，在争取本学科发展的优势地位所具有的力量。学问生产能力是指一所高校或一个高校系统在科学的理论、法则、概念、物质的发现与发明方面的数量与质量。人才生产规格主要是指培养研究生、本科生、专科生的比例，本专科入学成绩排名以及留学生在研究生中的比例。人才生产质量是指毕业生的市场占有率和市场评价水平。生产数量这一指标主要涵盖在校生规模。就业率这一指标主要指高校的毕业生中就业人数占毕业人数的百分比。管理能力 C_3 是学习力的推动力量。它包括管理者 D_8、争取发展经费和空间 D_9、创建良好的学术环境 D_{10} 和提高办学效益 D_{11}。文化力 C_4 是学习力提炼的熔化炉和催化剂。文化力主要包括校园精神 D_{12}、校园文化 D_{13}、校风 D_{14}。其中，高校的管理力主要表现在高校建立现代管理制度的能力、资源的最优化配置能力和办学效益最大化等能力建设上。争取发展经费和空间既包括对内部各要素的整合，也包括对外部资源的整合。创建良好的学术环境主要指是否建立优秀人才培养工程；校园学术讲座氛围是否浓厚；名师、专家、学者发挥作用程度；国内外知名学者讲座率；重大科研项目承担情况，是否能带动校园年轻梯队人员参与。提高办学效益主要指学校的规划，投入起点如何，结构是否合理；资金的投入对人才的生产是否有较大的影响作用；投入对学校整体提升影响力如何。校园精神主要表现在办学理念、校风、校训、校歌、规章制度等文化的方面，同时也表现在学校的建筑布局、文化景观等物质的方面，是学校办学特色最核心的内容，它对高校核心竞争力的形成可以起到精神导向、激励和熏陶作用。

校园文化是指围绕着高校教育教学活动所建立起来的一整套价值观念、行为方式、语言习惯、制度体系、知识符号、建筑风格等的集合体。校风,是指由学校师生员工长期共同努力所形成的较为稳定的行为作风。一般院校都会将此凝练成简洁的词语。

一、高校核心竞争力通用模型

由上述对调查统计所得数据初步分析,我们由此可推导出高校核心竞争力的通用公式:

$$U_c = f_{(B1,B2)} = (B_1, B_2) (W_1, W_2)^T = ((C_1, C_2) (V_1, V_2)^T, (C_3, C_4) (V_3, V_4)^T) (W_1, W_2)^T$$

$$= ((\sum_{i=1}^{3} D_i \cdot K_i, \sum_{i=4}^{7} D_i \cdot K_i) (V_1, V_2)^T, (\sum_{i=8}^{11} D_i \cdot K_i, \sum_{i=12}^{14} D_i \cdot K_i) (V_3, V_4)^T) (W_1, W_2)^T$$

其中,$B_1 = (C_1, C_2) (V_1, V_2)^T$;$B_2 = (C_3, C_4) (V_3, V_4)^T$;

$$C_1 = \sum_{i=1}^{3} D_i \cdot K_i; \qquad C_2 = \sum_{i=4}^{7} D_i \cdot K_i$$

$$C_3 = \sum_{i=8}^{11} D_i \cdot K_i; \qquad C_4 = \sum_{i=12}^{14} D_i \cdot K_i$$

注:$U_c = f_{(B_1, B_2)}$（U = university C = competence）。其中,B_1 是显性要素,包括 C_1 是学术生产能力、C_2 是人才生产能力。B_2 是隐性要素,C_3 是管理力、C_4 是文化力。D_1 是名师、D_2 是学科竞争力、D_3 是学问生产能力。D_4 是生产规格、D_5 是生产质量、D_6 是生产数量、D_7 是就业率。D_8 是管理者、D_9 是争取发展经费和空间、D_{10} 是创建良好的学术环境、D_{11} 是提高办学效益、D_{12} 是校园精神、D_{13} 是校园文化、D_{14} 是校风。W_i 是一级指标权重,V_i 是二级指标权重,K_i 是三级指标权重。T 是转置符号。

则全国 1001 所高校核心竞争力计算公式为:

$$U_c = f_{(B1, B2)} = (B_1, B_2) (W_1, W_2)^T = ((C_1, C_2) (V_1,$$
$$V_2)^T, (C_3, C_4) (V_3, V_4)^T) (W_1, W_2)^T$$

$$= ((\sum_{i=1}^{3} D_i \cdot K_i, \sum_{i=4}^{7} D_i \cdot K_i) (V_1, V_2)^T, (\sum_{i=8}^{11} D_i \cdot K_i,$$
$$\sum_{i=12}^{14} D_i \cdot K_i) (V_3, V_4)^T) (W_1, W_2)^T$$

$$=(((D_1, D_2, D_3) (0.52695, 0.34730, 0.12575)^T, (D_4, D_5,$$
$D_6, D_7) (0.21678, 0.11538, 0.34966, 0.31818)^T) (0.41931,$
$0.58069)^T, ((D_8, D_9, D_{10}, D_{11}) (0.09195, 0.6667, 0.18391,$
$0.05747)^T, (D_{12}, D_{13}, D_{14}) (0.33333, 0.20833, 0.45834)^T)$
$(0.72881, 0.27119)^T)(0.79719, 0.20281)^T$

二、研究型高校核心竞争力分析模型

全国每一所研究型高校核心竞争力计算公式：

$$U_c = f_{(B1, B2)} = (B_1, B_2) (W_1, W_2)^T = ((C_1, C_2) (V_1,$$
$$V_2)^T, (C_3, C_4) (V_3, V_4)^T) (W_1, W_2)^T$$

$$= ((\sum_{i=1}^{3} D_i \cdot K_i, \sum_{i=4}^{7} D_i \cdot K_i) (V_1, V_2)^T, (\sum_{i=8}^{11} D_i \cdot K_i,$$
$$\sum_{i=12}^{14} D_i \cdot K_i) (V_3, V_4)^T) (W_1, W_2)^T$$

$$=(((D_1, D_2, D_3) (0.37313, 0.37313, 0.25374)^T, (D_4, D_5,$$
$D_6, D_7) (0.29102, 0.26316, 0.13622, 0.30960)^T) (0.50276,$
$0.49724)^T, ((D_8, D_9, D_{10}, D_{11}) (0.21145, 0.42732, 014097,$
$0.22026)^T, (D_{12}, D_{13}, D_{14}) (0.33333, 0.34742, 0.31925)^T)$
$(0.42856, 0.57144)^T)(0.59440, 0.40560)^T$

三、教学研究型高校核心竞争力分析模型

教学研究型高校核心竞争力计算公式：

$$U_c = f_{(B1, B2)} = (B_1, B_2) (W_1, W_2)^T = ((C_1, C_2) (V_1,$$

$V_2)^T$，$(C_3，C_4)$ $(V_3，V_4)^T$ $(W_1，W_2)^T$

$$= ((\sum_{i=1}^{3} D_i \cdot K_i, \sum_{i=4}^{7} D_i \cdot K_i) (V_1, V_2)^T, (\sum_{i=8}^{11} D_i \cdot K_i,$$

$$\sum_{i=12}^{14} D_i \cdot K_i) (V_3, V_4)^T) (W_1, W_2)^T$$

$=(((D_1，D_2，D_3)(0.35106，0.31206，0.33688)^T，(D_4，D_5，$
$D_6，D_7)(0.29375，0.09375，0.21250，0.30000)^T)(0.47976，$
$0.52024)^T，((D_8，D_9，D_{10}，D_{11})(0.06383，0.63121，0.30496，0)^T，$
$(D_{12}，D_{13}，D_{14})(0.20000，0.02857，0.77143)^T)(0.74995，$
$0.25005)^T)(0.75442，0.24558)^T$

四、教学型高校核心竞争力分析模型

教学型高校核心竞争力计算公式：

$U_c = f_{(B1,B2)} = (B_1，B_2)(W_1，W_2)^T = ((C_1，C_2)(V_1，$
$V_2)^T，(C_3，C_4)(V_3，V_4)^T)(W_1，W_2)^T$

$$= ((\sum_{i=1}^{3} D_i \cdot K_i, \sum_{i=4}^{7} D_i \cdot K_i) (V_1, V_2)^T, (\sum_{i=8}^{11} D_i \cdot K_i,$$

$$\sum_{i=12}^{14} D_i \cdot K_i) (V_3, V_4)^T) (W_1, W_2)^T$$

$=(((D_1，D_2，D_3)(0.48020，0.37129，0.14851)^T，(D_4，D_5，$
$D_6，D_7)(0.30645，0.07419，0.32258，0.29677)^T)(0.6076，$
$0.53924)^T，((D_8，D_9，D_{10}，D_{11})(0.11538，0.63462，0.18269，$
$0.06731)^T，(D_{12}，D_{13}，D_{14})(0.40741，0.18548，0.40741)^T)$
$(0.75230，0.24770)^T)(0.79522，0.20478)^T$

五、专科、民办高校核心竞争力分析模型

专科、民办高校核心竞争力计算公式：

$U_c = f_{(B1,B2)} = (B_1，B_2)(W_1，W_2)^T = ((C_1，C_2)(V_1，$
$V_2)^T，(C_3，C_4)(V_3，V_4)^T)(W_1，W_2)^T$

$$= ((\sum_{i=1}^{3} D_i \cdot K_i, \sum_{i=4}^{7} D_i \cdot K_i) \ (V_1, V_2)^T, \ (\sum_{i=8}^{11} D_i \cdot K_i,$$

$$\sum_{i=12}^{14} D_i \cdot K_i) \ (V_3, V_4)^T) \ (W_1, W_2)^T$$

$$= (((D_1, D_2, D_3)(0.79545, 0.20455, 0.0000)^T, (D_4, D_5, D_6,$$
$$D_7) \ (0.00427, 0.19658, 0.42308, 0.37607)^T) \ (0.24910,$$
$$0.75090)^T, ((D_8, D_9, D_{10}, D_{11}) \ (0.00000, 1.00000, 0.00000,$$
$$0.00000)^T, (D_{12}, D_{13}, D_{14}) \ (0.00000, 0.00000, 0.00000)^T)$$
$$(1.00000, 0.00000)^T)(0.90457, 0.09543)^T$$

第二节 高校核心竞争力分析模型验证研究一

运用高校核心竞争力通用模型及分类模型，代入采集到的统计数据。分析模型计算结果以教学研究型、教学型高校的相对竞争优势作为分析对象进行实证分析。

一、研究型高校核心竞争力分析模型计算结果

由归一化公式 $D'_{11} = \dfrac{D_{11} - \min\limits_{j=1}^{10} \{D_{j1}\}}{\max\limits_{j=1}^{10}\{D_{j1}\} - \min\limits_{j=1}^{10}\{D_{j1}\}}$ ，对表 8—1 中

清华大学的第一个指标"名师"要素进行归一化处理，同理运用归一化方法对表中的其他各项要素分值进行归一化处理，得到如表 8—2 所示的要素指标值：

表 8—1　全国 10 所研究型高校核心竞争力要素分值表

省份	高校校名	类型	高校核心竞争力														
			显性要素							隐性要素							
			学术生产能力			人才生产能力				管理力				文化力			
			名师	学科竞争力	学同生产能力	生产规格	生产质量	生产数量	就业率	管理者	争取和空同发展经费	创建良好环境	提高办学效益	校园精神	校园文化	校风	
北京市	清华大学	研究型	170000	99900	190057	7	10	27000	1	10	27010	10	10	10	10	10	
北京市	北京大学	研究型	160100	86552	151240	7	10	29617	1	10	19000	9	10	10	10	10	
江苏省	南京大学	研究型	103880	54600	153420	7	9	21854	1	9	14500	9	9	10	10	10	
浙江省	浙江大学	研究型	130000	62500	205810	7	9	25071	0.99	9	15500	9	9	9	9	9	
上海市	复旦大学	研究型	123000	83790	197820	7	9	24882	0.99	9	12100	9	9	9	9	9	
河北省	武汉大学	研究型	147140	73830	159300	6	9	28700	0.99	9	11450	9	9	9	9	9	
陕西省	西安交通大学	研究型	135540	77890	143780	6	9	32766	0.99	9	10453	9	9	9	9	8	
吉林省	吉林大学	研究型	114130	80290	114300	7	8	33398	0.97	9	14400	8	8	9	8	9	
安徽省	中国科学技术大学	研究型	109800	66450	101320	6	8	13806	0.97	8	9985	8	8	9	8	8	
广东省	中山大学	研究型	151300	65870	98562	6	9	33000	0.99	9	10004	8	8	9	9	9	

表 8—2　全国 10 所研究型高校核心竞争力要素分值表

省份	高校校名	类型	高校核心竞争力													
			显性要素							隐性要素						
			学术生产能力			人才生产能力				管理力				文化力		
			名师	学科竞争力	学同生产能力	生产规格	生产质量	生产数量	就业率	管理者	争取和空同发展经费	创建良好学术环境	提高办学效益	校园精神	校园文化	校风
北京市	清华大学	研究型	1	1	0.8531	1	1	0.6874	1	1	1	1	1	1	1	1
北京市	北京大学	研究型	0.8503	0.7053	0.4912	1	1	0.8237	1	1	0.5295	0.5	1	1	1	1
江苏省	南京大学	研究型	0	0	0.5115	1	0.5	0.4193	1	0.5	0.2652	0.5	0.5	1	1	1
浙江省	浙江大学	研究型	0.3950	0.1744	1	1	0.5	0.5869	0.6667	0.5	0.3239	0.5	0.5	0.5	0.5	0.5
上海市	复旦大学	研究型	0.2892	0.6444	0.9255	1	0.5	0.5771	0.6667	0.5	0.1242	0.5	0.5	0.5	0.5	0.5
湖北省	武汉大学	研究型	0.6543	0.4245	0.5663	0	0.5	0.7760	0.6667	0.5	0.0860	0.5	0.5	0.5	0.5	0.5
陕西省	西安交通大学	研究型	0.4940	0.5141	0.4216	0	0.5	0.9878	0.6667	0.5	0.0275	0.5	0.5	0	0.5	0
吉林省	吉林大学	研究型	0.1550	0.5671	0.1467	1	0	0.4997	0	0.5	0.2593	0	0.5	0	0.5	0
安徽省	中国科学技术大学	研究型	0.0895	0.2616	0.0257	0	0	0	0	0	0	0	0	0	0	0
广东省	中山大学	研究型	0.7172	0.2488	0	0	0.5	0	0.6667	0.5	0.0011	0	0	0	0.5	0.5

表8-3　全国10所研究型高校核心竞争力显性要素计算结果

高校　　　指标	清华大学	北京大学	南京大学	浙江大学	复旦大学	武汉大学	西安交通大学	吉林大学	中国科学技术大学	中山大学
学术生产能力	0.9627	0.7051	0.1298	0.4062	0.5832	0.5462	0.4831	0.3067	0.1375	0.3604
人才生产能力	0.9574	0.9760	0.7893	0.7089	0.7076	0.4437	0.4725	0.3591	0.0000	0.4742
显性结果	0.9601	0.8398	0.4577	0.5869	0.6450	0.4952	0.4779	0.3270	0.0691	0.4170

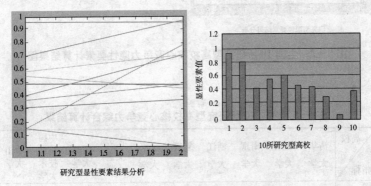

研究型显性要素结果分析

图8-1　全国10所研究型高校核心竞争力显性要素计算结果图

表8-4　全国10所研究型高校核心竞争力隐性要素计算结果

高校　　　指标	清华大学	北京大学	南京大学	浙江大学	复旦大学	武汉大学	西安交通大学	吉林大学	中国科学技术大学	中山大学
管理能力	1.0000	0.7285	0.3997	0.4248	0.3394	0.3231	0.2981	0.2165	0.0000	0.1062
文化力	1.0000	1.0000	1.0000	0.3333	0.3333	0.3333	0.1737	0.1596	0.0000	0.3333
隐性结果	1	0.8836	0.7427	0.3725	0.3359	0.3290	0.2270	0.1840	0	0.2360

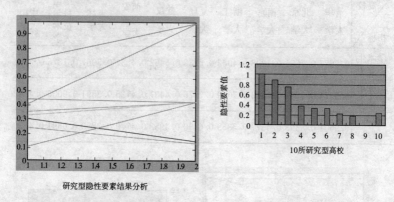

研究型隐性要素结果分析

图8－2　全国10所研究型高校核心竞争力隐性要素计算结果图

表8－5　全国10所研究型高校核心竞争力综合计算结果

指标 \ 高校	清华大学	北京大学	南京大学	浙江大学	复旦大学	武汉大学	西安交通大学	吉林大学	中国科学技术大学	中山大学
显性结果	0.9601	0.8398	0.4577	0.5869	0.6450	0.4952	0.4779	0.3270	0.0691	0.4170
隐性结果	1	0.8836	0.7427	0.3725	0.3359	0.3290	0.2270	0.1840	0	0.2360
综合评价结果	0.9763	0.8576	0.5733	0.5000	0.5197	0.4278	0.3761	0.2724	0.0411	0.3436
排序	1	2	3	5	4	6	7	9	10	8

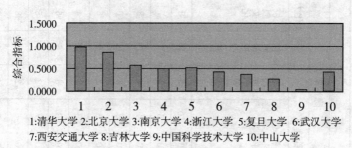

1:清华大学 2:北京大学 3:南京大学 4:浙江大学 5:复旦大学 6:武汉大学
7:西安交通大学 8:吉林大学 9:中国科学技术大学 10:中山大学

图8—3　全国10所研究型高校核心竞争力计算结果排序图

二、教学研究型高校核心竞争力分析模型计算结果

由归一化公式 $D_{11} = \dfrac{D_{11} - \min\limits_{j=1}^{10}\{D_{j1}\}}{\max\limits_{j=1}^{10}\{D_{j1}\} - \min\limits_{j=1}^{10}\{D_{j1}\}}$，对表8—6中苏

州大学的第一个指标"名师"要素进行归一化处理，同理运用归一化方法对上表中的其他各项要素分值进行归一化处理，得到如表8—7所示的要素指标值：

表 8—6　江苏省 10 所教学研究型高校核心竞争力要素分值表

高校校名	高校核心竞争力													
	显性要素							隐性要素						
	学术生产能力			人才生产能力				管理力				文化力		
	名师	学科竞争力	学同生产能力	生产规格	生产质量	生产数量	就业率	管理者	争取和发展经费	创建良好空间环境学术	提高办学效益	校园精神	校园文化	校风
苏州大学	2100	420	726	5	5	53000	0.948	10	500	10	5	10	8	8
江南大学	1588	285	350	6	2	18000	0.87	7	520	5	5	6	7	5
扬州大学	900	230	100	5	3	28000	0.90	5	400	4	4	10	8	7
南京航空航天大学	8578	335	1200	5	2	22725	0.95	9	450	8	8	10	6	8
南京理工大学	4003	589	1700	5	3	29626	0.95	8	200	6	2	6	5	5
中国矿业大学	5700	479	1691	4	3	31000	0.92	9	300	3	3	5	4	4
河海大学	2780	477	1012	6	3	30000	0.9	7	600	6	6	6	6	6
中国药科大学	2244	292	301	4	2	18000	0.993	6	250	7	2	5	5	8
南京师范大学	2797	687	550	5	2	21010	0.971	8	200	6	2	7	8	8
徐州师范大学	1429	80	346	4	1.5	15995	0.93	4	150	2	4	4	3	3

表 8—7　江苏省 10 所教学研究型高校核心竞争力要素分值表

高校校名	学术生产能力			人才生产能力				管理力				文化力		
	名师	学科竞争力	学同生产能力	生产规格	生产质量	生产数量	就业率	管理者	争取和空间发展经费	创建良好学术环境	提高办学效益	校园精神	校园文化	校风
苏州大学	0.1563	0.5601	0.3912	0.5	1	1	0.6341	1	0.7778	1	0.5	1	1	1
江南大学	0.0896	0.3377	0.1563	1	0.1429	0.0542	0	0.5	0.8222	0.375	0.5	0.3333	0.8	0.4
扬州大学	0	0.2471	0	0.5	0.4286	0.3244	0.3252	0.1667	0.5556	0.25	0.3333	1	1	0.8
南京航空航天大学	1	0.4201	0.6875	0.5	0.1429	0.1819	0.6504	0.8333	0.6667	0.75	1	1	0.6	1
南京理工大学	0.4041	0.8386	1	0.5	0.4286	0.3684	0.6504	0.6667	0.1111	0.5	0	0.3333	0.4	1
中国矿业大学	0.6252	0.6573	0.9944	0	0.4286	0.4055	0.4065	0.8333	0.3333	0.125	0.1667	0.1667	0.2	0.2
河海大学	0.2449	0.6540	0.57	1	0.4286	0.3785	0.2439	0.5	1	0.5	0.6667	0.3333	0.6	0.6
中国药科大学	0.1750	0.3493	0.1256	0	0.1429	0.0542	1	0.3333	0.2222	0.625	0	0.1667	0.4	1
南京师范大学	0.2471	1	0.2813	0.5	0.1429	0.1355	0.8211	0.6667	0.1111	0.5	0	0.5	1	1
徐州师范大学	0.0689	0	0.1538	0	0	0	0.4878	0	0	0	0.3333	0	0	0

表8—8 江苏省10所教学研究型高校核心竞争力显性要素计算结果

高校 指标	苏州 大学	江南 大学	扬州 大学	南京 航空 航天 大学	南京 理工 大学	中国 矿业 大学	河海 大学	中国 药科 大学	南京 师范 大学	徐州 师范 大学
学术生 产能力	0.3614	0.1895	0.0771	0.7138	0.7404	0.7596	0.4821	0.2128	0.4935	0.0760
人才生 产能力	0.7434	0.3241	0.3860	0.4122	0.4973	0.2888	0.5254	0.3303	0.4490	0.1463
显性 结果	0.5601	0.2595	0.2378	0.5569	0.6139	0.5147	0.5046	0.2739	0.4703	0.1126

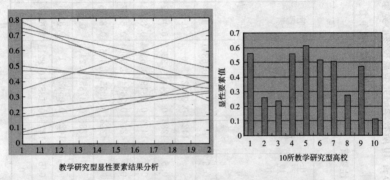

教学研究型显性要素结果分析

图8—4 江苏省10所教学研究型高校核心竞争力显性要素计算结果图

表8—9 江苏省10所教学研究型高校核心竞争力隐性要素计算结果

高校 指标	苏州 大学	江南 大学	扬州 大学	南京 航空 航天 大学	南京 理工 大学	中国 矿业 大学	河海 大学	中国 药科 大学	南京 师范 大学	徐州 师范 大学
管理 能力	0.8598	0.6653	0.5138	0.7028	0.2652	0.3018	0.8156	0.3522	0.2652	0.0000
文化 力	1.0000	0.3981	0.8457	0.9886	0.3867	0.1933	0.5467	0.8162	0.900	0.0000
隐性 结果	0.8948	0.5985	0.5968	0.7742	0.2956	0.2746	0.7484	0.4682	0.4239	0.0000

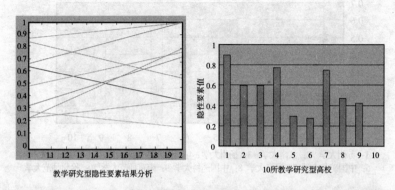

教学研究型隐性要素结果分析

图 8－5　江苏省 10 所教学研究型高校核心竞争力隐性要素计算结果图

表 8－10　江苏省 10 所教学研究型高校核心竞争力综合计算结果

高校 指标	苏州 大学	江南 大学	扬州 大学	南京 航空 航天 大学	南京 理工 大学	中国 矿业 大学	河海 大学	中国 药科 大学	南京 师范 大学	徐州 师范 大学
显性 结果	0.5601	0.2595	0.2378	0.5569	0.6139	0.5147	0.5046	0.2739	0.4703	0.1126
隐性 结果	0.8948	0.5985	0.5968	0.7742	0.2956	0.2746	0.7484	0.4682	0.4239	0.0000
综合 评价 结果	0.6423	0.3428	0.3260	0.6103	0.5358	0.4557	0.5645	0.3216	0.4590	0.0849
排　序	1	7	8	2	4	6	3	9	5	10

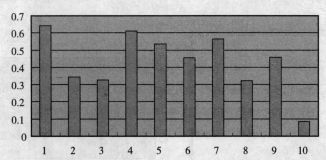

1：苏州大学 2：江南大学 3：扬州大学 4：南京航空航天大学 5：南京理工大学
6：中国矿业大学 7：河海大学 8：中国药科大学 9：南京师范大学 10：徐州师范大学

图 8—6 江苏省 10 所教学研究型高校核心竞争力计算结果排序图

三、教学型高校核心竞争力分析模型计算结果

由归一化公式 $D'_{11} = \dfrac{D_{11} - \min\limits_{j=1}^{10}\{D_{j1}\}}{\max\limits_{j=1}^{10}\{D_{j1}\} - \min\limits_{j=1}^{10}\{D_{j1}\}}$，对表 8—11 中

盐城工学院的第一个指标"名师"要素进行归一化处理，同理运用归一化方法对表中的其他各项要素分值进行归一化处理，得到如表 8—12 所示的要素指标值：

表 8—11 江苏省 10 所教学型高校核心竞争力要素分值表

省份	高校校名	类型	高校核心竞争力														
			显性要素							隐性要素							
			学术生产能力			人才生产能力				管理力					文化力		
			名师	学科竞争力	学同生产能力	生产规格	生产质量	生产数量	就业率	管理者	争取和空同发展经费	创建良好学术环境	提高办学效益	校园精神	校园文化	校风
江苏省	盐城工学院	教学	270	42	7310	3	3	11500	0.85	3	600	4	6	4	2	4
江苏省	苏州科技学院	教学	401	450	8395	4	5	24719	0.9	5	1000	5	8	5	3	5
江苏省	常州工学院	教学	206	56	100	3	2	16284	0.85	3	300	3	3	3	2	3
江苏省	南京工程学院	教学	280	95	4000	3	4	18964	0.93	1	300	2	3	2	2	2
江苏省	徐州医学院	教学	381	41	4000	5	6	9567	0.94	6	700	6	7	6	4	6
江苏省	淮阴师范学院	教学	232	40	7000	2	5	18310	0.99	6	500	5	5	5	5	5
江苏省	盐城师范学院	教学	282	53	12150	5	6	18091	0.9751	5	400	5	4	4	3	5
江苏省	淮海工学院	教学	232	36	16870	3	5	15000	0.9435	6	1200	9	9	7	2	8
江苏省	南京晓庄学院	教学	135	49	500	3	3	9473	0.93	8	300	3	3	3	3	3
江苏省	江苏技术师范学院	教学	150	36	563	2	4	8510	0.9	3	300	4	3	4	2	4

表 8—12 江苏省 10 所教学型高校核心竞争力要素分值表

高校校名	高校核心竞争力													
	显性要素							隐性要素						
	学术生产能力			人才生产能力				管理力				文化力		
	名师	学科竞争力	学问生产能力	生产规格	生产质量	生产数量	就业率	管理者	争取和空间发展经费	创建良好学术环境	提高办学效益	校园精神	校园文化	校风
盐城工学院	0.5075	0.0145	0.4299	0.3333	0.25	0.1845	0	0.2857	0.3333	0.2857	0.5	0.4	0	0.3333
苏州科技学院	1	1	0.4946	0.6667	0.75	1	0.3571	0.5714	0.7778	0.4286	0.8333	0.6	0.3333	0.5
常州工学院	0.2629	0.0483	0	0.3333	0	0.4796		0.2857	0	0.1429	0	0.2	0	0.1667
南京工程学院	0.5451	0.1425	0.2326	0.3333	0.5	0.6450	0.5714	0	0	0	0	0	0	0
徐州医学院	0.9248	0.0121	0.2326	1	1	0.0652	0.6429	0.7143	0.4444	0.5714	0.6667	0.8	0.6667	0.6667
淮阴师范学院	0.3647	0.0097	0.4114	0	0.75	0.6046	1	0.5714	0.2222	0.4286	0.3333	0.6	1	0.5
盐城师范学院	0.5526	0.0411	0.7185	1	1	0.5911	0.8936	0.7143	0.1111	0.4286	0.1667	0.4	0.3333	0.5
淮海工学院	0.3647	0	1	0.3333	0.75	0.4004	0.6679	1	1	1	0	1	1	1
南京晓庄学院	0	0.0314	0.0239	0.3333	0.25	0.0594	0.5714	0.2857		0.1429	0	0.2	0.3333	0.1667
江苏技术师范学院	0.0564	0	0.0276	0	0.5	0	0.3571	0.2857		0.2857	0	0.4	0	0.3333

表 8－13　江苏省 10 所教学型高校核心竞争力显性要素计算结果

高校 指标	盐城 工学 院	苏州 科技 学院	常州 工学 院	南京 工程 学院	徐州 医学 院	淮阴 师范 学院	盐城 师范 学院	淮海 工学 院	南京 晓庄 学院	江苏 技术 师范 学院
学术生 产能力	0.3129	0.9249	0.1461	0.3492	0.4831	0.2398	0.3873	0.3236	0.0152	0.0312
人才生 产能力	0.1802	0.6885	0.2569	0.5169	0.5925	0.5474	0.8365	0.4852	0.3094	0.1431
显性 结果	0.2414	0.7975	0.2058	0.4396	0.5421	0.4057	0.6295	0.4107	0.1739	0.0915

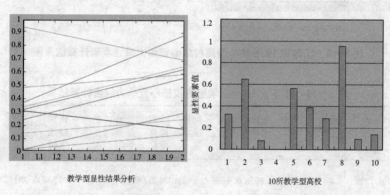

教学型显性结果分析　　　　　　　　10所教学型高校

图 8－7　江苏省 10 所教学型高校核心竞争力显性要素计算结果图

表 8－14　江苏省 10 所教学型高校核心竞争力隐性计算结果

高校 指标	盐城 工学 院	苏州 科技 学院	常州 工学 院	南京 工程 学院	徐州 医学 院	淮阴 师范 学院	盐城 师范 学院	淮海 工学 院	南京 晓庄 学院	江苏 技术 师范 学院
管理 能力	0.3304	0.6939	0.0591	0.0000	0.5137	0.3077	0.2424	1.0000	0.0591	0.0852
文化 力	0.2988	0.5099	0.1494	0.0000	0.7210	0.6333	0.4284	0.8148	0.2111	0.2988
隐性 结果	0.3225	0.6483	0.0814	0.0000	0.5651	0.3884	0.2885	0.9541	0.0967	0.1381

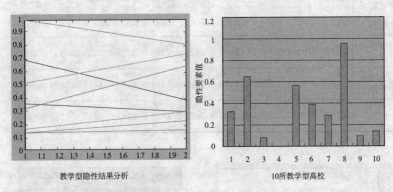

教学型隐性结果分析　　　　　　　　10所教学型高校

图8－8　江苏省10所教学型高校核心竞争力隐性要素计算结果图

表8－15　江苏省10所教学型高校核心竞争力综合计算结果

指标＼高校	盐城工学院	苏州科技学院	常州工学院	南京工程学院	徐州医学院	淮阴师范学院	盐城师范学院	淮海工学院	南京晓庄学院	江苏技术师范学院
显性结果	0.2414	0.7975	0.2058	0.4396	0.5421	0.4057	0.6295	0.4107	0.1739	0.0915
隐性结果	0.3225	0.6483	0.0814	0.0000	0.5651	0.3884	0.2885	0.9541	0.0967	0.1381
综合评价结果	0.2580	0.7669	0.1804	0.3496	0.5468	0.4021	0.5597	0.5220	0.1581	0.1011
排　序	7	1	8	6	3	5	2	4	9	10

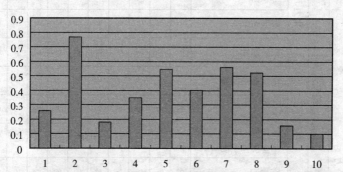

1：盐城工学院 2：苏州科技学院 3：常州工学院 4：南京工程学院 5：徐州医学院
6：淮阴师范学院 7：盐城师范学院 8：淮海工学院 9：南京晓庄学院
10：江苏技术师范学院

图8—9 江苏省10所教学型高校核心竞争力计算结果排序图

四、专科、民办高校核心竞争力分析模型计算结果

由归一化公式 $D_{11} = \dfrac{D_{11} - \min\limits_{j=1}^{10}\{D_{j1}\}}{\max\limits_{j=1}^{10}\{D_{j1}\} - \min\limits_{j=1}^{10}\{D_{j1}\}}$，对表8—16中

三江学院的第一个指标"名师"要素进行归一化处理，同理运用归一化方法对表中的其他各项要素分值进行归一化处理，得到如表8—17所示的要素指标值：

表 8—16　全国 10 所专科、民办高校核心竞争力要素分值表

省份	高校校名	类型	高校核心竞争力													
			显性要素							隐性要素						
			学术生产能力			人才生产能力				管理力				文化力		
			名师	学科竞争力	学问生产能力	生产规格	生产质量	生产数量	就业率	管理者	争取和发展经费	创建良好学术环境	提高办学效益	校园精神	校园文化	校风
江苏省	三江学院	第四类	2400	218	1030	3	6	8000	0.944	8	100	7	6	5	5	6
江苏省	扬州职大	第四类	5000	200	1156	3	5	3800	0.98	7	95	6	7	6	6	6
安徽省	滁州学院	第四类	12000	400	1400	3	7	6000	0.94	7	105	6	6	7	6	6
安徽省	池州师专	第四类	10000	790	3000	3	6	6000	0.93	7	120	7	6	7	5	6
内蒙古	包头职大	第四类	1580	218	1780	3	5	5000	0.92	6	88	6	5	6	6	6
山东省	枣庄师专	第四类	12500	340	5960	3	7	9700	0.96	6	155	7	7	6	6	7
浙江省	金华职院	第四类	30700	670	4700	2	7	12000	0.936	5	197	8	8	7	6	7
湖北省	荆州职院	第四类	16000	750	5200	3	7	15000	0.70	4	154	7	6	6	5	5
广东省	深圳职院	第四类	30000	12320	5060	3	8	15528	0.95	6	163	7	6	6	4	5
贵州省	铜仁师专	第四类	7950	540	10510	4	6	5038	0.86	5	112	6	5	5	6	6

表8—17 全国10所专科、民办高校核心竞争力要素分值表

省份	高校校名	类型	高校核心竞争力													
			显性要素							隐性要素						
			学术生产能力			人才生产能力				管理力				文化力		
			名师	学科竞争力	学同生产能力	生产规格	生产质量	生产数量	就业率	管理者	争取发展经费	创建良好环境空间学术	提高办学效益	校园精神	校园文化	校风
江苏省	三江学院	第四类	0.9760	1	0.4251	0.5	1	1	0.8929	0.5	0.6881	0.5	0.3333	0.5	0	0
江苏省	扬州职大	第四类	1	0.0388	0.3871	0	0.6667	0.6992	0.8429	0.25	1	1	1	1	1	1
安徽省	滁州学院	第四类	0.375	0.0116	0.5200	0.5	0.6667	0.5031	0.9286	0.5	0.6147	0.5	0.6667	0.5	1	1
安徽省	池州师专	第四类	0.4952	0.0454	0.4399	0.5	0.6667	0.9550	0	0	0.6055	0.5	0.3333	0.5	0.5	0
内蒙古	包头职大	第四类	0.3578	0.0165	0.0390	0.5	0.6667	0.1876	0.8571	0.75	0.1560	0	0.3333	1	1	0.5
山东省	枣庄师专	第四类	0.2891	0.0487	0.2078	0.5	0.3333	0.1876	0.8214	0.75	0.2936	0.5	0.3333	1	0.5	0.5
浙江省	金华职院	第四类	0.0282	0.0015	0	0.5	0.3333	0.3581	0.8714	1	0.1101	0.5	0.3333	0	0.5	0.5
湖北省	荆州职院	第四类	0.2188	0.0281	1	1	0.3333	0.1056	0.5714	0.25	0.2202	0	0	0	0.5	0.5
广东省	深圳职院	第四类	0.1174	0	0.0133	0.5	0	0	1	0.75	0.0642	0	0.6667	0.5	1	0.5
贵州省	铜仁师专	第四类	0	0.0015	0.0791	0.5	0	0.1023	0.7857	0.5	0	0	0	0.5	1	0.5

表 8—18　全国 10 所专科、民办高校核心竞争力显性要素计算结果

指标＼高校	深圳职院	金华职院	枣庄师专	荆州职院	滁州学院	池州师专	三江学院	铜仁师专	扬州职大	包头职大
学术生产能力	0.9809	0.8034	0.3007	0.4032	0.2880	0.2400	0.0227	0.1797	0.0934	0.0003
人才生产能力	0.9576	0.7438	0.6952	0.5372	0.5349	0.4559	0.5469	0.3294	0.3782	0.3409
显性结果	0.9634	0.7587	0.5969	0.5038	0.4734	0.4021	0.4163	0.2921	0.3073	0.2561

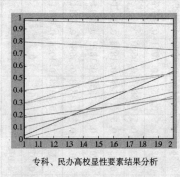

专科、民办高校显性要素结果分析

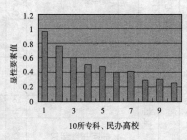

图 8—10　全国 10 所专科、民办高校核心竞争力显性要素计算结果图

表 8—19　全国 10 所专科、民办高校核心竞争力隐性要素计算结果

指标＼高校	深圳职院	金华职院	枣庄师专	荆州职院	滁州学院	池州师专	三江学院	铜仁师专	扬州职大	包头职大
管理能力	0.6881	1.0000	0.6147	0.6055	0.1560	0.2936	0.1101	0.2202	0.0642	0.0000
文化力	0.0000	0.0000	0.0000	0.0000	0.0000	0.0000	0.0000	0.0000	0.0000	0.0000
隐性结果	0.6881	1	0.6147	0.6055	0.1560	0.2936	0.1101	0.2202	0.0642	0

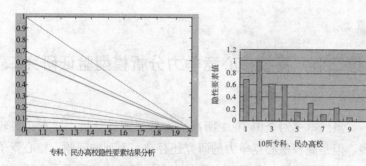

专科、民办高校隐性要素结果分析

图 8—11　全国 10 所专科、民办高校核心竞争力隐性要素计算结果图

表 8—20　全国 10 所专科、民办高校核心竞争力综合计算结果

指标＼高校	深圳职院	金华职院	枣庄师专	荆州职院	滁州学院	池州师专	三江学院	铜仁师专	扬州职大	包头职大
显性结果	0.9634	0.7587	0.5969	0.5038	0.4734	0.4021	0.4163	0.2921	0.3073	0.2561
隐性结果	0.6881	1	0.6147	0.6055	0.1560	0.2936	0.1101	0.2202	0.0642	0
综合评价结果	0.9371	0.7817	0.5986	0.5135	0.4431	0.3918	0.3871	0.2852	0.2841	0.2316
排　序	1	2	3	4	5	6	7	8	9	10

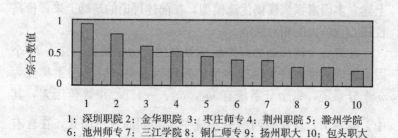

1：深圳职院 2：金华职院　3：枣庄师专 4：荆州职院 5：滁州学院
6：池州师专 7：三江学院 8：铜仁师专 9：扬州职大　10：包头职大

图 8—12　全国 10 所专科、民办高校核心竞争力计算结果排序图

第三节　高校核心竞争力分析模型验证研究二

　　虽然本书对全国 1001 所高校进行了调查分析，样本相对较多，但是高校核心竞争力的研究还存在一系列的问题，核心竞争力理论还不成熟，关于核心竞争力内涵和特征的观点至今还没有完全统一，核心竞争力的影响要素和层级分类也具有一定的模糊性。但是在核心竞争力的要素体系中，很难对每个指标作出"非此即彼"的直接判断，而存在大量的"亦此亦彼"的指标。再次采用多层次的模糊数学评价模型是评价"亦此亦彼"模糊指标的最佳方法，这一点正好可以解决核心竞争力研究所存在的问题。所以，通过多级模糊数学模型，可以很好地分析目前高校核心竞争力的发展现状。

　　模糊数学是一种应用很广的综合分析方法，然而由于传统的模糊综合评判模型依赖于隶属函数确定，不同函数对评判结果影响很大，而优选模型则是提出了相对函数的概念。本章根据要素对象及指标体系的特点，选择了多层次模糊优选模型，并在系统上建立多因素系统模糊优选模型，在前述理论的基础上来评价高校核心竞争力的相对强弱。

　　设有 n 个待优选的高校组成系统的优劣评价集，又有 M 个因素组成对优劣高校进行评价的系统因素集，M 个因素集分为 m 个分系统，每个分系统有 m_1，m_2，…，m_m 个评价因素，其中 $\sum_{i=1}^{m} m_i = M$，且任意两个分系统中无共同的评价因素，在含有 m_i 个因素的系统 i 中，对任意高校 j，设 $_iX_j$ 表示 m_i 个评价因素的特征值，$_iX_j = (_ix_{1j}, _ix_{2j}, \cdots, _ix_{mj})^T$，则第 i 个分系统全体优

选的 n 个高校的 m_i 评价因素特征值用如下矩阵表示：

$$_iX_{mi\times n}=\begin{bmatrix} _iX_{11} & _iX_{12} & \cdots & _iX_{1n} \\ _iX_{21} & _iX_{22} & \cdots & _iX_{2n} \\ \cdots & \cdots & \cdots & \cdots \\ _iX_{mi1} & _iX_{mi2} & \cdots & _iX_{min} \end{bmatrix}$$

对于 i 系统的第 j 个高校可用 $_iX_j$ 表示 m 个因素的特征值：

$$_iX_j=(_iX_{1j},_iX_{2j},\cdots _iX_{mj})^T \qquad (j=1,2,\cdots,n)$$

采用 Zadeh 公式：

越大越优型：$$_ir_{ij}=\frac{x_{ij}-\overset{n}{\underset{l=1}{\wedge}}x_{il}}{\overset{n}{\underset{l=1}{\vee}}x_{il}-\overset{n}{\underset{l=1}{\wedge}}x_{il}}$$

越小越优型：$$_ir_{ij}=\frac{\overset{n}{\underset{l=1}{\wedge}}x_{il}-x_{ij}}{\overset{n}{\underset{l=1}{\vee}}x_{il}-\overset{n}{\underset{l=1}{\wedge}}x_{il}}$$

根据上述公式将矩阵 X 归一化，将 X 中的评价因素特征值转化为相应的隶属度，从而得到第 i 个系统的优属度矩阵。

$$_iR_{mi\times n}=\begin{bmatrix} _ir_{11} & _ir_{12} & \cdots & _ir_{1n} \\ _ir_{21} & _ir_{22} & \cdots & _ir_{2n} \\ \cdots & \cdots & \cdots & \cdots \\ _ir_{mi1} & _ir_{mi2} & \cdots & _ir_{min} \end{bmatrix}$$

定义 $_ir_j=(_ir_{1j},_ir_{2j},\cdots _ir_{mj})^T$

定义系统的优等高校为：在系统优属度矩阵中取 $_ig_i=\overset{n}{\underset{l=1}{\vee}}_ir_{il}$，则称 $_ig$ 为优等高校。其中 $_ig=(_ig_1,_ig_2,\cdots,_ig_m)^l$

类似地定义系统的劣等方案 $_ib$，取 $_ib=\overset{n}{\underset{l=1}{\wedge}}_ir_{il}$，$_ib$ 为 $_ib_i$ 的列向量。

系统中每个高校分别以一定的隶属度隶属于优等高校和劣等高校，用下面的矩阵表示：

$$_iU_{2\times n}=\begin{bmatrix} _iu_{11} & _iu_{21} & \cdots & _iu_{1n} \\ _iu_{21} & _iu_{22} & \cdots & _iu_{2n} \end{bmatrix}$$

其中$_iu_{ij}$要满足如下约束条件：

$0\leqslant\,_iu_{ij}\leqslant1$

$\sum\limits_{i=1}^{2}{}_iu_{ij}=1 \qquad (j=1,\ 2,\ \cdots n)$

$\sum\limits_{j=1}^{n}{}_iu_{ij}>0 \qquad (k=1,\ 2)$

$_iu_{1j}$表示i系统中第j个高校隶属于优等高校的隶属度，$_iu_{2j}$表示i系统第j个高校隶属于劣等高校的隶属度。

设在对n个高校进行优选时，i系统中m个评价因素所起作用的权向量为$_i\omega=(_i\omega_1,_i\omega_1,\cdots,_i\omega_m)^T$，并满足$\sum\limits_{i=1}^{m}{}_i\omega_i=1$。

为求解隶属度的最优值，下面引入距离：

定义广义优距离：$\|_i\omega_i\ (_ir_j-_ig)\|=\left\{\sum\limits_{k=1}^{m}\left[_i\omega_k\ (_ir_{kj}-_ig_k)\right]^p\right\}^{\frac{1}{p}}$，它表示$i$系统中考虑评价因素权重后第$j$个高校与优等高校的差异程度。$(j=1,\ 2,\ \cdots,\ n)$

广义劣距离：$\|_i\omega_i\ (_ir_j-_ib)\|=\left\{\sum\limits_{k=1}^{m}\left[_i\omega_k\ (_ir_{kj}-_ib_k)\right]^p\right\}^{\frac{1}{p}}$，它表示$i$系统中考虑评价因素权重后第$j$个高校与劣等高校的差异程度。$(j=1,\ 2,\ \cdots,\ n)$

权广义优距离：$_iD\ (_ir_j,_ig)=_iu_{1j}\cdot\|_i\omega_i\ (_ir_j-_ig)\|$

权广义劣距离：$_iD\ (_ir_j,_ib)=_iu_{2j}\cdot\|_i\omega_i\ (_ir_j-_ib)\|$

因此，根据对系统的优等方案与劣等方案的权广义距离的平方和最小的优化准则，求解得到：

$$_iu_{1j}=\cfrac{1}{1+\left\{\cfrac{\sum\limits_{k=1}^{m}\left[_i\omega_k\ (_ir_{kj}-_ig_k)\right]^p}{\sum\limits_{k=1}^{m}\left[_i\omega_k\ (_ir_{kj}-_ib_k)\right]^p}\right\}^{\frac{2}{p}}}$$

取 p=2，即欧氏距离，则相应的计算模型为：

$$_iu_{1j}=\cfrac{1}{1+\cfrac{\sum\limits_{k=1}^{m}\left[_i\omega_k\ (_ir_{kj}-_ig_k)\right]^2}{\sum\limits_{k=1}^{m}\left[_i\omega_k\ (_ir_{kj}-_ib_k)\right]^2}}\qquad (j=1,\ 2,\ \cdots,\ n)$$

根据上述公式计算出各个系统的结果，把各系统计算的结果作为一个新的系统重复上面的计算，用来进行更高一层次的优属度优劣评价，最后得到$_iu_{1j}$，简便起见，记$_iu_{1j}=u_{1j}$，根据u_{1j}的大小就可以确定 n 个高校的最终优劣结果。

一、研究型高校核心竞争力验证分析

表8-21　显性要素计算结果

指标＼高校	清华大学	北京大学	南京大学	浙江大学	复旦大学	武汉大学	西安交通大学	吉林大学	中国科学技术大学	中山大学
学术生产能力	0.9957	0.8533	0.0542	0.3825	0.5852	0.5846	0.4772	0.2231	0.0406	0.3424
人才生产能力	0.9930	0.9978	0.8951	0.8291	0.8282	0.3849	0.4092	0.3448	0.0000	0.4106
显性结果	1.0000	0.9871	0.4450	0.6461	0.8243	0.4588	0.3703	0.1250	0.0000	0.2476

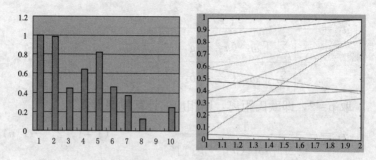

图 8－13　全国 10 所研究型高校核心竞争力显性要素优劣值

表 8－22　隐性要素计算结果

高校 指标	清华 大学	北京 大学	南京 大学	浙江 大学	复旦 大学	武汉 大学	西安 交通 大学	吉林 大学	中国 科学 技术 大学	中山 大学
管理力	1.0000	0.7670	0.2448	0.2980	0.1559	0.1408	0.1239	0.1154	0.0000	0.0410
文化力	1.0000	1.0000	1.0000	0.2502	0.2502	0.2502	0.1104	0.0901	0.0000	0.2502
隐性 结果	1.0000	0.9776	0.7632	0.1182	0.0734	0.0702	0.0167	0.0122	0.0000	0.0556

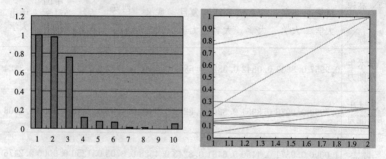

图 8－14　全国 10 所研究型高校核心竞争力隐性要素优劣值

表 8－23　研究型高校核心竞争力综合计算结果

高校 指标	清华 大学	北京 大学	南京 大学	浙江 大学	复旦 大学	武汉 大学	西安 交通 大学	吉林 大学	中国 科学 技术 大学	中山 大学
显性 结果	1.0000	0.9871	0.4450	0.6461	0.8243	0.4588	0.3703	0.1250	0.0000	0.2476
隐性 结果	1.0000	0.9776	0.7632	0.1182	0.0734	0.0702	0.0167	0.0122	0.0000	0.0556
综合评 价结果	1.0000	0.9997	0.5841	0.4652	0.6129	0.2343	0.1395	0.0127	0.0000	0.0601
排　序	1	2	4	5	3	6	7	9	10	8

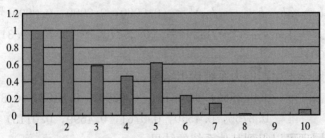

1:清华大学 2:北京大学 3:南京大学 4:浙江大学 5:复旦大学 6:武汉大学
7:西安交通大学 8:吉林大学 9:中国科学技术大学 10:中山大学

图 8－15　10 所研究型高校核心竞争力优劣结果比较图

二、教学研究型高校核心竞争力验证分析

在确定了高校核心竞争力要素数据的基础上，基于上述模型编写的 FORTRAN 90 程序，对江苏省 10 所教学研究型高校和 10 所教学型高校进行了分析计算。

利用模糊优选模型对 10 家教学研究型高校核心竞争力进行优劣评价，计算结果如下：

以第一个系统学术生产能力为例来说明计算过程：

学术生产能力的优属度矩阵：

$$_1R_{(i,j)1j} = \begin{pmatrix} 0.1563 & 0.0896 & 0.0000 & 1.0000 & 0.4041 & 0.6252 & 0.2449 \\ 0.1750 & 0.2471 & 0.0689 \\ 0.5601 & 0.3377 & 0.2471 & 0.4201 & 0.8386 & 0.6573 & 0.6540 \\ 0.3493 & 1.0000 & 0.0000 \\ 0.3912 & 0.1562 & 0.0000 & 0.6875 & 1.0000 & 0.9944 & 0.5700 \\ 0.1256 & 0.2812 & 0.1537 \end{pmatrix}$$

优等高校：

$$_ig = (_ig_1, _ig_2, \cdots, _ig_m)^T = (1.0000, 1.0000, 1.0000)^T$$

劣等高校：

$$_ib = (_ib_1, _ib_2, \cdots, _ib_m)^T = (0.0000, 0.0000, 0.0000)^T$$

$$_i\omega = (_i\omega_1, _i\omega_2, \cdots, _i\omega_m)^T = (0.29375, 0.09375, 0.31250,$$
$$0.3000)^T$$

则学术生产能力系统优劣结果：

$$_1u_{1j} = (0.2552, 0.0618, 0.0200, 0.8158, 0.8136,$$
$$0.8756, 0.4550, 0.0761, 0.4699, 0.0113)$$

同理可以得到其他系统的结果。

在计算得到各系统的优劣结果后把各个系统看做高一层次上的评价因素，代入上述模型计算高一层次的优劣结果，显性要素计算结果如下：

$$u_{1j} = (0.7090, 0.0752, 0.0287, 0.7002, 0.8368,$$
$$0.5227, 0.6232, 0.0881, 0.5100, 0.0000)$$

表8-24　显性要素计算结果

高校\指标	苏州大学	江南大学	扬州大学	南京航空航天大学	南京理工大学	中国矿业大学	河海大学	中国药科大学	南京师范大学	徐州师范大学
学术生产能力	0.2552	0.0618	0.0200	0.8158	0.8136	0.8756	0.4550	0.0761	0.4699	0.0113
人才生产能力	0.8301	0.3206	0.2437	0.3766	0.5004	0.1732	0.5381	0.3343	0.4477	0.0901
显性结果	0.7090	0.0752	0.0287	0.7002	0.8368	0.5227	0.6232	0.0881	0.5100	0.0000

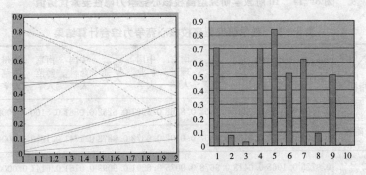

图8-16　10所教学研究型高校核心竞争力显性要素优劣值

表8-25　隐性要素计算结果

高校\指标	苏州大学	江南大学	扬州大学	南京航空航天大学	南京理工大学	中国矿业大学	河海大学	中国药科大学	南京师范大学	徐州师范大学
管理力	0.9450	0.8502	0.4906	0.8223	0.0814	0.1635	0.9457	0.1803	0.0814	0.0000
文化力	1.0000	0.3015	0.9466	0.9998	0.3005	0.0576	0.6594	0.9555	0.9838	0.0000
隐性结果	1.0000	0.9270	0.6139	0.9807	0.0192	0.0372	0.9878	0.1741	0.1210	0.0000

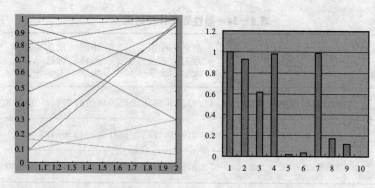

图 8—17 　10 所教学研究型高校核心竞争力隐性要素优劣值

表 8—26 　教学研究型高校核心竞争力综合计算结果

高校 指标	苏州 大学	江南 大学	扬州 大学	南京 航空 航天 大学	南京 理工 大学	中国 矿业 大学	河海 大学	中国 药科 大学	南京 师范 大学	徐州 师范 大学
显性 结果	0.7090	0.0752	0.0287	0.7002	0.8368	0.5227	0.6232	0.0881	0.5100	0.0000
隐性 结果	1.0000	0.9270	0.6139	0.9807	0.0192	0.0372	0.9878	0.1741	0.1210	0.0000
综合评 价结果	0.9725	0.1068	0.0415	0.9678	0.9075	0.6201	0.9099	0.0161	0.6141	0.0000
排　序	1	7	8	2	4	5	3	9	6	10

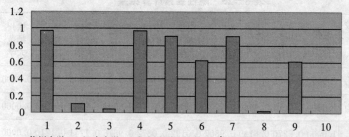

1：苏州大学 2：江南大学 3：扬州大学 4：南京航空航天大学 5：南京理工大学
6：中国矿业大学 7：河海大学 8：中国药科大学 9：南京师范大学 10：徐州师范大学

图 8—18 　10 所教学研究型高校核心竞争力优劣结果比较图

三、教学型高校核心竞争力验证分析

同理本书对江苏省 10 所教学型院校核心竞争力相对优劣进行了计算分析：

表 8—27   10 所教学型高校核心竞争力显性要素计算结果

高校\指标	盐城工学院	苏州科技学院	常州工学院	南京工程学院	徐州医学院	淮阴师范学院	盐城师范学院	淮海工学院	南京晓庄学院	江苏技术师范学院
学术生产能力	0.2464	0.8955	0.0325	0.2144	0.4069	0.1617	0.4390	0.4689	0.0005	0.0015
人才生产能力	0.0636	0.7631	0.1638	0.5410	0.5782	0.5613	0.9249	0.4408	0.2142	0.0577
显性结果	0.0429	0.9775	0.0102	0.3428	0.5644	0.3280	0.8448	0.4589	0.0209	0.0000

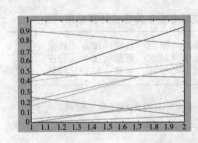 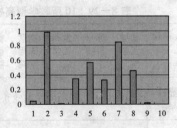

图 8—19   10 所教学型高校核心竞争力显性要素优劣值

表 8－28　10 所教学型高校核心竞争力隐性要素计算结果

指标＼高校	盐城工学院	苏州科技学院	常州工学院	南京工程学院	徐州医学院	淮阴师范学院	盐城师范学院	淮海工学院	南京晓庄学院	江苏技术师范学院
管理力	0.1835	0.8186	0.0091	0.0000	0.4693	0.1475	0.1000	1.0000	0.0091	0.0231
文化力	0.2122	0.5240	0.0408	0.0000	0.8202	0.5240	0.4760	1.0000	0.0408	0.2122
隐性结果	0.0517	0.9320	0.0002	0.0000	0.4596	0.0526	0.0329	1.0000	0.0002	0.0048

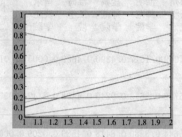 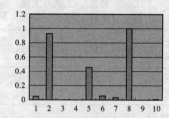

图 8－20　10 所教学型高校核心竞争力隐性要素优劣值

表 8－29　10 所教学型高校核心竞争力综合计算结果

指标＼高校	盐城工学院	苏州科技学院	常州工学院	南京工程学院	徐州医学院	淮阴师范学院	盐城师范学院	淮海工学院	南京晓庄学院	江苏技术师范学院
显性结果	0.0429	0.9775	0.0102	0.3428	0.5644	0.3280	0.8448	0.4589	0.0209	0.0000
隐性结果	0.0517	0.9320	0.0002	0.0000	0.4596	0.0526	0.0329	1.0000	0.0002	0.0048
综合评价结果	0.0022	0.9996	0.0001	0.1890	0.6293	0.1738	0.8641	0.5369	0.0004	0.0000
排　序	7	1	9	5	3	6	2	4	8	10

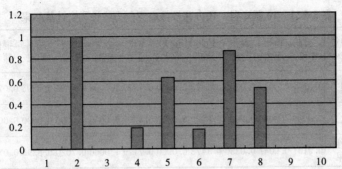

1：盐城工学院 2：苏州科技学院 3：常州工学院 4：南京工程学院 5：徐州医学院
6：淮阴师范学院 7：盐城师范学院 8：淮海工学院 9：南京晓庄学院
10：江苏技术师范学院

图 8—21　10 所教学型高校核心竞争力优劣结果比较图

四、专科、民办高校核心竞争力验证分析

表 8—30　10 所专科、民办高校核心竞争力显性要素计算结果

高校\指标	三江学院	扬州职大	滁州学院	池州师专	包头职大	枣庄师专	金华职院	荆州职院	深圳职院	铜仁师专
学术生产能力	0.0008	0.0161	0.2119	0.1291	0.0000	0.2360	0.9424	0.4378	0.9994	0.0665
人才生产能力	0.5908	0.3939	0.5041	0.4312	0.3202	0.7893	0.8953	0.5526	0.9951	0.2198
显性结果	0.3749	0.0665	0.2290	0.1106	0.0190	0.8021	0.9806	0.3829	1.0000	0.0004

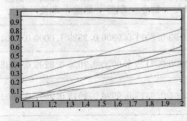 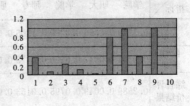

图 8—22　10 所专科、民办高校核心竞争力显性要素优劣值

表8-31　10所专科、民办高校核心竞争力隐性要素计算结果

高校 指标	三江 学院	扬州 职大	滁州 学院	池州 师专	包头 职大	枣庄 师专	金华 职院	荆州 职院	深圳 职院	铜仁 师专
管理力	0.0151	0.0047	0.0330	0.1473	0.0000	0.7179	1.0000	0.7020	0.8295	0.0738
文化力	0.0000	0.0000	0.0000	0.0000	0.0000	0.0000	0.0000	0.0000	0.0000	0.0000
隐性 结果	0.0151	0.0047	0.0330	0.1473	0.0000	0.7179	1.0000	0.7020	0.8295	0.0738

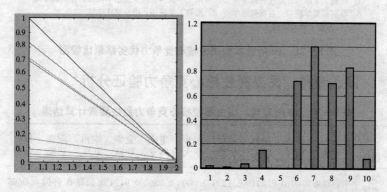

图8-23　10所专科、民办高校核心竞争力隐性要素优劣值比较图

表8-32　10所专科、民办高校核心竞争力综合计算结果

高校 指标	三江 学院	扬州 职大	滁州 学院	池州 师专	包头 职大	枣庄 师专	金华 职院	荆州 职院	深圳 职院	铜仁 师专
显性 结果	0.3749	0.0665	0.2290	0.1106	0.0190	0.8021	0.9806	0.3829	1.0000	0.0004
隐性 结果	0.0151	0.0047	0.0330	0.1473	0.0000	0.7179	1.0000	0.7020	0.8295	0.0738
综合评 价结果	0.2589	0.0049	0.0795	0.0153	0.0004	0.9418	0.9996	0.2913	0.9997	0.0001
排　序	5	7	6	8	9	3	2	4	1	10

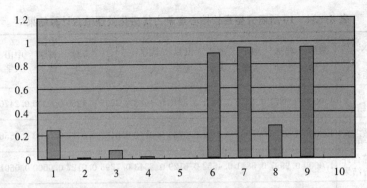

1：三江学院 2：扬州职大 3：滁州学院 4：池州师专 5：包头职大
6：枣庄师专 7：金华职院 8：荆州职院 9：深圳职院 10：铜仁师专

图8－24 10所专科、民办高校核心竞争力优劣结果比较图

第四节 高校核心竞争力分析模型验证 研究比较分析

一、研究型高校计算结果分析

表8－33 10所研究型高校核心竞争力分析模型综合计算结果

高校 \ 指标	清华大学	北京大学	南京大学	浙江大学	复旦大学	武汉大学	西安交通大学	吉林大学	中国科学技术大学	中山大学
显性结果	0.9601	0.8398	0.4577	0.5869	0.6450	0.4952	0.4779	0.3270	0.0691	0.4170
隐性结果	1	0.8836	0.7427	0.3725	0.3359	0.3290	0.2270	0.1840	0	0.2360
综合评价结果	0.9763	0.8576	0.5733	0.5000	0.5197	0.4278	0.3761	0.2724	0.0411	0.3436
排序	1	2	3	5	4	6	7	9	10	8

表8－34　　10所研究型高校核心竞争力优劣化处理综合计算结果

高校 指标	清华 大学	北京 大学	南京 大学	浙江 大学	复旦 大学	武汉 大学	西安 交通 大学	吉林 大学	中国 科学 技术 大学	中山 大学
显性 结果	1.0000	0.9871	0.4450	0.6461	0.8243	0.4588	0.3703	0.1250	0.0000	0.2476
隐性 结果	1.0000	0.9776	0.7632	0.1182	0.0734	0.0702	0.0167	0.0122	0.0000	0.0556
综合评 价结果	1.0000	0.9997	0.5841	0.4652	0.6129	0.2343	0.1395	0.0127	0.0000	0.0601
排　序	1	2	4	5	3	6	7	9	10	8

　　从表8－33、图8－3和表8－34、图8－15中的计算结果可以看出在所选取的10所研究型高校中，清华大学的核心竞争力相对最强，两种计算结果分别为0.9763和1.0000，中国科学技术大学的核心竞争力相对最弱，计算结果分别为0.0411和0，其余计算获得的顺序依次为北京大学、南京大学、复旦大学、浙江大学、武汉大学、西安交通大学、中山大学、吉林大学，而优劣化处理的方法获得的顺序依次为北京大学、复旦大学、南京大学、浙江大学、武汉大学、西安交通大学、中山大学、吉林大学。只有南京大学和复旦大学顺序上发生了变化。我们细细观察两所院校的分析结果，不难看出它们的核心竞争力综合分值相差百分之三到百分之六，微弱的差别。因此两种不同的方法，最后获得的排序结果基本是一致的。

　　从图8－1至图8－3和图8－13至图8－15可以看到，研究型高校核心竞争力所有的指标基本上处于一个状态，各高校核心竞争力在各指标上的排序变化不是很大的。例如，清华大学核心竞争力最强，是因为它各项指标都是最强。而中国科学技术大学在各项指标是都是最弱的。这反映了研究型高校的一大特点，高者越高，低者相对发展缓慢。在国内国家对研究型大学中的全国重点大学比如清华大学、北京大学的投资是不同于其他研究型高校的，而清华大学、北京大学等一些知名院校的资源整合能力一般都要高于其他高校，这可能是导致研究型高校中出现明显分化和差距的原因。

二、教学研究型高校计算结果分析

表8—35 10所教学研究型高校核心竞争力分析模型综合计算结果

高校\\指标	苏州大学	江南大学	扬州大学	南京航空航天大学	南京理工大学	中国矿业大学	河海大学	中国药科大学	南京师范大学	徐州师范大学
显性结果	0.5601	0.2595	0.2378	0.5569	0.6139	0.5147	0.5046	0.2739	0.4703	0.1126
隐性结果	0.8948	0.5985	0.5968	0.7742	0.2956	0.2746	0.7484	0.4682	0.4239	0.0000
综合评价结果	0.6423	0.3428	0.3260	0.6103	0.5358	0.4557	0.5645	0.3216	0.4590	0.0849
排序	1	7	8	2	4	6	3	9	5	10

表8—36 10所教学研究型高校核心竞争力优劣化处理综合计算结果

高校\\指标	苏州大学	江南大学	扬州大学	南京航空航天大学	南京理工大学	中国矿业大学	河海大学	中国药科大学	南京师范大学	徐州师范大学
显性结果	0.7090	0.0752	0.0287	0.7002	0.8368	0.5227	0.6232	0.0881	0.5100	0.0000
隐性结果	1.0000	0.9270	0.6139	0.9807	0.0192	0.0372	0.9878	0.1741	0.1210	0.0000
综合评价结果	0.9725	0.1068	0.0415	0.9678	0.9075	0.6201	0.9099	0.0161	0.6141	0.0000
排序	1	7	8	2	4	5	3	9	6	10

　　从表8—35、图8—6和表8—36、图8—18中的计算结果可以看出在所选取的10所教学研究型高校中，苏州大学的核心竞争力相对最强，两种计算结果分别为0.6423和0.9725，徐州师范大学的核心竞争力相对最弱，计算结果分别为0.0849和0，其余计算获得的顺序依次为南京航空航天大学、河海大学、南京理工大学、南京师范大学、中国矿业大学、江南大学、扬州大学、中国药科大学，而优劣化处理的方法获得的顺序依次为南京航空航天大学、河海大学、南京理工大学、中国矿业大学、南京师范大学、江南大学、扬州大学、中国药科大学。只有南京师范大学和中国矿业大学顺序上发生了变化。我们细细观察两所院校的分析结果，不难看出它们的核心竞争力综合分值相差百分之一，微弱的差别。因此用两种不同的方法，最后获得的排序结果基本是一致的。

　　从图8—6至图8—8和图8—16至图8—18可以看到，各高校核心竞争力并不是在所有的指标上都处于一个状态，各高校核心竞争力在各指标上的排序是不断变化的，有的高校在此项指标相对较强，而在彼项指标却相对较弱。例如，苏州大学核心竞争力最强，并不代表它在所有方面都最强，由图可以看到，苏州大学在隐性系统位于第一位，两种计算结果分别为0.8948和1.0000，但在显性系统位于第二位，计算结果分别为0.5601和0.7090。南京理工大学位于第一位，两种计算结果分别为0.6139和0.8368，南京航空航天大学位于第三位，在显性系统两种计算结果分别为0.5569和0.7002；由表8—35、表8—36可以看到，第一种验证方法苏州大学在隐性系统位于第一位，计算结果为0.8948，河海大学位于第二位，计算结果为0.7484，南京航空航天大学在隐性系统中位于第三位，计算结果为0.7742。第二种验证方法苏州大学位于第一位，计算结果为1.0000，河海大学位于第二位，计算结果为0.9878，南京航空航天大学在隐性系统中位于第三位，计算结果为 0.9807，南京理工大学位于第九位，计算结果为 0.0192。由于显性系统指标和隐性系统指标对高校核心竞争力的影响程度不同，所以综合计算苏州大学核心竞争力最高，计算结果为 0.9725，南京航空航天大学位于第二，计算结果为 0.9678。从表 8—8 中可以看到，南京理工大学在显性系统中较强的原因是学术生产能力和人才生产能力都处于前列，而南京航空航天大学在人才生产能力上相对较弱，苏州大学在学术生产能力上相对较弱；在隐性系统中苏州大学由于管理能力和文化力都最强，从而使其核心竞争力在显性系统中表现最强，然而由于南京理工大学管理能力和文化力都较弱，所以仅处于第四位。同理，徐州师范大学的核心竞争力综合相对最弱，从图 8—4 至图 8—6、表 8—8 至表 8—10 和图 8—16 至图 8—18、表 8—24 至表 8—26 中可见，徐州师范大学在整个核心竞争力构成要素中都处于相对最弱状态，所以其核心竞争力相对最弱，近似为零。同理可以找到其他高校核心竞争力相对强弱的原因。

三、教学型高校计算结果分析

表 8—37　10 所教学型高校核心竞争力模型综合计算结果

指标＼高校	盐城工学院	苏州科技学院	常州工学院	南京工程学院	徐州医学院	淮阴师范学院	盐城师范学院	淮海工学院	南京晓庄学院	江苏技术师范学院
显性结果	0.2414	0.7975	0.2058	0.4396	0.5421	0.4057	0.6295	0.4107	0.1739	0.0915
隐性结果	0.3225	0.6483	0.0814	0.0000	0.5651	0.3884	0.2885	0.9541	0.0967	0.1381
综合评价结果	0.2580	0.7669	0.1804	0.3496	0.5468	0.4021	0.5597	0.5220	0.1581	0.1011
排　序	7	1	8	6	3	5	2	4	9	10

表 8—38　10 所教学型高校核心竞争力优劣化处理综合计算结果

高校\指标	盐城工学院	苏州科技学院	常州工学院	南京工程学院	徐州医学院	淮阴师范学院	盐城师范学院	淮海工学院	南京晓庄学院	江苏技术师范学院
显性结果	0.0429	0.9775	0.0102	0.3428	0.5644	0.3280	0.8448	0.4589	0.0209	0.0000
隐性结果	0.0517	0.9320	0.0002	0.0000	0.4596	0.0526	0.0329	1.0000	0.0002	0.0048
综合评价结果	0.0022	0.9996	0.0001	0.1890	0.6293	0.1738	0.8641	0.5369	0.0004	0.0000
排　序	7	1	9	5	3	6	2	4	8	10

从表 8—37、图 8—9 和表 8—38、图 8—21 中的两种计算结果可以看出在所选取的 10 所教学型高校中，苏州科技学院的核心竞争力相对最强，计算结果分别为 0.7669，0.9996，江苏技术师范学院的核心竞争力相对最弱，两种计算分别为 0.1011，结果近似为 0，其余按归一化方法获得顺序依次为盐城师范学院、徐州医学院、淮海工学院、淮阴师范学院、盐城工学院、常州工学院、南京晓庄学院。优劣化处理方法获得的顺序为盐城师范学院、徐州医学院、淮海工学院、淮阴师范学院、盐城工学院、南京晓庄学院、常州工学院。其中南京晓庄学院、常州工学院由两种不同验证方法获得的结果相差值在百分之一左右，符合一致性检验的要求。因此两种方法获得的 10 所教学型高校的核心竞争力排名基本是一致的。

由表 8—37、表 8—38 可知，在显性系统中，苏州科技学院较强，位于第一，江苏技术学院较弱，位于最后；在隐性系统中淮海工学院较强，位于第一，南京工程学院较弱，位于最后。

从表 8—27 至表 8—29 和图 8—19 至图 8—21 中可以看到，苏州科技学院由于学术生产能力较强位于第一，计算结果为 0.8955，人才生产能力上也相对较高位于第二，计算结果为 0.7631，所以综合计算后它在显性系统中最好，盐城师范学院虽然在人才生产能力上最高，计算结果为 0.9249，位于第一，在学术生产能力中得分仅为 0.4390，位于第三，所以该校的显性系统较强，但是由于在隐性系统中盐城师范学院由于管理能力位于第六，得分仅为 0.1000，文化力得分为 0.4760，综合计算后其隐性系统得分为 0.0329，位于第六。从而使盐城师范学院核心竞争力最后计算结果为 0.8641，位于第二，同理，又如江苏技术师范学院核心竞争力综合相对最弱，从图 8—19 至图 8—21 和表 8—27 至表 8—29 中可见，江苏技术师范学院在整个核心竞争力构成要素中都处于相对较弱状态，在显性系统中计算约为 0，在隐性系统中计算得分也只有 0.0048，近似为 0，所以其核心竞争力相对最弱，近似为 0。同理可以找到其他高校核心竞争力相对强弱的原因。

因此，结合计算结果和权重得分，找到了制约各高校核心竞争力的瓶颈因素和最大影响因素。

四、专科、民办高校计算结果分析

表 8—39　10 所专科、民办高校核心竞争力模型综合计算结果

高校 指标	三江 学院	扬州 职大	滁州 学院	池州 师专	包头 职大	枣庄 师专	金华 职院	荆州 职院	深圳 职院	铜仁 师专
显性 结果	0.4163	0.3073	0.4734	0.4021	0.2561	0.5969	0.7587	0.5038	0.9634	0.2921
隐性 结果	0.1101	0.0642	0.1560	0.2936	0	0.6147	1	0.6055	0.6881	0.2202
综合评 价结果	0.3871	0.2841	0.4431	0.3918	0.2316	0.5986	0.7817	0.5135	0.9371	0.2852
排　序	7	9	5	6	10	3	2	4	1	8

表8—40　10所专科、民办高校核心竞争力优劣化处理综合计算结果

高校\指标	三江学院	扬州职大	滁州学院	池州师专	包头职大	枣庄师专	金华职院	荆州职院	深圳职院	铜仁师专
显性结果	0.3749	0.0665	0.2290	0.1106	0.0190	0.8021	0.9806	0.3829	1.0000	0.0004
隐性结果	0.0151	0.0047	0.0330	0.1473	0.0000	0.7179	1.0000	0.7020	0.8295	0.0738
综合评价结果	0.2589	0.0049	0.0795	0.0153	0.0004	0.9418	0.9996	0.2913	0.9997	0.0001
排　序	5	7	6	8	9	3	2	4	1	10

　　从表8—39、表8—40中计算结果可以看出在所选取的10所专科、民办高校中，深圳职院的核心竞争力相对最强，计算结果分别为0.9371、0.9997，其余按归一化方法获得依次顺序为金华职院、枣庄师专、荆州职院、滁州学院、池州师专、三江学院、铜仁师专、扬州职大、包头职大。按优劣化处理方法获得的顺序为金华职院、枣庄师专、荆州职院、三江学院、滁州学院、扬州职大、池州师专、包头职大、铜仁师专。其中前四所高校由两种不同验证方法获得的结果符合一致性检验的要求。后面几所院校顺序上有一些变化，这是由于民办高校各项指标的获取率相对较低，使得在判断民办、职校核心竞争力时在隐性指标上仅取决于一个因素，这使得在确定综合竞争力时较难把握，但究其获取值而言，彼此间相差不是很大，基本符合验证要求。因此由两种方法获得的10所专科、民办高校的核心竞争力排名是基本一致的。

　　本章主要解决了高校核心竞争力构成要素的权重确定、四类高校核心竞争力的通用公式的建模，并据此分别对与清华大学、河海大学、盐城师范学院、三江学院等四所不同类型的同层各10所院校进行了实证分析。在分析的基础上，还阐述了高校核

心竞争力构成要素与知识资本、知识资源的内在关系，分析了高校核心竞争力的本质特征学习力与构成要素之间的逻辑关系。通过实证分析可见，不同类型的学校以及不同地区的学校对高校核心竞争力的发展要求是不同的，比如研究型的高校，它以科研为主，名师是他们学校科研水平的象征，所以他们非常重视人才的引进及培养，同时名师代表了该类学校的发展潜力，因此在2004年对全国1001所高校的调查当中有942所学校认为名师是他们学校的核心竞争力构成要素；而教学型的高校，他们以教学向学生传授知识为主，对于名师一类的高水平人员要求就不是太高，他们不需要引进很多的名师就可以很好地完成教学任务，所以在对全国1001所学校进行调查的时候，只有422所学校认为名师也是他们学校的核心竞争力构成要素。另外，结合计算结果和权重得分，找到了制约各高校核心竞争力的瓶颈因素和最大影响因素。

第九章 高校核心竞争力分析模型
应用之一——评价体系

　　理论来自于实践并要应用于实践，理论的研究是为了更好地指导实践。高校核心竞争力分析模型的研究主要是为了指导我国高校核心竞争力的培育和我国高校的整体竞争优势的提升。如何来评价高校核心竞争力、如何实施跟踪检测高校的核心竞争力、如何采取及时而有效的措施提升高校的核心竞争力是高校核心竞争力理论研究的归宿。为此，需要把高校核心竞争力的理论研究继续延伸和推广应用，从而不断地用实践来完善理论，用理论来指导实践。

第一节 高校核心竞争力评价概述

　　世界上第一个发表大学排名的国家是美国。1983 年，《美国新闻与世界报道》率先推出了全美大学排名。1986 年，英国也推出了英国大学排名，中国是第三个发表大学排名的国家。1987年，中国管理科学研究院科学学研究所在《科技日报》上首次公布了对中国大学的排名。

目前，国内外评价主要有两大类，一是国家教育主管部门组织的评估，如中国高校本科教学水平评估。2004 年 12 月我国成立了国家教育评估中心，组织评估全国本科高校，五年一个周期。在这之前各省也都相继成立了教育评估院，重点评估职业技术型的高校。二是民间机构进行的所谓"大学排名"或称"大学排行榜"。后者也是目前大家关注得比较多的一种评价形式。

一、国外高校的评价

美国是世界上高校最多的国家，在美国，各种报刊都有"五花八门"的大学排行榜。下面介绍一些国外主要的大学评价：

（一）国外高校评估的雏形

欧洲大学与美国大学差距的产生是对高校的一种无形评估，这是国内外高校评估的雏形。欧洲的大学是中央集权严重，手脚束缚难以施展，而美国的大学是在生存中发展、在发展中生存。欧洲的高校上面怎么说下面就怎么做，而美国的高校必须以自身的存在和发展为己任，谋求社会认可和社会地位、声誉提高。这是最初的从整体角度对欧洲学校和美国学校的评估分析。另外，英国的高等教育拨款委员会（Higher Education Funding Committee，简称 HEFC）对英国高校的教学拨款和科研拨款分开管理、分开评估，使得英国科研活动的效率大为提高。德国引入以绩效为基础的政府拨款模式，以教学科研绩效和人才培养质量作为政府拨款的基本参照指标，德国的科学委员会通过单项评估使联邦政府撤销了对一些机构的拨款。[①] 美国卡耐基促进教学基金会对全美高校的分类具有很强的杠杆作用。由此可见，各国对高

---

① 参见杨昕、孙振球：《大学核心竞争力的研究进展》，《现代大学教育》2004 年第 4 期。

校拨款的依据都是对高校在某方面的评估。

（二）《美国新闻与世界报道》对美国本科院校的评价

1983 年美国发行量最大的杂志之一《美国新闻与世界报道》（U·S·News& Word Report）首次推出了大学排名。《美国新闻与世界报道》创办于 1933 年，该刊于 1983 年对全美本科院校和研究生院进行评估排名。起初每两年一次，范围是全美本科院校。1987 年后改为每年一次，并开始面向研究生教育。这种排名活动，最初是为了通过排名的形式向学生和家长提供各种可比数据，以供他们在选择学校时参考。这一点从世界各国的排名指标也可以看出。例如，美国的七大指标均是与学生家长择校十分相关。

为了便于学校之间的比较，《美国新闻与世界报道》把评估排名的高校（1362 所）按其区位和使命进行一定的分类。参照美国卡耐基促进教学基金会 2000 年对美国高校的分类（10 类）将高校压缩为 6 类。分类如下所示：

美国卡耐基促进教学基金会 1994 年对美国高校分类中的前四类为：第一类研究型大学、第二类研究型大学、第一类授予博士学位大学和第二类授予博士学位大学。该会在 2000 年对该分类进行第一次改版，缩编为两类，即在所有的学科领域都授予博士学位的研究型大学和只在优势学科领域授予博士学位的研究型大学。美国共有 248 所授予学位的"国家大学"，这些大学提供了一个全面的从本科学位到硕士和博士学位的项目，它们大都非常重视科学研究；美国共有 217 所授予学位的"文理学院"，它们都注重本科教育并且把一半以上的学位授给了文科专业领域的学生；美国共有 573 所授予硕士学位的"大学"，这些大学提供了全面的本科生项目以及一些硕士层次的项目，但几乎没有博士生项目。这些大学又按地理区位分为四种：北部、南部、中西部和西部；美国共有 324 所授予学士学位的"综合学院"，这些学校也按地理区位分为四种：北部、南部、中西部和西部。这些学校主要关注本科生教育，但它们只把不到一半的学位授予文科专业领域的学生，而且在这些学校里，所授予的本科学位中至少有 10％是学士学位。

2005 年《美国新闻与世界报道》对美国高校进行了排名，该排名不仅包含了高校的综合排名，还从专业领域、国际学生的数量、录取学生的比例、学生毕业率等多个方面进行评估。评估对象是美国 248 所授予从本科到博士学位的综合大学，其中 162 所为公立大学，86 所为私立大学。

（三）英国《泰晤士高等教育副刊》对大学的评价

在英国，《泰晤士高等教育副刊》于 1986 年开始推出英国高校排行榜。英国《泰晤士高等教育副刊》是与美国《高等教育纪事报》齐名的世界两大英文教育报纸之一。从 1986 年起，该报每年对英国的大学做一次排名，在英国国内颇具有权威性，对英国政府、学界和国民以及海外求学者产生了深刻的影响。该报于 2004 年 11 月第一次推出了它的全球大学排行榜，评选出世界前 200 名最好的大学，27 个国家的大学榜上有名。另外，英国的《泰晤士报》、《每日电讯》、《金融时报》、《卫报》和维劲集团都对英国大学做过排名。

（四）其他国家的主要大学评价

在德国，《明镜》周刊于 1989 年末首次公布对大学的评价排名。《明镜》在 1993 年组织的涉及 18 项指标的问卷调查规模空前，最后按德国东部和西部分别进行大学排名。在日本，《钻石周刊》有选择地调查了日本 100 所大学后，于 1993 年 4 月公布了大学评价的指标和权重。在加拿大，《麦克林》杂志从 1991 年起每年对大学进行评价排名。

纵观世界各国大学排名的主体，都是一些非官方的杂志社、民间团体与机构。一个学生对自己的大学教育的投资将对自己未来的事业机会、经济收入状况以及生活质量产生非常深远的影响，因而这种排名深受中学生及其家长们的欢迎和关注。

二、国内高校的评价

自 1985 年《中共中央关于教育体制改革的决定》提出"对高等学校的办学水平进行评估"以来，大学评价在我国得到了广泛开展。1992 年国务院批准的《国家教委关于加快改革和积极发展高等教育的意见》中要求"社会各界积极支持或直接参与高等学校的建设、人才培养、办学水平和质量评估"公布后，民间的大学排名开始活跃。我国大学评价主要包括两大类：一类是由国家直接组织进行的权威评价，例如，合格评价、"211 工程"评价等；一类是由社会中介结构组织进行的一种自由性评价，这也是目前关注比较多的一种大学评价形式，也得到了社会的认可。从 1987 年 9 月中国管理科学研究院科学学研究所发表中国第一个大学排名，到 2001 年 6 月广东管理科学研究院发表《2001 中国大学评价》，中国管理科学研究院科学学研究所、中国科技信息研究所、湖南大学、国家科委、广东管理科学研究院、学位与研究生教育评估所、《中国高等教育评估》杂志、中国科学院文献情报中心、中南工业大学、莱比格信息技术（深圳）有限公司、南京大学、网大（中国）有限公司、教育部科技司、中央教育科学研究所共 14 个单位发表了 30 多个不同类型的大学排名，都从不同角度反映了中国大学各方面的状况，在某种程度上起到了政府教育主管部门起不到的作用。中国的大学排名也在实践中不断改进和完善，从 1987 年中国管理科学研究院科学学研究所只有 1 项指标的最简单的大学排名，发展成为 2001

年广东管理科学研究院包含有总排名、研究生院排名、学院排名、专业排名、毕业生就业率排名、人才培养排名、科学研究排名等概括中国高校基本功能的大学综合排名。本书重点介绍几种影响比较大的大学评价。

（一）中国管理科学研究院科学学研究所的大学评价

1987 年中国管理科学研究院科学学研究所以美国费城科学情报研究所公布的《科学引文索引》（SCI）为数据源，在《科技日报》上以《我国科学计量指标的排序》为标题，公布了对我国 87 所重点大学的排序，这是我国第一个民间大学排名。这个只有 1 项指标的大学排行榜具有划时代的意义，它标志着中国学者从此开始了对本国大学的定量排名研究。1988 年 1 月该所又增加了《工程索引》（EI）提供的数据源，在《光明日报》刊登了《用科学指标评估高校科研水平》和《科学教育必须面向世界——从科学计量排序结果看我国高校科研的某种封闭性》的文章，对我国 20 所重点综合性大学和 20 所重点工科大学 1983—1985 年被 SCI 和 EI 收录的科技论文数进行了排序。1989 年 11 月，该所以"中国管理科学研究院高等学校比较研究课题组"的名义，在国家教委主持的"全国高校科研管理讨论会"上，发布了《我国重点高等院校科学计量多项指标排序及其分析》的论文，并在《学会》杂志上全文发表。该文以国家教委科技司编的 1985—1987 年《高等学校科技统计资料汇编》为数据源，选用其中的国外及全国刊物论文、专利批准、国家级奖三项指标对全国 86 所重点大学进行了分类排序。这是国内首次采用多项指标的大学排名。

（二）中国管理科学研究院广东分所的大学评价

1993 年 6 月，中国管理科学研究院广东分院武书连等在《广东科技报》上发表了《中国大学评价——1991 研究与发展》，排出以成果（产出）为主、投入产出比为辅的中国大学 1991 年研究与发展 100 名。该评价是国内首次使用较大规模专家群给定的权重作为各项评价指标的权系数，首次包括对社会科学活动在内的研究与发展成果进行的定量评价。该评价以国家教委科技司和社科司发布的统计资料作为数据源，共涉及 25 项指标，评价对象是全国 614 所本科大学。随后逐年推出了《中国大学研究与发展成果评价（节录）》。这一成果评价以"不同类型大学的科研人员平均具有相同创新能力"的科学假设为基础，有效解决了长期困扰国内高校评估学者的不同类型大学的相互比较问题，实现了中国大学排名质的突破；先后发布了《中国大学评价——1996 研究与发展》、《中国大学评价——1997 研究与发展》、《中国大学评价——1998》。其中《中国大学评价——1998》还包括另外 3 项各自独立的重要排名，即《中国大学评价——1998 研究生院》、《中国大学评价——1998 人才培养》、《中国大学评价——1998 科学研究》。《中国大学评价——1998》从大学对社会贡献的角度评价大学，结束了中国高等教育对大学排行榜长达 13 年的徘徊和探索，创立了以对社会贡献作为惟一衡量标准的中国大学评价体系。《中国大学评价——1998》的出现标志着中国大学排行榜进入了一个崭新的阶段。《2001 中国大学研究生院评价》中以"不同类型大学的科研人员平均具有相同创新能力"、"不同学科的科研人员平均具有相同创新能力"的科学假设为基础，建立了分类难度系数的概念，有效解决了不同类型大学的相互比较问题。随后，该课题组每年对指标体系稍作调整，陆续推出了《2000 年——中国大学评价》、《2001 年——中国大学评价》、《2002 年中国大学评价》（该评价主要是针对我国出现的高校合并高潮后的评价）、《2003 年中国大学评价》（该评价主要是指导考生的高考和考研选择的）和《2004 年中国大学评价》等，推动了该课题组对中国大学评价的持续研究。

（三）联合机构的高校评价

2002 年 10 月，国家教育部、科技部在《关于发挥高等学校科技创新作用的若干意见》中强调：高等院校应充分利用自身的技术优势和人才优势，建立和培育独立的社会化的终结性科学评价机构，积极开展科学评价工作。2003 年 5 月，科技部、教育部、中国科学研究院、中国工程院、国家自然科学基金会联合下发了《关于改进科学技术评价工作的决定》的重要文件，2003 年 9 月科技部又制定和发布了《科学技术评价办法（试行）》。在这个具有重要意义的背景下，2004 年，中国科学评价研究中心、中国科技信息研究所和《中国青年报》报社三家机构联合对中国高校进行了评价研究。他们根据教育部下发的"普通高等学校基本办学条件指标（试行）"的文件，将我国高等学校划分为六种类型（综合、民族院校；理工、农林院校；师范院校；医药院校；语文、财经、政法院校；体育、艺术院校），对高等院校进行了分类评价。他们通过对我国高校的科研竞争进行较为全面、系统的评价，得出了"中国高校科技创新竞争力排行榜"、"中国高校人文社会科学研究竞争力排行榜"和"中国高校综合竞争力评价报告"。该类评价的指导思想和原则如下：

1. 贯彻国家在教育、科学、文化领域的有关方针和政策，牢牢把握正确的政策导向；

2. 以科技部、教育部等五部委制定的《关于改进科学技术评价工作的决定》和《科学技术评价管理办法》等重要文件为指导性依据；

3. 正确处理定性与定量的关系，坚持定性分析和定量评价相结合的原则；

4. 正确处理投入、产出与效益的关系，实行三者兼顾的原则；

5. 正确处理自然科学与社会科学的关系，坚持两者同等重要，实行分类评价的原则；正确处理规模与效益的关系，适当偏重于质量的原则；正确处理国内数据与国外数据的关系，既要两者基本对应，但又适当偏重于国外数据，这有利于与国际接轨，鼓励高校和科研人员走向世界。

（四）中国网大的中国大学排行榜

中国网大的排行榜是我国大学评价影响较大的民间排行榜之一。1999 年 7 月，网大推出了第一份从消费者角度评估的中国大学排行榜。该排行榜基本上沿用了《美国新闻与世界报道》的评价指标体系，即学术声誉、专家评分、论文、新生质量、师资、科研经费六项指标。为了增强可比性，从 2000 年起，中国网大对大学排行榜采取了两项改进，并每年公布一次中国大学排行榜。网大的排名类似美国的分类排名：

1. 按照重点大学和非重点大学，设计了两套评价指标体系。其中，重点大学与非重点大学之间界限的划分规则为：重点大学采用 94 所国家院校（国家教育部中央教育科研所 1998 年 4 月数据）与 101 所进入"211 工程"的高校（1999 年 12 月教育部数据）的并集，非重点大学则相应的为非国家重点院校与非"211工程"大学的交集；

2. 在重点和非重点大学两大序列中，又分别按照国家的标准分类，对大学进行分类排行，以增强可比性。分类如下：A 综合大学、B 理工、C 农业、D 林业、E 医药、F 师范、G 语言、H 财经、I 政法、J 体育、K 艺术、L 民族。

网大排名的评价指标及其权重的确定由三轮问卷调查组成。第一轮问卷调查的目的是为了确定评价指标，第二轮和第三轮调查的目的是为了计算和校核指标的权重。在问卷调查中，采用了德尔菲法和层次分析法。

（五）《中国高等教育评估》杂志上的大学评价

1995年，学位与研究生教育评估所的王战军研究员以《1994年中国研究生院评估排行榜》为标题，在该杂志上公布了国家教委委托学位与研究生教育评估所对全国33所大学研究生院的评估结果。该评估包括"研究生培养及质量"、"学科建设及成果"、"研究生院机构建设"三个方面内容。该排行榜为解决不同类型大学的可比性问题采取了一系列措施。1996年2月夏天阳副研究员在该杂志上发表了《中国高等学校排行榜》，该文章根据办学条件、学科和科研业绩、生源质量等指标列出了中国最佳大学30所，该排行榜是国内第一个大学综合排行榜，遗憾的是，该排行榜没有公布指标权重和评价方法。中央教育科学研究所承担了"九五"计划全国教育科研项目和国家教委重点项目"高等学校办学水平综合评估（选优排序）"，现该课题已结束，公布了第一个教育部发布的中国大学综合排行榜。

（六）其他大学评价

1994年1月，中国经济出版社出版了韩学平主编的《世界100所著名大学排行榜》。

自1997年起，香港英文《亚洲周刊》每年发布《亚洲最好大学》排行榜。《亚洲周刊》在学术上并无创新，基本沿用《美国新闻与世界报道》的指标体系。

1997年5月，中国科技信息研究所公布了《中国高校科技论文产出排名榜》（1991—1995年），对我国大学科技论文被国际引用情况，被SCI、EI收录情况分别做了按总量排名、按年度排名以及按学校类别的排名。

1997年12月，《中国科学报》刊登了中国科学院情报中心金碧辉研究员写的《中国科学引文数据库1996年部分统计成果》的文章，该文公布了被"中国科学引文数据库"（CSCD）收录的论文最多的前 20 所大学。以后该中心每年公布一次发表论文最多的大学。

1998 年 4 月,中南工业大学蔡言厚教授在《湖南研究生教育》发表题为《我国高校培养高层次人才的综合实力比较》一文。该文根据中国各大学博士点、博士后流动站、国家重点学科(含国家重点实验室、国家工程(技术)研究中心、国家文科基地)的情况,采用比重法排出中国大学培养高层次人才的综合实力前 100 名,这是国内第一个大学高层次人才培养排名。

2000 年 6 月,由教育部科技司授权、教育部科技发展中心提供独家数据的北京思路科技网卡法有限公司发布《2000 年中国高校排行榜》,有科研经费排行榜、论文发表排行榜、获奖成果排行榜、成果转化排行榜、校办产业排行榜、科技企业收入排行榜、科技产业收入排行榜、校办科技企业排行榜等多个大学单项排名。

从上面的概述可以看到,我国目前排名的主体主要是中国网大、广东管理科学研究院课题组,还有一些报刊杂志社。由此可见,这些排名的主持者与组织者基本是非官方的。但如果评价的结果科学客观的话,这种社会性的自由评价,对于促进大学教育管理的改进和办学水平的提高将具有积极而重要的意义。

三、高校评价的意义

评价是以一定的标准从不同的方面对高校的各种活动或学校发展进行评判和衡量。客观公正的评价是社会和高校自身了解该高校核心竞争力现状的有效途径。评价不仅可以让社会更好地了解各高校,提高高校的社会办学质量,而且可以促进高校管理层对高校的管理和高校的稳健运行。就如暨南大学校长所说的(羊城晚报):"中国应该有大学排行榜。要让老百姓、全社会,包括政府都了解大学的情况，老百姓要为自己的孩子选大学，政府要了解给大学花了这么多钱效果怎么样，学校自身也可通过排名促进相互间的竞争。"很多学者也都肯定了大学评价的意义，例如刘纯朝认为：《评价》"对推进中国大学的研究与发展水平产生了较好的导向作用"、"是一个成功的范例"。蔡言厚、兰云、李卫说："笔者是持基本肯定态度的，并认为尽管《中国大学评价》还需要不断完善，但一次比一次进步，经受了实践的检验，得到社会的认可。"蒋石梅、曾珍香、战英民、刘新福在总结了同行专家的评论意见后写道："武书连主持的大学评价得到了多数评论者的认可，不少学者提出了建设性意见，其中可操作部分都已被该课题组采用。"

建立在大学评价基础之上的大学排序，目前已成为高校评价的热点问题，社会意义非常明显。

（一）中国高等教育走向市场的催化剂

一年一度的中国大学排行榜，是很有价值的工作，某种程度上，可以说是一种对中国高等教育走向市场的深切关注。随着社会主义市场体制的建立和完善，中国高等教育管理体制也要作出相应的调整，扩大高等学校的办学自主权，把高等学校办成面向社会自主办学的实体，是中国高等教育体制改革的一个重要内容。减少政府部门对于高等学校过多的直接行政干预，同时建立和完善高等学校履行社会责任的保障和监督机制，是实现这个目标的两个重要方面。在这个过程中，打破垄断局面，提高高等学校之间的竞争程度，为高等学校的公平竞争提供一个良好的社会环境，这样既有利于提高高等教育的资源配置效率，也有利于提高现有资源的使用效率。大学排行榜能在一定程度上影响考生和家长的选择，还会在某种意义上影响社会资源的投向，尽管这种影响不可能像有的机构那样形容得过分，但对大学的评价，从以往的以人际传播为主，到由于排行榜的亮相而走向社会舞台进行公开评价，这对促进社会评价机制的形成，推动高等教育事业的发展，是具有进步意义的。

（二）有利于高校信息公开化、社会化

大学之间的差异是客观存在的，为大学排序也是一种客观需求。选取不同的角度，采用不同的方法来研究大学之间的差异，有助于人们加深对大学的了解和认识。例如重点院校、一般院校，这种粗线条的划分，较难反映高校之间的差别以及每所高校的发展趋势。MBA、MPA、EMBA教育单位很多，其中鱼目混珠的不少。正如上海交通大学管理学院院长王方华说：大学排行榜的出现顺应了社会的需求。通过对全国高校的评价排序，建立一个有效的信息系统，在学校、政府、社会之间进行充分、准确和及时的信息交流，增加高等学校办学的透明度，向社会各界，特别是在高中毕业生及其家长填报高等学校志愿时，提供关于高等学校办学条件、质量和效益的信息。建立在科学的评价基础上的大学排序，可为政府有关部门宏观调控高等教育，为社会用人单位选择毕业生以及为优秀学生择校提供参考依据。国外一些机构每年都会对此进行排名，成为学生报考的一个重要依据。因此，高校评价的意义和作用已得到广泛的重视，各种评价活动空前繁荣。

（三）有利于提高高校竞争力

大学评价（排名）从某一侧面揭示了高校的综合竞争优势，通过排序，可以帮助大学从特定的视角对本校的发展状态和水平进行"诊断"，从中看到自己的优势和特色，找到差距与不足，从而扬长避短，改进工作，提高学术水平。同时高校评价为推动学校的发展引进了一种竞争机制。学校要发展，就应该置身于竞争的压力之中，压力可以转化为动力。引入大学排名从而引入竞争机制，把学校的实力告诉社会，让学校增加危机感，主动参与竞争，进而提高整个高等教育的教学和科研质量。同时，大学评价（排名）为寻求高校的核心竞争优势奠定了基础，为研究高校核心竞争力的构成要素指明了方向。

另外，大学排序是高教评价研究的重要领域，通过大学排序研究，可以丰富高教评价的理论和实践研究，促进高教评价研究的深化和完善。通过大学排序活动，可以在更大的范围内引起社会各界人士对高等教育的关注，无论是肯定还是否定，赞扬还是批评，都可以产生影响公众的广告效应。

第二节　高校核心竞争力评价指标体系

高校核心竞争力的研究涉及核心能力的内涵、特征、外延、识别以及评价等诸多方面的问题。理论的研究是为了推动其在实践中的应用，因此高校核心竞争力的内涵、特征、外延、构成要素的研究都是评价研究的理论基础，最终是为了更加合理、有效的评价高校的核心竞争力，从而进一步指导各高校的发展，"对症下药"明确高校核心竞争力的考核范围，指导各高校如何去考核该校核心竞争力的大小、从哪些指标入手去培育他们的核心竞争力。在高校核心竞争力评价研究中的一个重要问题就是高校核心竞争力的评价指标体系问题，即高校核心竞争力的评价指标有哪些、评价指标之间的相互关系如何以及评价指标体系对提升高校核心竞争力的作用是怎样的等，这些都是高校核心竞争力评价研究中的重要问题。因此，建立合理而完善的指标体系是对高校核心竞争力合理评价的关键，高校核心竞争力评价指标体系的确定是高校核心竞争力的研究所向。

一、高校评价指标体系分析

高校评价已成为我国高等教育研究的热点，目前已有十几个单位在做高校评价研究，但不同的评价机构研究视角不同，所采用的指标体系不同。现介绍主要的评价机构的指标体系如下：

（一）《美国新闻与世界报道》评估排名的指标体系

在美国，《美国新闻与世界报道》杂志一年一度的"国家级最佳大学"的排名列出了 18 项不同标准，如学术声望、录取率、校友捐赠率、毕业率等，以一套复杂的公式计算出各大学的总分并列表公布。《美国新闻与世界报道》评估排名的指标体系，兼顾了评估排名的客观性、公正性、科学性。从评估排名的客观性和公正性出发，2004 年的评估指标中 75％的指标都是具有可测性、可靠性和无偏见性的客观指标，比如学生选择性（生源情况）、教师资源（教师数量）、学生保留率（学生满意度）、财政资源（保障率）、校友捐助率（毕业生满意度）、毕业率表现（学校水平）等。只有权重占 25％的"同行评估"是某种主观性指标，根据问卷调查而得来。这个调查是委托给芝加哥的一个称为"市场住处公司"的民意调查公司进行的。它发出调查表给同类型大学的校长、总监（学术副校长）和负责招生与录取的院长们，要求他们对同类学校的学术卓越性进行评价，这当中包含了学校教育中诸如教师对教学的敬业精神等许多无形的因素。评价的分数从 1 分到 5 分，5 分为"杰出的"，1 分为"边缘性的"，如果不能对一个学校公正地评分，可以回答"不知道"。这一公司为采集高校同行评估方面的数据，2003 年总共发出调查表4095 份，回收率达 61％。当然随着时间的推移，《美国新闻与世界报道》对高校评估的指标体系也不断改进，从而更好的适应高校发展的需要和促进高校的竞争。

在客观性指标中，"学生选择性"反映了生源情况，因为一个学校的学术气氛有一部分要取决于学生群体的能力和学术抱负。其中 SAT/ACT 分数是新生的考试分数；对国家大学（博士）和文理学院（学士）来说，考虑的是新生中在原高中排序前 10％的比例，而对大学（硕士）和综合学院来说，考虑的是新生中在原高中排序前 25％的比例；其中的"录取率"为录取学生占申请入学人数的比例，它反映了学校对新生的吸引力。数据都来自于 2002 年秋季入学的班级。"教师资源"反映了师资力量和学生对教师的满意程度。使用的是 2002—2003 学年的数据。其中的班级规模有两个组成部分：一个是低于 20 人的小班课程的比例，另一个是高于 50 人的大班课程比例；其中的教师工资是 2001—2002 学年和 2002—2003 学年的平均教师工资加奖金，再根据地区生活费用差别做一定调整得到。"学生保留率"反映的是这样一个规律：第二年秋天重返校园的一年级新生的比例越高，以及他们最后从这所学校毕业的比例越高，那么这所学校必定是更好地提供了学生获得成功所需要的课程和服务。其中毕业率指的是在 6 年或更短的时间里得到一个学位的毕业生的平均比例，数据来自于 1993—1996 年入学的新生班级；其中"新生保留率"指的是从 1998—2001 年入学的新生当中第二年秋天返回校园的平均比例。"财政资源"方面的指标是为反映学校在学生身上花费的"慷慨性"，它可以反映出学校能否为学生提供广泛的学术项目和服务。数据来自于 2001 年和 2002 年平均花在每位学生身上的教学、科研、学生服务和其他相关的教育费用。"校友捐助率"是对校友对学校满意程度的间接测量，数据是根据 2000—2001 学年和 2001—2002 学年校友捐助的人数比例得到。"毕业率表现"指的是预期毕业率和实际毕业率之间的差别，只对国家大学（博士）和文理学院（学士）做这一指标的评估。为计算这一指标，先根据 1996 年入学新生的标准化考试成绩和其他有关新生的特性，然后再根据有关这所学校的一系列特征，其中包括学校在学生身上的平均花费，来计算 2002 年学生的预期毕业率，然后计算 2002 年实际毕业率和预期毕业率之间的差值。如果实际毕业率高于预期毕业率，则说明学校有效地促进了学生的发展。

（二）《泰晤士报高等教育副刊》全球大学排行榜

在英国，《泰晤士报高等教育副刊》全球大学排行榜主要依据 5 项指标评分，其中"同行评议"占 50%，通过对全球 88 个国家的 1300 名学者进行问卷调查获得此数据，"平均每位教师论文被引用率"和"师生比"各占 20%，"国际教师人数所占比例"和"国际学生人数所占比例"各占 5%。位居榜首的院校总分评定为 1000 分，其余各校按统计学原理和一定公式将原始分换算成标准分，以增加数据的可比性。

（三）加拿大《麦克林》杂志的指标体系

加拿大《麦克林》杂志是十几年前开始为加拿大 46 所高校排名的，它将本国的大学高校分为本科为主的综合大学、含多种博士授予点的高校和医学院三大类，评选标准主要包括学生评估、师生比、师资质量、校方的资金状况、图书资源和声望。不同类型的大学在各个指标的统计上方法不同。

（四）科学评价研究中心的指标体系

科学研究中心三个联合机构根据科学学原理、科学发展规律以及科研工作的特点和过程的分析，认为科研的投入决定科研产出，而科研的投入与产出又必须讲求效益，因此，投入、产出、效益是影响科研竞争力的基本因素。科学评价研究中心按照投入、产出、效益的思路，构建高校竞争力评价的投入指标、产出指标、效益指标三级指标体系，对高校进行评价。

投入指标：

1. 人力

（1）社科辅导；（2）教育队伍中社科英才（教育部青年教师获奖者）人数；（3）高级职称占教师总人数的比重；（4）教师人数占全体学生人数的比重。

2. 重点基地

（1）国家级重点学科（社科）数；（2）教育部重点人文社科基地；（3）博士点数。

3. 项目

（1）国家社科基金项目数；（2）社科项目总数。

4. 经费

当年科研经费支出。

产出指标：

1. 著作与应用成果

（1）专著；（2）提交有关部门的研究报告数。

2. 收录论文数

（1）SSCI、AHCI 收录论文数；（2）ISSHP 收录论文数；（3）CSSCI 收录论文数。

3. 奖励

（1）获教育部人文社会科学奖；（2）全国百篇优秀博士论文。

效益指标：

（1）人均产出率；（2）万元产出效率。

总之，该指标体系是首次从投入、产出、效益角度对大学的评价，该评价指标体系全部为定量指标体系，便于统计，误差小。

（五）肖鸣政的大学排名指标体系

在研究了国内外排行榜的优缺点之后，肖鸣政提出大学排名应从职能、能力与绩效三个方面设计评估指标。主要包括：

1. 学术资源与声望

（1）知名学者、专家、校长、官员、企业家声誉问卷调查；（2）国内外访问学者与会议交流总数及学科分布率；（3）国内外访问学者与进修生总数与学科分布比例；（4）博士点总数及学科分布率；（5）硕士点总数及学科分布率；（6）国家重点学科数及学科分布率；（7）国家重点实验室、国家工程研究中心、国家人文社科重点基地数及学科分布率。

2. 学生质量

（1）本科学生：录取平均分、报考与录取比例、各省市重点高中文理科前30名考生的录取比例、各省市文理科前100名考生录取的比例；（2）研究生：报考与录取比例、来自重点大学考生的比例、研究生总数及其在全校学生中的比例；（3）留学生：总数、在同专业学生中的比例、来自五大洲学生的比例；（4）各地区（省市）学生在学生总数中的比例。

3. 师资

（1）具有博士学位教师的比例；（2）校外获得博士学位教师的比例（近亲繁殖程度指标）；（3）专任教师与学生比；（4）长江学者特聘教授人数或两院院士人数（限理工院校排名指标）；（5）教授在该学校平均职龄（核心师资稳定性指标）；（6）国内外师资交流（流入流出）数量与比例（反映师资活力指标）。

4. 财力

（1）生均行政经费开支；（2）奖学金与助学金占行政经费比例；（3）享受奖学金与助学金人数占全体学生比例；（4）教师年平均收入（学校发放的部分）；（5）专任教师与科研人员人均科

研经费系数。

5.物力资源

(1)图书：A 总藏量，B 生均藏量，C 图书馆用于购买新书的经费占图书馆开支的比例，D 图书馆开支占学校经费的比例，E 计算机网络相对国家、国际图书资源利用的方便性（专家验收），F 师生人均拥有微机的台数；（2）教学用房面积及生均面积；（3）全日制学生住宿总面积及生均面积；（4）体育场馆总面积及生均面积；（5）图书馆总面积及生均面积；（6）社团总数及活动频率（生均数）；（7）教师人均办公用房面积。

6.研究成果

(1)课题批准总数及级别；（2）论著论文在同学科发表总数中的比例（以目前国内相关文献检索为准）；（3）在同一学科中获奖的比例及级别；（4）索引情况。

7.人才培养

(1)7 月前毕业一次就业率；（2）7 月前毕业生考取其他院校研究生人数及比率；（3）毕业生社会声誉（调查）；（4）毕业生国外院校奖学金获得者与录取人数及比率；（5）学生人均论文发表数；（6）学生获奖人次及级别。

8.内部管理

(1)制度健全程度（通过查看考评）；（2）校园文化建设程度（通过考察考评）；（3）师生民主参与管理的程度（通过问卷调查、座谈、查看记录考评）；（4）相对人才培养目标课程设置的全面性与科学性（通过专家评价、调查师生考评）；（5）相对人才培养目标教学方法的先进性与科学性（通过专家评价、调查师生考评）；（6）相对人才培养目标学科门类的总数及相关性与覆盖率（通过对照评价考评）；（7）办学目标与发展战略是否清晰独特（通过专家评价考评）；（8）行政部门功能定位是否准确

（通过专家评价考评）；（9）管理流程是否清晰顺畅（通过专家评价考评）；（10）少于 30 人的教学班比例（通过查看考评）；（11）多于 100 人的教学班比例（通过查看考评）。

（六）其他一些评价指标体系

对于广东管理科学研究院的武书连课题组的《中国大学评价》主要是从高校对社会的贡献角度来选择评价指标体系的，该课题组主要选择的指标体系都是刚性的、客观的、定量的、可重复的。该课题组在指标体系的选择和统计方法上每年都有所创新。网大的排名则是"产投并重"，一方面采用了美国大学排名常用的指标，如学术声誉、学术地位、教师资源、物资资源等，同时也参考了学术成果、学生情况等国内大学排名常见的指标，从中细分出二级指标，包括博士点数量、重点学科数量、各种论文的发表数量、新生质量等。

由于一所大学有科研、教学、研究生培养、产业、后勤等几个大方面，大学的学科又分为文、理、医、工、农、林、艺等，从大学的类型来看，有文理科为主的综合性大学，也有理工科见长的综合性大学，还有各种专业性很强的大学；而且每一所大学都有它自己的历史，都有所在地区经济政治和文化所带给它的烙印，每一所大学都有它长期沉淀下来的校风、学风以及学校的精神品格，很难说这个比那个强。所以不管是哪个机构、哪家报刊的评价指标体系，研究的视角不同，结论就有所不同。但每一份高校评价都有它在某个角度上的贡献，很难说哪家机构比较有权威，哪家机构评价的结构可信或不可信，关键在于你站在什么位置、怎么看、用什么方法去看、目的是什么。

二、高校核心竞争力评价的指导思想

根据科学学原理、科学发展规律以及时代发展的需要，我们认为高校核心竞争力决定了高校未来发展的潜力和方向，通过前面的论述我们知道，对于高校来说，知识是高校核心竞争力的本质特征，学习力又是高校核心竞争力的本质，因此，知识和学习力是影响高校核心竞争力的关键因素。所以我们从知识和学习力角度建立高校核心竞争力评价指标体系。

由上面的概述我们看到，由于不同类型的高校发展的侧重点不同，国内外的高校评价一般都采用了分类评价，虽然最近几年，一些课题组一直在通过一些假设对不同类型高校的进行综合评价，但是分类评价相对还是比较合理的，所以本书也是根据教育部对我国高校的分类——研究型、教学研究型、教学型和专科、高职类学校进行了指标体系的调查研究，最终根据调查结果建立了高校核心竞争力评价指标体系及权重。

大学评价是对高校在过去的时间中所取得的成绩进行评价，所选用的指标都是对过去成果的计量。高校核心竞争力与一般的竞争力相比，它所关注的并非高校现有显性的外在于高校的静态物力和财力，而是在竞争环境中所显现出来的根植于其内质的那种深层的竞争能力。目前高校的评价都侧重比较的是高校的学术生产能力和人才生产能力，如《美国新闻与世界报道》评估指标中"毕业率和保留率"、"毕业生表现"就属于人才生产能力的内容；而同行评价"学生选择性"属于学校声誉应归于文化力。"财政资源"和"校友捐赠"应归于"整合资源的能力"是高校管理力的体现。"教师资源"当属学术生产能力。网大指标的16大项有4大项属于人才生产能力和学术生产能力的内容，还有2项分别属于"管理力"和"文化力"。肖鸣政的指标体系中5/8是人才生产能力和学术生产能力的内容，另3/8属于管理的内容。大学评价为寻求高校的核心竞争优势奠定了基础，为研究高校核心竞争力的构成要素指明了方向，但排行榜并非真正意义上综合实力的表征，更不是核心竞争力的外在体现。所以高校评价是对高校绩效的统计计量排序，而核心竞争力指标体系必须体现出高校核心竞争力的内涵、本质和特征，从而凸显出高校的潜在竞争力。

三、高校核心竞争力评价指标体系

当然，在核心竞争力评价指标体系的研究中，对同一个问题，不同的学者，出发的角度不同，所建立的评价指标体系往往也不同，不同的评价指标体系所得出的分析结论也是不一样的；另外核心竞争力在不同类型的高校中所体现的形式也是不同的，其核心竞争力的评价指标体系也是不一样的，比如对于名师中院士的考核，对于研究型的高校，一般院士的数量越多，他们在科研研究中所作出的贡献越大，他们相对具有较高的核心竞争力，而对于高职类院校和教学型院校，他们以教学为主，科研相对较少，该类高校一般不引进院士，对该类高校的核心竞争力一般不考核院士。本书在高校核心竞争力理论研究的基础上，分别在四类高校中调查分析了高校核心竞争力对核心竞争力各评价指标体系的重要性，从分析模型出发建立了我国四类高校的 2 个一级指标、4 个二级指标和 14 个三级指标的高校核心竞争力的分类评价指标体系，即对同一类型（层次）高校核心竞争力状况进行比较评价。

在指标体系中对学术生产能力、人才生产能力等显性要素可以采用定量指标，对管理能力、文化力等隐性指标则采取定性定量的方式度量。另外，作为贯穿高校核心竞争力始终的学习力，在高校核心竞争力的培育、发展及提高阶段都处于重要的地位。因此，在对高校核心竞争力进行分析时还要对学习力进行评价，这样两者进行对照分析就可确定某高校的潜在竞争优势和核心竞争力的现状。因此，用核心竞争力的指标体系对高校进行分层、分类比较指导性、可比性更强。

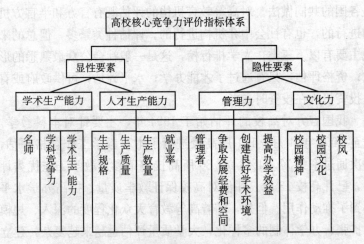

图9－1 高校核心竞争力评价指标体系图

本章基于构成要素和高校核心竞争力的本质，构建了高校核心竞争力评价指标体系，该体系不仅包含了高校核心竞争力的概念、特征、本质，而且有利于揭示高校核心竞争力的潜在竞争优势及未来的竞争潜力。随着核心竞争力理论在高校中的应用、延伸，高校核心竞争力评价指标体系将融合大学排行榜和国外对大学评价的思想和经验，构建不断完善的基于核心竞争力的高校核心竞争力评价指标体系，统一并建立完善而科学的"大学排行榜"。

第三节 大学排行榜和高校核心竞争力评价

一、大学排行榜

通过评估，敦促高校提高水平，达到保证教育质量的目的，是各国的共同做法。对高等教育机构的评估既有官方和半官方机构进行的，也有社会中介机构进行的。评估种类繁多，但总的来说主要有以下三类：大学排行榜，这是一般社会公众最熟悉的形式；资格评估，只有通过了才能办学；水平评估，可供政府或有关投资机构在投资时参考。

我国官方对高校的评估始于 1994 年，主要针对本科教学。截至 2000 年 4 月，161 所高校进行了本科教学工作合格评估，一次通过率为 77.64%；有 80 所高校申请参加教学工作优秀评估，已评高校 13 所。评估对高校保证教学质量、提高办学水平起到了推动作用。但是，随着高等教育大众化程度的深入、规模的扩张、办学体制的多样化，大学质量评估也越来越复杂，建立新的评估体系刻不容缓。新的评估体系该怎么建立？不妨先来看看国外的情况。

20 世纪 90 年代初，一向推行精英教育的英国高等教育开始大规模扩张，高等教育入学率快速攀升，短短几年由 90 年代初期的 15% 上升到了 90 年代末的 30% 以上。一时间，教育质量成为英国社会关注的热门话题。据彼得森介绍，英国有一系列质量评估组织体系，包括大学基金委员会、国家学位委员会、高等教育质量协会、高等教育质量保证署等机构。

这些机构在政府政策框架下运作，按照国家有关法律和政府政策对高等学校的质量进行评估和审计。大学基金委员会和国家学位委员会代表政府对高等教育实施水平进行评估和质量监督，前者的主要职责是根据每四年一次的评估结果制定大学基金分配方案，并与大学签订合同，监督经费的使用效益；后者对大学以外的高等院校，如师范学院、继续教育学院等进行质量监督，统一颁发学位、文凭和证书。英国的高等教育质量协会和高等教育质量保证署是受高等学校资助的、独立的、非营利性的有限公司，承担质量保障、公众信息、标准确认、证书框架的管理，以及为各高等教育机构申请政府拨款的条件制定可操作的规范。他们依据《质量保障手册》轮流对所有的英国高等学校和海外教育合作项目进行全面的质量审计和评估，向社会公开出版发行评估报告的单行本，供教育行政组织和高教基金机构作为政策依据。

大学排行榜是美国人的"发明"，由社会中介机构进行，评估体系中有多个指标，比如经费、科研成果、具有博士学位教师的比例等等，给各项指标打分后再用一个公式算出总分，按分排队。由于其一目了然，这种形式广受社会重视。后来，这种方法被英国等国家采纳。目前，中国做大学排行出了名的主要有两家：广东的科学学与管理研究所和"网大"网站。虽然社会影响最大，但是这些社会机构的排行是否科学、权威，历来争议颇多，比如指标体系的制定是否合理、权重是否科学、数据来源是否可靠等等。

美国实行的是高等教育认证制度，认证委员会是非政府机构，负责专业和职业认证组织的协调工作。对高等教育机构的认证过程很复杂，大概要2—4年的时间，认证的结果将公之于众。虽然美国并不规定教育机构非得要通过认证才能办学，但通常情况下，只有通过认证的教育机构才对学生有吸引力。

2000年网大首次公布"2000年中国大学排行榜"时，社会公众和高校均对此反响强烈，有的高校向教育部写信痛斥"不合理的排名影响了学校的声誉"，而有的高校在行政办公楼前打出标语，"热烈祝贺我校进入排行榜XX名"。在"网大"的网站里，各种争论使网路几乎"瘫痪"。与中国大学的态度颇不相同，对大学排行榜，哈佛大学和牛津大学的校长一致说："我们对排名并不十分看重。"哈佛大学校长陆登庭说，"排名总是用一些统计数据去说明问题，而精确的统计数字不能完全说明办学质量效益这样一个十分复杂的问题。"

中国未来的教育评估框架是什么样的？作者了解，教育部从2005年开始将过去的合格评估、优秀评估和随机性水平评估结合起来，组织实施"普通高等学校本科教学工作水平评估"，在未来5年内对全国一千多所高校进行评估。由于工作量太大，教育部拟在全国几个大区建立评估中心或评估院，由教育部组织专家制定评估方案，委托中介机构进行评估。另外，还将考虑实施各专业的学术和教学评估，按专业进行排名，像国外通常做的那样。

各国经验证明，评估是保障高等教育质量的有效措施。建立适合中国高等教育情况的评估体系非常必要。很多大学校长们在接受采访时，对此观点非常一致。

北京一位大学校长认为，美国模式与我们相差较远，而英国高校的评价系统与中国现实比较接近，值得借鉴。山东大学校长展涛和对外经贸大学校长陈准民认为，在制定评估体系和指标时，一定要考虑中国的具体国情，因地制宜，中国地域广阔，各地区教育发展水平很不平衡；另外，一定要考虑不同层次、不同定位和不同特色学校的实际，分类别进行评估。

展涛建议，应对社会中介机构进行资格认证。陈准民认为，可以从学科专业评估开始，综合评估要慎重，制定指标体系时要考虑导向性，要小而精，给学校办出特色留出足够空间。他认为，我国目前尚缺乏由社会中介机构进行评估的社会环境，诚信文化氛围还未真正建立起来。

彼得森教授建议，中国在制定评估体系时，不能照搬别国的做法，一定要考虑中国的实际情况。另外，应考虑大学的多样性，不能拿苹果与橘子比。他建议，首先要搞好评估的基础工程——数据库建设，组织有关方面采集大量教学评估所需数据，提供给有关的评估机构，不管是官方机构，还是社会中介机构。[①]

所谓大学排名，就是某些社会中介组织依据一定的评价指标及评价结果对大学的一种排序。[②] 这种排名实际上是社会对高校的一种非正式性评价。目前我国社会中介机构所做的大学排名中，存在一些不正常的现象。我们发现同样的大学，在同样的时间里，不同的社会中介机构评价，前后不到一年的时间，却排出完全不同的名次来。例如 2002 年，中国人民大学在网大（一家中国境内教育门户网站）排第 9 位，而在广东管理科学研究院课题组的排名中却排在了 44 位。排名结果差距如此之大，十分令人怀疑和费解，必将给学生和家长以误导。这不能不引起人们对当前中国大学排名合理性的怀疑与担忧。这也给高校核心竞争力评价研究工作者提出了时代的迫切要求。

二、大学排行榜存在的缺陷

山东大学校长展涛认为，现在的大学排名有违于大学价值之根本——培养人才、全面促进社会发展。但是作为管理者，又不得不关注排名。这是 2005 年最新大学排名发布以来，国内校长级人物作出的首个反应。展涛还承认，大学排名实际是社会公众直接关注，并作为其了解大学的最直接最简单的方式之一。"我到欧洲交流访问的时候，外国的朋友们谈到我们的大学首先也要从大学排名上给予赞誉。从这个层面上讲，我们不关注也是不可能的。"但对大学排名是否能真正展示大学风采时，展涛认为，

---

① 参见教育部中外大学校长论坛领导小组编：《中外大学校长论坛文集》，高等教育出版社 2002 年版，第 301—327 页。

② 参见肖鸣政：《大学排名何时走向科学与公正》，《新华文摘》2004 年第 13 期。

"近年来结构调整（合校）实现了大学类型多样化的格局，但多样化特色的办学风格尚未形成，而这是数字化体系难以衡量的。追求个性，是未来高校发展之趋势。不是每个学生今后都能成为像院士那样能够为排名做贡献的人。"回到学校的管理问题上，展涛直言不能围绕排序指挥棒确定发展目标，"这是危险的，科研有自己的目标和规律。"①

美国耶鲁大学校长理查德·C·莱温认为：英国一些媒体，做这样的评估工作，确实吸引了一部分学生和家长，但我们大学，对报纸所做的有关大学排行榜的质量持保留和怀疑意见。在我们看来，这是媒体炒作，我们并不确定这样的评估是否能够真实地反映英国大学的教育质量优劣；也许媒体排行榜的受众群很大。除此以外，还有一些政府教育机构和一些大学的研究中心做的排行榜，他们做的这个排行榜的质量，要比媒体做的高一些。很难用一种评估体系来为各种大学作出排行榜，因为我们是不同的。而且也是多样的，我们现在的学校，由各种各样的机构组成，因此是很难用一种标准去衡量的。②

北大校长许智宏则认为：对北大来讲，外界的排名，最大的影响可能是对学生，对学生能不能被吸引到这个学校来会产生一定的影响。我想对中国来讲，对大学生源的状况很难去排名。排名对北大和清华而言，实际不会产生太大的影响。因为总是全国最好的学生选择上北大，我并不介意具体怎么排名。实际上，对大学而言，最关键的还是学科，每个院每个系，在全世界，至少在中国，可以排到多少位，作为北大的每个院系，只有排到全国

---

① 《山东大学校长直言：高校排名有违大学价值之根本》，《中国青年报》2005年3月17日。

② 参见教育部中外大学校长论坛领导小组编：《中外大学校长论坛文集》，中国人民大学出版社2004版，第29—48页。

前十名以内，我觉得才有意义，如果不能排到前面，我们设这个院系就没有多大意义。这是最关键的。目前这种评价，很难做到十全十美。这就牵扯到评估体系本身存在的问题，把很多不同的大学放在一起评估，不可能做得非常完善。

如何评价一所大学呢？美国耶鲁大学校长理查德·C·莱温认为主要有以下四个方面素质构成，第一个是这个大学有很高的目标，在所有领域都追求完美，这是好的大学对高质量教育的一个重要的承诺；第二个是它的科研和教学有机地结合，如果一个大学仅仅在教学，或者在某一个科研领域很出色，而另外的一个领域表现一般，这就不能称其为非常优秀的大学，有机地结合起来，让尽可能多的有能力的学生在大学完成他们的学业；第三个重要的因素是大学要承诺对社会作出贡献，不仅仅是从知识和技术传播的角度为社会做贡献，也要从其他的途径，比如大学的人文科学和社会科学对社会作出贡献；第四个（但不是最后一点），一个好的大学从来不会满足现状，总是准备好变革，我们需要寻找机会创造未来，并且抓住机会，把它变成我们变革的动力。[①]

"评价体系狭隘、考量指标有问题！"这是剑桥大学校长艾莉森·理查德对我国目前流行的"中国大学排行榜的评价"。她认为，一所大学的名声不是用排行榜"排"出来的。她以上海某高校所做的中国大学排行榜为例指出，从这个"排行榜"的评定依据以及结论来看，它的评价体系是很狭隘的，比如片面根据诺贝尔奖获得者数量、科研论文被引用次数、科学研究的成果等，衡量对科学研究的贡献。这种做法没有把大学所做的研究真正重视起来。此外，这个"排行榜"把不同类型的学校之间进行对比也

---

① 参见教育部中外大学校长论坛领导小组编：《中外大学校长论坛文集》，中国人民大学出版社 2004 年版，第 29—48 页。

是有问题的，就像把苹果和橘子放在一起，"这是不太可比的"。理查德认为"排行榜"对于一所大学建立名声并无帮助，"大学的名声要靠最出色的师资队伍"。她指出，"排行榜"对于高校人才的培养和发现也没有实际作用。一般来说，发现和认同人才并不是以学校的排名作为参考，人们会有一套科学的方法知道谁的研究最有价值最出色，至于他所在的学校是否进入"排行榜"并无参考价值。在这位曾在耶鲁大学当了8年教务长的剑桥大学校长看来，盲目地进行大学排名甚至是有害的。她说，如果只是把大学放进排行榜里进行排列、比较，人们就会忘记社会和学生到底需要什么，相反很多优秀的大学可能因为没有上"榜"而被忽略。①

近年来，我国一些研究机构纷纷推出"大学排行榜"，对国内大学进行排位。2003年"两会"期间，曾有政协委员提案，建议禁止民间进行大学排名，认为高校评比应该由教育部组织进行，社会上缺乏科学性与权威性的排名会产生严重的负面影响。②

大学排行榜在得到社会认可的同时，也引来一些争论。在2004年结束的"两会"上，政协委员、南京航空航天大学的黄因慧教授指出"大学排名"误导考试，应禁止民间组织进行大学排名。一石激起千层浪，关于"民间机构是否有权进行大学排名"的话题，引起人们的探讨。任何事物需要辩证地看待，如果不断改善，还是具有重要的社会意义的。例如美国、英国、加拿大等国家每年都给本国的大学排名，这种排名也经历了从不成熟

---

① 参见教育部中外大学校长论坛领导小组编：《中外大学校长论坛文集》，中国人民大学出版社2004版，第49—61页。

② 参见《禁止民间组织进行大学排名》，《北京青年报》2003年3月10日。

走向成熟、从不被接受到可以接受、从只当成新闻到成为制定决策的参照的过程。

（一）排名结果的差异性

大学排行榜呈现给大家的是各高校的排名次序，排在前面的是优秀者，排在后面的是低劣者，被人看重的是排名的结果；但由于国内外的排行榜排行依据不同，排名标准不统一，对于同一个高校在不同的排行榜中的结果差异很大，不易被人理解。例如，以英国的帝国理工学院为例，在 1999 年排名中，《每日电讯》排 21 位，《泰晤士报》排第 2 位，《卫报》排第 16 位，在维劲排第 10 位。以我国 2002 年排名结果为例，网大所排的前 10 所大学分别是清华大学、北京大学、南京大学、复旦大学、上海交通大学、浙江大学、中国科技大学、南开大学、中国人民大学、北京航空航天大学。广东管理科学研究院课题组所排的前 10 名大学分别是清华大学、北京大学、浙江大学、复旦大学、南京大学、华中科技大学、武汉大学、西安交通大学、吉林大学、上海交通大学。在网大中排第 8 位的南开大学在广东管理科学研究院中排第 21 位，在网大中排名为 18 位的华中科技大学却在广东管理科学研究院中排为第 6 位。另外，我们发现同一所大学，在相同的时间里，不同的社会中介机构评价却排出完全不同的名次来。

（二）排名标准的随意性

不同的国家、不同的排行榜所选择的排名标准不同。例如在美国的排行榜测评过程中，一般考察大学的学术声望、学生数量、师资力量、生源、财力、学生的毕业情况这六大方面，其中所反映的教学实力是一个关键因素，例如加州理工学院在 2000 年《美国新闻与世界报道》排名中夺得第一名，超过了哈佛、耶鲁等老牌高校，就是因为该校花在每个学生身上的教学支出比哈佛、耶鲁高出一倍多。在英国，排在大学排行榜前面的都是历史悠久的学校，而且注重于理论研究，排在后面的大学多是一类新学校，注重于现代工程技术、培养实用性人才。例如牛津、剑桥这样的学校在各个排行榜上居高不下。在中国，决定高校在排行榜上名次的是高校的学术成果和在（SCI、EI 等）核心期刊上的论文数量。

（三）排名时间和内容的随意性

大学排名，在世界任何一个国家中，都没有统一的排名时间。不同杂志、不同机构对各大学进行排名的时间，都不是确定的。在排名指标的内容上也是各有选择，不同国家的排名指标不尽相同，同一国家不同杂志与机构所选取的指标也不一样，同一机构不同排名者之间所选取的指标也是大相径庭。例如在德国，对大学的排名评判，教授们往往看重学校的传统、师资力量与科研成果，而学生对大学的评判，往往看重课程内容是否吸引人，是否具备现代化的教学手段与设备，以及是否能尽快毕业。在学生排名中，外国留学生还看重学校在学业指导和生活的帮助是否全面等。因此在排名结果上，教授与学生的结果是大不一样的。

（四）排名方法的不规范性

在排名方法上一般都追求简便性。例如，对于人才培养的评价，按道理应该深入调查课程设置、教学班级规模大小、教学方式、学生意见、学生中获奖人次、用人单位意见等。但由于对这些内容的评价方法比较复杂，所以仅以在校学生或毕业人数为指标。这样一来，研究生录取标准低、尽力扩招的大学往往得分很高。以广东管理科学研究院研究员武书连等人组成的课题组2003 年的排名评价为例，在本专科生培养上，浙江大学与吉林大学得分为 14.45 和 20.92，位于全国大学前列；而清华大学、北京大学、复旦大学、南京大学、中山大学、中国协和医科大学、北京师范大学与中国人民大学的得分分别为 7.77、7.44、7.68、6.62、8.00、0.27、3.65、3.97，两极差高达 77.5 倍。这种评价方法忽视了拔尖人才与普通人才的不等质性。这种评价结果，不但偏离了大学培养实际能力，而且给考生与家长以误导。

三、基于高校核心竞争力的排行榜

通过前面的论述我们看到高校排行榜从最初的一个指标发展到今天的多指标，从最初的大学评价到今天的研究生院、学位、教学质量等多部门、多学科的评价，从最初的管理科学研究院科学学研究所发表的第一个大学排行榜到今天十几个单位发表了三十多个大学排行榜，高校排行榜得到了不断的完善和改进，高校排行榜的现实意义也得到了大家的肯定。但高校排行榜在发展的同时也暴露了很多问题，比如排名方法的不一致、排名内容的混乱、排名角度的不同、排名结果的差异等一系列问题。建立基于高校核心竞争力的排行榜则有力地避免了上述一些问题，具有重要的意义。

基于核心竞争力的排行榜较好地弥补了我国高校排行榜的部分缺陷，能够促进我国高校排行榜的逐渐完善。其好处主要表现在以下几个方面：

（一）内容的明确性

国内外存在很多排行榜，通过上面的论述我们看到，每个排行榜的内容侧重点不同，排名的出发角度不同，其排名结果相差很大。国内外现有的一些排行榜都是集中于高校的显性要素，从而排名内容不统一。基于核心竞争力的排行榜则需要紧紧围绕高校核心竞争力的本质、特征和内涵和构成要素指标来选择评价指标体系，进行评价，即使存在一些差别，但是在大的排行趋势上结果应该基本相同。

（二）标准的统一性

本书详细地从竞争主体、竞争对象和竞争结果三个方面去解析了高校核心竞争力内涵，并分析研究了高校核心竞争力的一般特征和本质特征，并提出知识是高校核心竞争力的本质特征。通过对高校内部矛盾的解析得出学习力是高校核心竞争力的本质。因此，从知识特征和学习力本质角度研究基于核心竞争力的高校排行榜指出了高校排行榜的标准，从而为各排行榜的研究角度提供了一个参考依据，使各排行榜集中于一个大方向，从而避免了同一所高校在不同的排行榜中排名结果的巨大差异，避免了评价对公众的误导。

（三）意义的重要性

研究竞争、寻求竞争优势、打造核心竞争力是高等教育理论工作者和管理工作者当前乃至今后的一项突出任务。高校核心竞争力是高校持续竞争优势的真正源泉，是高校生存、成长、发展的关键性因素。它不仅是我国高校战略管理的根本出发点、迎接入世挑战的重要支撑，而且对于高等教育从精英教育向大众化教育转型期的高校具有导向作用，是增强我国国际竞争力的战略基础。高校排行榜虽然存在一定的问题，但高校排行榜的重要意义是不可磨灭的，借鉴国内外高校排行榜的经验，建立基于核心竞争力的高校排行榜的意义更是显而易见的。高校核心竞争力不仅包含显性指标，而且包括隐性指标，显性指标代表了高校目前的竞争力，隐性指标不仅代表了高校目前的竞争力，而且代表了高校潜在的竞争力。所以基于核心竞争力的高校排行榜体现出了高校核心竞争力的重要作用，让高校看到自己的优势、劣势以及潜在的竞争力，不仅体现了高校核心竞争力的知识特征和学习力本质，更重要的是不仅评价了高校现在的竞争力，而且评价了高校未来的潜在竞争力。

　　高校核心竞争力理论的研究为建立基于高校核心竞争力的排行榜奠定了基础。高校核心竞争力不仅代表了高校目前的竞争实力，而且体现了高校未来的潜在竞争力。当然，在日趋激烈的高校竞争中，几乎每一所高校都在寻求自身的竞争优势。一所高校不可能在每个方面都拥有最好的资源和条件，因此，应该根据特点寻找并构建自身优势。在当前，大家比较一致的、众多的高校评估结果，是对高校总体实力的一种排名，虽然不是核心竞争力的排名，但在一定程度上反映了各校之间相对排名状况，反映了各高校在某一个或几个排名指标上的相对强弱。同时，通过对现有的国内外众多的高校评估排名榜、教育部本科教学水平评估指标、中外大学校长关于高校获取竞争优势的核心要素的论述等比较分析可以看到，高校评估排名榜不等于核心竞争力的评价，它并非高校综合实力的全面反映，更不是核心竞争力的排名，但高校排名榜是高校核心竞争力的一个体现，它体现部分与高校核心竞争力高度相关的指标的相对强弱，从某个侧面映射了高校的核心竞争力。因此，高校评价尤其是大学排行榜要以核心竞争力为基础，从核心竞争力的构成要素角度来评价各高校的综合实力，这样不仅使社会、使学生对各高校有一个直观的了解和认识，而且有利于指导各高校培育核心竞争力，推进高校的可持续发展，从而保持和推进在大学排行榜上的名次，把"从终端导入竞争"的排名模式改为"从自身角度提高竞争力"的排名模式。

第四节　高校核心竞争力评价与学习力

　　高校核心竞争力评价是指在核心竞争力分析模型的基础上对我国高校进行全局性、整体性的评估，真正了解高校核心竞争力的现状，与竞争对手比较，发现高校自身的竞争优势与劣势，保证在制定、实施核心竞争力战略时有的放矢，争创世界一流高校。高校的核心竞争力评价一般分为外部评价和内部评价。高校的学习力是高校为了形成其核心竞争力，围绕信息和知识所采取各种行动的能力。它是高校对信息和知识的及时认知、全面把握，迅速传递，达成共识，作出正确、快速的调整，以利于组织更好发展的能力，是高校在知识经济时代拥有比自己竞争对手更快获取知识的能力。高校核心竞争力评价与学习力之间是一种辩证的互动关系。

一、内部评价与学习力

　　内部评价就是学校自身根据区位特点、学科建设、师资力量和办学特色等方面对其核心竞争力状况进行评判和衡量。理论研究是为了推动其在实践中的应用，对理论进行推广应用的前提是对理论在实践应用中的有效性进行合理的、有效的识别评价，高校核心竞争力理论也不例外。高校核心竞争力是面向激烈的市场竞争，从高校内部寻求竞争优势和可持续发展的力量源泉。它是处在核心地位的能力，是高校竞争性能力的统领，是高校综合竞争力的中心。它是高校长期积淀而形成的能力，深深地扎根于高校的文化之中。因此高校核心竞争力的内部评价可以从课题组

（教学小组）到系（教研室）到学院到学校等由基层到管理层、由低层到高层进行核心竞争力的评价和培育，从而整体提高学校的学术生产能力和人才生产能力；同理也实行由系主任到学院院长再到学校校长等的基层管理层到学校高层管理层的评价分析，从而提高学校的管理能力和文化力；最终通过基层到高层的隐性指标和显性指标的评价，加强内部各部门的竞争，从本质上培育和提升高校核心竞争力。高校核心竞争力从基层到高层、分部门、分系统的评价，在评价中发现问题，从而有力地促进了高校学习型组织的个体学习（从原发层面——内化层面——外化层面），推动了团队学习，进一步激化了高校学习型组织的组织学习。层层发现问题、层层加强学习，从而推动了知识流在高校价值链中的循环，即基础知识——关键知识——知识资本——核心竞争力。由此可见，高校核心竞争力的评价将有助于高校理论工作者和管理工作者认清高校核心竞争力本质，从而采取有效措施提升高校核心竞争力。

二、外部评价与学习力

目前，中国的大学排行榜、吸收科研量的排名、自然和社会科学基础项目排名、学科质量排名等都是外界从某一侧面对大学进行评判的方式，但这些不是核心竞争力评价。通过本书的研究分析可以知道，高校核心竞争力是一种竞争性的能力，是相对于竞争对手的强势能力，是高校可持续发展的支撑者；它是长期起作用的能力，一般情况下不随环境的变化而发生质的变化，具有自适应能力；它是高校所独具的能力，是竞争对手无法模仿的，或者说要模仿需要花很大代价的。高校核心竞争力的外部评价结果不仅代表了一所高校在社会上的地位和前途，而且更有利于发现高校与高校之间在显性指标和隐性指标等各层次指标上的差距,从而提高高校与高校之间的竞争,同时也为相对落后的高校明确了发展和工作的目标和方向。因此,基于高校核心竞争力的大学排行榜对高校的发展和社会的判断具有重要的作用。它揭示高校核心竞争力从高校的校园文化、校园精神、基本数据以及师生员工在技能方面所表现出来的知识等的内部知识流向高校社会声誉和学术声誉等外部知识流的过渡情况,最后高校获取市场的、社会的各种信息和技术情报以及社会经济发展对高校建设的需求情况,分析"供应商"(生源分布状况和技术需求)与"客户"(用人单位及技术服务对象)之间的关系,从而再获取从外部环境流向高校的知识流,以指导高校内部知识流。通过层层反馈使学习过程成为一个非比的循环系统,从而实现高校核心竞争力的评价目的。

三、高校核心竞争力评价与学习力的互动关系

高校犹如一棵大树,学习力则就是大树的根。如何来看一所高校的学习力呢?这个树根到底有多少养分可以支撑未来的高校发展呢?这就需要对高校核心竞争力进行评价,即对高校学习力的外在表现形式进行评价。通过评价来发现高校学习力的状况,根据评价来制定提高学习力的对策,从而提高和建立高校的核心竞争力,进一步促进高校在评价中的排名。

(一)高校核心竞争力评价是高校学习力提高的催化剂和指明灯

学习力是获取和整合知识,并把知识资源转化为知识资本,以获取和保持持续竞争优势的能力。一所高校能否赢得竞争优势,关键取决于其能否促使或在多大程度上促使知识资源转化为知识资本。在分析研究了高校核心竞争力构成要素后,基于构成要素建立高校核心竞争力的评价指标体系,通过评价就可以得到

各高校在各构成要素上的发展情况。评价结果有利于各高校通过个人学习、团队学习等改善和提高自己的劣势指标，通过增加某方面的学习力，从而培养高校的核心竞争力和未来发展潜力，实时跟踪调查高校核心竞争力，提高高校竞争力。

（二）高校核心竞争力的提升依赖于学习力的提高

由前面的论述我们知道，知识是高校核心竞争力的本质特征，高校核心竞争力的提升与知识流的循环运作是息息相关的，而高校组织内部的知识取决于教师、学生等的学习知识、创造知识和应用知识的技能。知识既有静态的，又有动态的，对高校组织的发展既有解释作用，又有推动作用。高校学习过程可以分为知识获得、知识共享和知识的利用三个阶段。[①] 知识获得阶段，主要获得技能洞察力、关系的发展或创造。知识共享主要是高校内部学习内容的扩散。知识利用主要是学习的综合。整个学习过程就是"知识流"流动的过程。其中知识不仅仅是信息，还包括信息的意义或诠释以及许多无形的知识（如教学、科研、管理过程中的"暗默性"知识），这些往往决定高校的核心竞争力。基于技术或资源的核心竞争力，本质上是高校组织利用技术或资源的独特能力，即掌握了使用技术或资源的知识。只有这种独特的知识，才是构成组织（或企业）核心竞争力本质的基础。一个学习型组织，既要不断学习获取自身应具有的知识，又必须发掘和利用外部知识，并与自身的知识相结合形成具有自身独特印记的"新知识"，这样才能形成持久竞争优势的不竭源泉。这种获取和整合知识的能力就是学习力，其组织形式是知识管理。因此，高校核心竞争力的提升要从学习力入手，从而学习、创造独特的知

---

① 参见安德鲁·坎贝尔、凯瑟琳·萨默斯·卢斯著，严勇、祝方译：《核心能力战略》，东北财经大学出版社 1999 年版，第 40 页。

识，形成核心竞争力。

　　本章通过对国内外专家学者对高校核心竞争力评价的阐述，指出高校核心竞争力评价的优缺点，并且通过有关专家对大学排行榜的建议和意见，结合高校核心竞争力分析模型的构成要素，论述了高校核心竞争力评价的战略意义，提出建立基于高校核心竞争力的排行榜的战略意义。通过论证和说明指出高校核心竞争力的本质是学习力的竞争，学习力的源动力在于内外的群个体学习的整合。

第十章 高校核心竞争力分析模型 应用之二——战略预警

高校核心竞争力战略的实施和运作，常常受到来自高校内外部环境因素的影响而产生偏差，甚至出现危机。为此，有必要建立战略预警系统，对高校核心竞争力实施过程中的潜在危机进行预报，以保证高校核心竞争力战略健康持久地实施。[①]

预警系统是确定预警状态、发出监控信号的计算机信息系统。在经济领域，社会服务系统以及企业核心能力战略的危机预警系统已经在研究和试行过程中，而高校核心竞争力战略预警系统的研究才刚刚起步，加之高校管理工作者对核心竞争力战略的危机意识还不强，因此，研究危机预警系统具有很重要的战略意义和现实意义。

[①] 参见成长春、陈红转：《高校核心竞争力战略预警系统》，《福建经济管理干部学院·福建行政学院学报》2003 年第 6 期。

第一节　战略预警系统概述

一、危机预警系统

战略预警来自于危机管理。危机管理意识起源于欧美。1915年莱特纳的《企业危机论》首次提出了危机管理，1921年马歇尔在《企业管理》中也发表了危机负担管理的意见和危机的处理方法。[①] 进入20世纪90年代，随着企业危机的复杂多样，该课题的研究更加受到国内外学术界和企业界的高度重视。当前，国外主要侧重于危机管理理论的静态研究，将危机管理与预警分析两者结合的动态研究较少。

企业预警管理概念于1992年提出，是指能够对企业经营失败、管理失误等现象进行早期警报和早期控制的一种管理活动。

企业预警管理理论是揭示企业逆境现象（经营失败、管理失误）的客观活动规律以及逆境同顺境间的矛盾转化关系，进而揭示企业经营不失败及摆脱失败的管理机制；是研究企业在顺境状态下如何识错防错和在逆境状态下如何治错纠错的系统理论方法；是解释企业成功机理与失败机理的系统学说。

企业预警管理理论的基本范畴是：企业环境、企业目标、管理行为、管理组织周期、管理失误、管理波动、企业逆境、管理预警。与国外企业危机管理理论相比较，国外的研究内容主要是企业危机发生后如何应对和如何摆脱危机的策略问题。至于危机

---

① 参见邱林等：《企业危机预警管理的理论分析和研究》，《重庆工业管理学院学报》1998年第5期。

的成因、发展过程则缺少机理性分析和实证研究。

与现有管理理论相比较，企业预警管理理论所确立的研究主线是对经营失败、管理失误的"成因机理——发展过程——预警控制"的机理性分析、过程性分析，所建立的是一套新的企业管理结构和新的组织手段与方法。

企业预警管理理论认为，企业的逆境和顺境是交互作用于企业经营过程的客观现象，两者的产生与发展受到企业经营活动中的两对基本矛盾关系的支配。[①]

"危机"是指那些能够打断人类正常活动的事件。危机预警系统是指组织为了能在危机来临时尽早地发现危机的来临，建立一套能感应危机来临的信号，并判断这些信号与危机之间的关系的系统，通过对危机风险源、危机征兆进行不断地监测，从而在各种信号显示危机来临时及时地向组织或个人发出警报，提醒组织或个人对危机采取行动。[②]

二、高校核心竞争力战略预警系统

将企业危机预警理论运用于高校核心竞争力的战略是很有意义的。

首先，高校核心竞争力关注的是高校未来的竞争优势，这和危机预警所要研究的是完全一致的。危机预警研究的是危机的现状和成因，以便将来更好地预防危机的发生。

其次，危机预警从组织成长的不同阶段所产生危机的原因出发研究危机生长机制，对于从内部研究核心竞争力的危机具有很

---

① 参见 www.denemc.com/pdf_files/企业战略预警反应系统.pdf — 补充材料。

② 参见 www.denemc.com/pdf_files/企业战略预警反应系统.pdf — 补充材料。

强的指导意义。

最后，危机预警主要解决组织如何谋求现实生存？如何为未来筹谋，使组织从今天的成熟走向明天的强大？而这正是高校核心竞争力所要解决的根本问题。

但是，在高校核心竞争力战略实施过程中，所要建立的是和企业不同的预警系统——战略预警系统。

高校核心竞争力战略预警系统的建立和有效运行主要基于三个假设：

第一，高校核心竞争力发展可划分为六个阶段，即弱竞争力阶段、一般竞争力阶段、初级核心竞争力阶段、成熟核心竞争力阶段、核心竞争力弱化阶段、核心竞争力新生阶段六个阶段。在不同阶段，需要不同的战略和战略经营领域（SBU）组合。阶段更替规律和各个阶段对战略的要求的差异性，是高校在发展核心竞争力过程中采取不同对策的内在驱动力。

第二，高校核心竞争力是核心技术、核心产品和核心能力的有机统一，它要求解决同一问题的手段——核心技术具有周期性发展的特点。核心技术的周期性突变左右着核心竞争力的演进方向和进程，对高校寻求优势资源有着重要影响。社会竞争环境的变化（如五种竞争力量格局的改变）和资源供给体系的更新所形成的外部压力，是高校进行组织变革的外在驱动力。

第三，高校的战略管理可以从长远目标、过程目标和阶段目标三个方面构建一个战略动态框架。它包括战略态势管理（持续的态势优化）、战略过程管理（优化的过程）、战略绩效管理（阶段性目标和效率评价）三部分，以克服战略管理经典程序的静态"缺陷"。[①] 通过战略管理动态框架，高校可以主动把握自身命

---

① 参见 www.denemc.com/pdf_files/企业战略预警反应系统.pdf一补充材料。

运。驱动态势管理、过程管理、绩效管理三个车轮，使高校战车在"自主驱动力"的支持下自由驰骋于现实与未来之间。

基于以上三点假设的高校核心竞争力战略预警系统包括预警和反应两个部分。

预警是度量某种状态偏离预警线的强弱程度、发出预警信号的过程。主要监控高校运营环境和核心竞争力发展状况，揭示风险和机会、问题和潜力，对核心竞争力形成发展的各阶段更替的迹象、战略过程保持较强的敏感性，准确、及时评价阶段性战略完成情况以及完成的绩效。

反应是对预警的异常情况快速反应，及时应对；建立常态反应机制，以不变应万变。这里的反应，有些在战略预警系统中加以解决，有些则属于提升战略的范畴。

不论发现问题（预警），还是解决问题（反应），都需要管理分析工具。本文将借用 BP 网络建立高校核心竞争力战略预警系统模式。

第二节　基于 BP 网络的高校核心竞争力战略预警系统模式

一、BP 网络结构

人工神经网络（Artificial Neural Network，简称 ANN），是对人脑功能做某种简化、抽象和模拟的高度复杂、非线性动力学系统。ANN 除了具有较好的模式识别能力外，还具有学习、记忆、联想、归纳、概括和抽取、容错以及自学习、自适应的能力。因此，ANN 可作为解决区隔问题的一种重要工具。[①] 反向传播神经网络是一个多层前馈误差逆传播神经网络，简称 BP（Back Propagation）网络。典型的 BP 网络具有三层结构（见图 10—1），即输入层、隐含层和输出层，各层之间实行全连接。隐含层位于输入层和输出层之间，作为输入模式的内部表示，对某一类模式所包含的区别于其他类别的输入模式的特征进行抽取，并将抽取出的特征传递给输出层，由输出层对输入模式的类别做最后的判别，因此，隐含层也可以称为特征提取层。隐含层对输入模式进行特征抽取的过程，就是对输入层与隐含层之间连接权进行"自组织化"的过程。在网络训练过程中，各层之间连接权起着传递特征的作用。各连接权从开始的随机值逐步演变，最终达到能够表征输入模式特征的过程，也即"自组织化过程"。

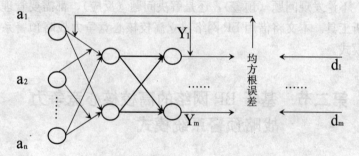

图 10—1　前向三层 ANN 拓扑结构

二、指标预警方法设计

指标预警方法是最常用的预警方法之一。

---

① 参见弗兰西斯·培根：《新工具》，转引自北京大学哲学系外国哲学史教研室编译：《十六——十八世纪西欧各国哲学》，商务印书馆 1975 年版。

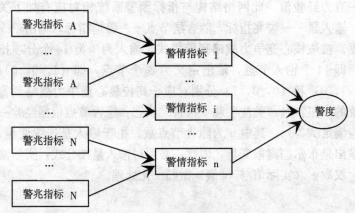

图 10－2　指标预警系统模式图

如图 10－2 所示，高校核心竞争力战略预警系统从模式识别的角度看是一个模式分类过程，即"警兆指标——警情指标——警度"之间既是一个函数逼近过程，又是一个最优化过程。因此，前向三层 BP 网络适用于高校竞争竞争力战略预警系统。①

以 BP 网络为基础的高校核心竞争力战略预警指标系统，要充分考虑高校管理的特点，从学术生产能力、人才生产能力、管理力和文化力 4 个大类 14 个方面进行确定，对于四种不同类型的高校在具体运用时，应根据不同对象，分别给出权值和初始阈值。

三、预警模式的建立

高校核心竞争力战略预警模式的建立可视为建立一个包含有输入层、隐含层和输出层的三层前向式神经网络——基于 BP 算式三层神经网络。就其网络结构而言，输入层神经元个数由输入量决定，输出层神经元个数由输出类别决定，而隐含层神经元个

① 参见王兴成等：《知识经济》，中国经济出版社 1998 年版，第 143 页。

数一直为经验值。此网络结构与指标预警系统相对应有如下关系：输入量——警兆指标，隐含层节点——警情指标，输出——警度。按该核心竞争力战略预警模式，输入为 4 类 14 个分项指标，即 14 个输入节点，输出定义为 3 个节点，即（1，0，0）；（0，1，0）和（0，0，1）分别对应于高校核心竞争力战略预警系统的"正常"、"关注"和"报警"状态。隐含节点根据经验一般应满足 $2^n > m$，其中 n 为隐含节点数。由于输入是连续变量，而输出是布尔型离散变量，因此，必须对输入量按公式：实际输入＝权数·（实际值/标准值）做归一化处理。

第三节　高校核心竞争力战略预警系统运行设计

一、高校核心竞争力战略预警系统运行模式

高校核心竞争力战略预警系统是对高校核心竞争力战略运行状况实施检测、诊断和预控的一种组织手段，目的在于防止和矫正高校核心竞争力战略运行波动的不良趋势和危机状态，以保证高校核心竞争力战略系统处于高可靠性状态。高校核心竞争力战略预警系统的运行模式如图 10－3 所示。[①]

高校核心竞争力战略预警控制可能会产生两种结果：正确有效的控制和错误失败的控制。前者使高校核心竞争力战略运行优势转为良好，而后者则使高校核心竞争力的劣性波动加剧，使其步入危机状态，此时，要求预警系统对高校核心竞争力战略实施"危机管理"方式。预警和预控操作可以避免高校核心竞争力战

---

① 参见远见编译：《巨人论谈知识经济》，中国经济出版社 1998 年版。

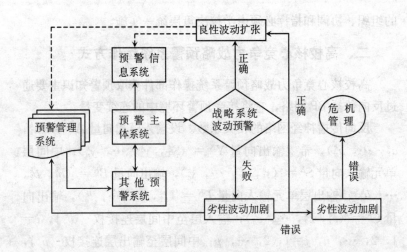

图 10-3　高校核心竞争力战略预警模式图

略系统出现战略危机，但是操作失败，则有可能使系统进入战略失控状态。

　　高校核心竞争力战略预警系统的运行与高校核心竞争力战略的管理过程同步。当决策层的战略决策指令下达以后，核心竞争力战略预警系统便开始运行。高校应成立相应的预警部门，与校长办公室合署办公。预警部门定期从各有关职能部门获取指标状态和预控措施方案，通过检测、识别、诊断、评价战略运行状况的波动现象，确定监测指标处于正常、关注或报警状况，进一步提出预控对策并组织实施。若诊断战略运行状况正常，则继续监测；当诊断战略处于关注状况，即出现低度危机，则预警部要针对现状提出预警方案，提交决策层组织实施，直至战略系统运行恢复正常；当诊断指标进入"报警"状态时，整个战略系统实施危机管理。高校核心竞争力战略预警系统的运作必须纳入高校的大管理系统，由于高校自身战略管理的特殊性，决定其核心竞争力战略预警系统运行周期一般以一学期为宜，而且"危机管理"

的组织、协调和指挥必须由学校决策层统一实施。

二、高校核心竞争力战略预警系统运作方式

高校核心竞争力战略预警系统操作部件获取预警知识主要通过反向传播 BP 网络，它将接受预警环境中的连续变量。

反向传播神经网络的相关系数。设输入模式向量 $A^K = (a_1^k, a_2^k, \cdots, a_n^k)$，希望输出向量 $Y^K = (y_1^k, y_2^k, \cdots, y_n^k)$；中间层单元输入向量 $S^K = (s_1^k, s_2^k, \cdots, s_n^k)$，输出向量 $B^K = (b_1^k, b_2^k, \cdots, b_n^k)$；输出层单元输入向量 $L^K = (l_1^k, l_2^k, \cdots, l_n^k)$，输出向量 $C^K = (c_1^k, c_2^k, \cdots, c_n^k)$；输入层至中间层连接权 $\{w_{ij}\}$，$i = 1, 2, \cdots, n$，$j = 1, 2, \cdots, p$；中间层至输出层连接权 $\{v_{jt}\}$，$j = 1, 2, \cdots, p$，$t = 1, 2, \cdots, q$；中间层各单元输出阈值为 $\{\theta_j\}$，$j = 1, 2, \cdots, p$；输出层各单元输出阈值为 $\{r_t\}$，$t = 1, 2, \cdots, q$；以上 $k = 1, 2, \cdots, m$。

反向传播网络 BP 算法运作方式可描述如下：

（1）权值和阈值初始化。给各连接权 $\{w_{ij}\}$、$\{v_{jt}\}$ 及阈值 $\{\theta_j\}$、$\{r_t\}$ 赋予（-1，+1）间的随机值；

（2）给定输入 $A^K = (a_1^k, a_2^k, \cdots, a_n^k)$ 和目标输出 $Y^K = (y_1^k, y_2^k, \cdots, y_n^k)$；

（3）计算神经网络前向传播信号。对于具有 n 个节点的输入层，p 个节点的隐含层和 q 个节点的输出层的三层网络而言，输入/隐含层的输出信号为：

$$b_j^k = f \left[\sum_{i=1}^{n} w_{ij} a_i^k - \theta_j \right] \qquad j = 1, 2, \cdots, p \qquad\qquad 10-1$$

隐含层/输出层和输入层的输出信号为：

$$c_t^k = \dot{f} \left[\sum_{j=1}^{p} v_{jt} b_j^k - r_t \right] \qquad t = 1, 2, \cdots, q \qquad\qquad 10-2$$

网络的响应函数是

$$f(x) = \frac{1}{1+e^{-x}} \qquad\qquad 10-3$$

（4）修正权值。从输出层开始，将误差信号沿连接通路反向传播，以修正权值，即

$$v_{jt}(N+1) = v_{jt}(N) + \alpha d_t^k b_j^k \qquad\qquad 10-4$$

$$w_{ij}(N+1) = w_{ij}(N) + \beta e_j^k a_i^k \qquad\qquad 10-5$$

$$\gamma_t(N+1) = \gamma_t(N) - \alpha d_t^k \qquad\qquad 10-6$$

$$\theta_j(N+1) = \theta_j(N) - \beta e_j^k \qquad\qquad 10-7$$

其中：$0 < \alpha, \beta < 1$，为学习系数

输出层各单元的一般误差为：

$$d_t^k = (y_t^k - c_t^k) c_t^k (1-c_t^k), \ t=1, 2, \cdots, q \qquad\qquad 10-8$$

中间层各单元的一般误差为

$$e_j^k = \Big[\sum_{t=1}^{q} d_t^k v_{jt} \Big] b_j^k (1-b_j^k), \ j=1, 2, \cdots, p \qquad\qquad 10-9$$

（5）对网络进行学习训练直至达到误差精度要求，即

$$\Delta E < \varepsilon, \ \Delta E(t) = E(t+1) - E(t) \qquad\qquad 10-10$$

$$E_k = \frac{1}{2} \sum_{t=1}^{q} (y_t^k - c_t^k)^2 \qquad\qquad 10-11$$

其中，$0 \leqslant \varepsilon \leqslant 1$ 是误差精度要求。

如果达到循环次数要求，即 $t \leqslant T^0$ \qquad\qquad 10-12

其中，T^0 是循环次数要求，是一个很大的正整数。

上述两个判据式 10-10 则完成网络训练，否则 $t+1 \rightarrow t$ 转向 10-2 训练 BP 网络。

BP 网络经过成功学习训练最终要进行报警，因此，其报警部件将发挥关键作用。神经网络预警系统报警部件应设计成带有神经元处理器的 BP 网络。如前所述，BP 网络单独使用是为了训练网络，获取报警知识；而带有神经元的 BP 网络的作用则是将连续变量的输出转变为布尔离散变量，进行报警。如果高校核心战略运行状况分为 j 个等级，那么输出信号定义为 0—1 向量，

该向量第 j 个元素为 1，其余均为 0，其意义在于高校核心竞争力战略运行状态处于第 j 种状况。

高校核心竞争力战略预警系统在实际运行过程中，既要对核心竞争力战略的危机波动进行跟踪测试，提出预控对策，又要对其运行状态的安全程度进行评估，绘出危机预警系统的信号输出图。这样可以对战略危机现象采取及时的对策措施，也可以对战略危机波动态势保持总体控制，以期使高校核心竞争力运作在总体上处于良性循环。

第四节　高校核心竞争力战略预警与学习力

高校核心竞争力战略预警系统是对高校核心竞争力战略运行状况实施检测、诊断和预控的一种组织手段，目的在于防止和矫正高校核心竞争力战略运行波动的不良趋势和危机状态，以保证其处于高可靠状态。通过 ANN 的 BP 网络建立的高校核心竞争力战略预警系统，将是一个比较好的预报方式，BP 网络将为高校宏观管理提供有效的决策依据。

高校核心竞争力战略预警系统既是对核心竞争力 14 个要素的全面监控，同时也是对学习力的监控。

一、战略预警系统的运行与学习力

战略预警系统的运行本身是个学习的过程。一方面，由于基于 BP 网络的预警系统自身就是一个学习系统，该系统的运行需要有一个不断学习的过程。在学习中完善，在学习中提高。另一方面，高校建立核心竞争力战略预警系统的根本目的是为了确保核心竞争力的不断提升。而作为核心竞争力本质的学习力更是在保障之列。尽管一所高校的学习力是否强健，其根本标志还需要进一步探讨。但是，一般认为，高校的学习力是和学习定位联系在一起的。既然学习力体现在获取和整合知识，并将知识资源转化为知识资本的过程中，那么学习力的强弱就与知识的获取和整合有关。

高校作为学习型系统，其学习定位反映学习发生的地点和学习内容的性质。高校学习力的学习定位可以从以下七个方面认定：（1）知识源泉（knowledge source）：说明内部的—外部的关系，高校是偏好内部开发知识还是偏好获得外部已得到发展的知识。（2）产品—流程焦点（product—process focus）：解决什么—如何的关系问题。是注重积累关于产品/服务的知识还是注重开发、制造和分销其产品/服务的知识。（3）文件模式（documentation mode）：个人的—公开的知识是个人拥有的还是公开可得的秘诀。（4）传播方式（dissemination mode）：渐进性—转型性，是正式的描述性的、组织范围内共享的学习方法还是非正式的方法。（5）学习焦点（learning focus）：渐进式或集体性学习还是转型性或激进性学习。（6）价值链焦点（value-chain focus）：设计—分销，强调对设计和制造职能进行学习投资还是对市场和分销职能进行学习投资。（7）技能开发焦点（skill development focus）：个人的—集体的，对个人技能的开发还是对小组或集体的技能进行开发。[①]

这七个方面的定位说明学习力与高校内部的知识流、价值链密切相关，其提升表现为知识从外部流向内部，通过教师的个体和团队的积累，在产品的开发（知识的生产和人才的生产）等方面获取有效知识和技能最终再输出的过程。而对这个过程进行有

[①] 参见安德鲁·坎贝尔、凯瑟琳·萨默斯·卢斯著，严勇、祝方译：《核心能力战略——以核心竞争力为基础的战略》，东北财经大学出版社1999年版。

效监控的以 BP 网络为基础的战略预警系统也是通过不断学习来运行和完善的。因此，反映预警系统运行状况的 BP 网络运行水平，就是该高校的学习力水平。

二、核心战略团队学习力与战略预警系统的有效性

高校核心竞争力的战略预警系统运行的有效性，体现在多个方面。但是，其核心战略团队的学习力是最关键的要素。高校的学习力既有组织的学习力也有团队和个体的学习力，而最关键的是核心战略团队的学习力。核心战略团队的学习力对战略预警系统的有效性起着关键性作用。

所谓核心战略团队，是指一个全面、持续监控高校战略态势、战略绩效，从事高校的愿景规划，并负责全部过程管理的集体组织。① 其功能具体表现为：

1. 制订愿景规划。从高校的核心目的出发，规划发展战略，明确办学定位，确定办学思路。

2. 指导预警系统运行。高校核心竞争力战略预警系统，必须通过核心战略团队自身的运转、监督指导战略信息系统的预警信息系统、预警管理系统的有效运行。反过来，战略信息的验证性分析对预警系统的整体运行起指导作用，以保证高校始终行驶在正确的战略轨道上。

3. 感应信息子系统。高校核心战略团队的人员结构和素质决定了他们在核心竞争力提升过程中，更能了解到一些普通员工难以接触的战略信息。因此，核心战略团队及其成员对战略信息网络子系统的感应程度要大大高于高校的其他成员。

4. 贯彻核心经营理念。高校核心战略团队的工作思路是否与高校的核心目标一致，重大决策是否坚持了高校的核心价值

---

① 参见朱跃军：《企业战略预警反应系统》，www.denemc.com。

观，将危及已经建立起来的校园文化和校园精神，对高校核心竞争力的提升将产生重要影响。因此，核心战略团队在指导文化力建设的过程中，更要身体力行高校的核心经营理念。

5. 训练各类人才。高校核心竞争力各构成要素中，人才是重要的组成部分，无论是"名师"还是"管理者"都是高层次人才。因此高校的核心战略团队要积极实施人才强校战略，将队伍建设放在突出位置。既要重视师资队伍的建设，也要重视管理队伍的建设。形成核心战略团队的有效辐射层和执行层。

高校核心战略团队包括关键成员和两个外围成员群体（高素质师资和高素质管理者），在关键成员选择上应遵循高层同质、中低层异质的原则。

高校作为二元性①组织是矛盾的包容体。其管理队伍必须在知识、文化背景、年龄、专业技能以及工作风格等方面的组合上既有同质性，又存在异质性。西尔雅·弗莱特在一项研究中发现：最具创造性的企业拥有的最高管理层在共同的任期内多是同质的，而较低层的管理队伍则多是异质的。② 通常情况是，较低层人员的异质性带来创造性和冲突，由同质性的最高管理层加以协调。

核心战略团队的组建要从高校核心竞争力发展阶段和阶段战略角度选择核心战略团队的关键部分——高校的高层领导机构：战略管理委员会，以知识、文化背景、年龄、专业技能以及工作风格等对领导工作有重要影响的方面不存在较大异质性为组建原则，而且随阶段更替和战略调整进行评价，以决定是否改变领导风格。所以，战略管理委员会并不是高层管理人员的简单组合，

---

① 所谓二元性，是指事物矛盾对立的特性。在这里，特指存在于高校战略管理中的矛盾对立特性。

② 参见朱跃军：《企业战略预警反应系统》，www.denemc.com。

也不应是权力折衷的产物，它可能包罗所有高层管理人员，也可能只有一小部分参与，所以它要因校而异，合理组建。

核心战略团队的学习力是在实施其功能、完善其结构的过程中逐步提高的。学习力的提高又进一步促进战略预警系统更有效地监控核心竞争力的提升。

三、创新流与核心战略预警系统运行

高校学习力的外在表现形式就是创新力。高校内部的创新流是引导高校核心竞争力健康发展的动力。

创新流（innovation flow）是图斯曼教授在《创新制胜》一书中提出的概念。他认为，要维持长久优势，企业必须保持冲创精神，进行各种各样的创新，形成一条川流不息的创新河流。这些河流的组成分子包括渐进式创新、结构式创新、突变式创新。企业必须注意到这些不同的创新类型对管理行为、组织结构以及企业文化的不同要求，才能成功地对它们进行管理，塑造出一条川流不息的创新流来参与长期竞争。也就是说，他对创新流下的定义是：多种创新类型的集合。图斯曼关于创新的见解十分深刻，但他所指的创新，主要指技术领域的创新，并没有将管理创新纳入其中。而后者在企业经营中的重要性不容忽视。而且，管理模式创新、流程创新、营销策略创新等"难以保护产权"的创新也一样需要适合其生长的土壤，需要善加照顾。

因此，笔者将创新定义为两个层次，一为技术层次，一为非技术层次（即广义的管理）。技术层次的创新包括图斯曼所定义的三类创新：渐进式创新，对现有人才培养模式、科技成果转化机制微调（不涉及技术原理层次）；结构式创新，对现有学科和专业以不同方式进行连接，集成使用（以市场需求为切入点，将现有学科和专业，包括行业内和领域外的技术结合起来）；突变式创新，产品核心技术（人才生产和知识生产能力）的原理发生质的飞跃，核心零部件（学科建设）出现新的运作原理或人才生产和知识生产流程发生根本性变革。

非技术层次的创新同样包括三类：渐进式创新，对现有管理模式、"营销"策略、流程程序、竞争策略进行的"微调式"完善和改进；局部式创新，在高校个别部门、SBU（战略经营领域——Strategy Business Unit）层次进行的，对现有管理模式、流程程序的重新设计；突变式创新，根据竞争形势和战略调整的需要，对整个高校的管理模式、流程、"营销"策略、竞争战略等进行的结构性重塑。

所谓创新流，即是指包括上述两个层次的不同类型的创新集合。这样一个集合不仅包括图斯曼所指的"时间轴"上的创新流，即以渐进式技术创新关注现实，结构式技术创新为过渡，突变式技术创新关注未来的技术创新集合；而且隐含了两个层次创新的互动对应关系：渐进式管理创新通常与渐进式技术创新对应，而局部式、突变式管理创新则与结构式、突变式技术创新为伍。一方面，在进行渐进式技术创新时，高校在管理上必须保证必要的稳定，一般应采取渐进式管理创新。另一方面，局部式、突变式管理创新总是结构式、突变式技术创新的温床，而后者的出现也总是导致高校在管理模式、文化、组织结构上作出重新安排，进行局部式或突变式管理创新。

由此可知，创新流实际上为高校的生存和发展的平衡提供了一条途径，即不仅要从技术角度塑造一个贯穿"时间轴"的创新河流，而且妥善处理好技术创新和非技术创新之间的关系。而正是在创新流所推动的这种平衡中，高校核心竞争力战略预警系统才得以有效运行。

四、核心价值观、核心目的、核心过程与学习力

高校核心竞争力的战略预警系统是为高校的核心目的和核心

价值服务的。而只有两者共同作用于核心竞争力运行的核心过程，才能促进学习力的提升。

核心目的不是那些具体的目标或战略，核心目的被定义为组织存在的理由。有效的目的反映了人们在组织中从事工作的理想动力。它并不仅仅描述高校的人才生产和知识生产的数量，它抓住的是高校发展的灵魂。效益确实是高校存在的一个重要结果，但高校员工对事业的深层驱动力在很大程度上来自要做一些事情的渴望：创造一种产品（人才和知识），提供一种服务（成果的转化）。简单地说就是要做一些有价值的事情。

核心价值观是一个组织重要的和永恒的信条，它是一小部分不随时间而改变的指导原则。核心价值观对于高校内部成员有着内在的价值和重要性。高校一般只有几条核心价值观，在实际的案例研究中，人们发现，通常没有一个优秀的高校价值观超过五条。实际上只有为数不多的几条价值观才能称得上是真正的核心。

对价值观的描述，可以是对卓越产品的关注，可以是对员工的关注，可以是领导潮流的创新等等。要想确认高校的核心价值观，在界定什么是真正的核心时就必须直言不讳。高校的价值观和战略不可以混为一谈，战略是一种为了实现高校价值观的策略性的东西，它可以且必须随环境的改变而改变，比如价值观是关注市场和社会发展，那么战略可以是修改专业和新建学科，可以是教育教学质量等等，是一种具体的措施。对于一项可能是价值观的提法，它必须能够回答这样的问题：它是否会因为环境的变化而变化。如果大家都认同"不会"，那么这个提法就是价值观。

核心过程就是高校的学习过程。高校的学习过程是在学习精神的指引和学习机制的保证下，高校的学习型组织不断修炼的过程。高校的学习过程是一个校内"知识流"和"价值链"不断流动、不断创新的过程。

　　将战略预警系统关注的核心目的和核心价值作用于高校的核心过程——学习过程，这正是学习力所要解决的问题。

　　本章通过对危机预警系统的阐述，分析了战略预警系统和高校战略预警系统的基本构成，并分析了基于 BP 网络的高校核心竞争力战略预警系统的模型，设计了高校核心竞争力战略预警系统的运行方式，并进一步分析了高校核心竞争力战略预警与高校核心竞争力本质学习力之间的关系。

第十一章　高校核心竞争力分析模型
应用之三——提升战略

　　高校核心竞争力是创建一流高校的动力之源，培育高校核心竞争力是一个综合的系统工程。基于"知识—能力"视角下的高校核心竞争力，其提升的最终目标是建立"学习型组织"，采用的手段是"知识管理"，重点是"提升学习力"。核心竞争力的提升战略应包括高校核心优势的定位、核心能力的培育和学习力的提高、核心资源的整合。必须把以上几个要素有机结合起来，突出高校特色，围绕核心优势，培育出高校的核心竞争力。

第一节　高校核心竞争优势的定位

一、高校的定位

　　2004 年 8 月 6 日下午，伦敦经济学院院长霍华德·戴维斯（Howard Davies）先生在第二届中外大学校长论坛上发表了题为"大学发展与战略规划"的演讲。戴维斯先生认为，在 21 世纪的今天，为一所综合高校制订整体战略不是一件易事。首先是高校制订计划必须参照的环境在迅速地变化着；其次，当代高校中的各相关利益群体的期望也在改变和发展。大学环境变化主要有五大趋势：

第一，高等教育市场需求持续增长。从 20 世纪 90 年代开始，全球大学学生人数每年平均增长 4％，而发展中国家的增长率远高于发达国家的增长率。高等教育市场需求增长会给学校发展带来影响。

第二，高等教育竞争性增强。大学间的竞争在逐渐加剧。部分原因是新院校在逐渐增多。这种情况也基本上出现在发展中国家。学生和教师的流动性在逐渐增强，这也是竞争更加激烈的一个原因。这种现象表明学术研究者在全球范围寻求合作的趋势更明显了。

第三，高等教育多样性的发展。尽管全球化影响着高等教育，但这并不意味全世界的大学变得越来越趋同。高等教育市场需求的整体增长为各个学院在不同层面上的专业化、差别化提供了空间。

第四，多元化集资渠道。大学直接从政府得到的资金在递减，但大学其他的收入渠道增多了。10 年前，伦敦经济学院收入中的 35％都是英国政府的直接补贴。如今这项比例只有 18％，并且仍然在逐渐下降。筹资来源多样性的逐渐增强，在某种程度上创造了更多的自由。另外，资助多样化意味着要考虑更多不同的利益集团。

第五，大学处在更广泛的经济背景下。人们普遍认为大学是地方经济的重要贡献者，社会对大学抱有极高期望。因此，如今大学必须在一个透明度更高的环境中工作。

以上五种变化带来的结果是，大学要在竞争更强、更有活力的环境中运作。但是，戴维斯先生强调，大学不是公司，大学更多的是从事非经济事务——从某种意义上说，这也是大学存在的理由。并非大学从事的每件事都会转化成某种商业利益。

接着，戴维斯先生分析了当代大学的利益相关者：政府——

它制定很多领域的规则，影响着学校的决策；教职工——他们在实施大学战略的过程中是至关重要的，如果他们的追求与战略意见相左的话，甚至可以百分之百地阻碍战略的实施；学生——他们对大学经历的期望、兴趣，与他们未来事业相关的课程等都必须是任何一所院校战略规划的核心；其他资助者——无论他们是私人机构的集资委员会，还是基金会，或者公司，都是要考虑的对象；校友——他们是捐资人，也是一所院校对社会贡献的标志。

最后，戴维斯先生提出了制定战略规划的六个步骤：

第一步：决策体系。管理者有责任平衡各方面对有限资源的竞争需求。只有整个学校都认为决策体系正确地代表并反映了各方的要求，他们才会接受这种决定。

第二步：在核心价值观上达成共识。这是大学发展战略的核心，伦敦政治经济学院在它的战略性宣言中说，"希望成为达到国际领先水平的社会科学研究中心"。

第三步：必须实事求是地理解院校本身的优势和弱点。其中既包括学术优势，也包括环境优势。评估了自身的优势和弱点，可能就要将它们再细分为需要保持的优势和易受攻击的优势，能够被纠正的弱点和只能缓和的弱点。

第四步：明确自由度。在优势和缺点分析的基础上，就能确定院校未来所面临的选择能够有多么大的自由度。必须设立一些评价自由度的原则：这涉及法律上的灵活性、校园结构与分布、学术范围、学生类型、财政状况、管理能力等。

第五步：明确表述和沟通。明确表述战略对战略的成功实施影响极大，而在院校内认真交流与沟通是制定战略过程中的一项特别挑战。

第六步：实施和监督。规划的实施和监督是学校一项长期的工作，必须一直坚持做好这项工作。①

每一所高校都有自己的相对优势，有区别于其他高校的特色和潜能，如何寻求核心优势，将特色和潜能的作用发挥出来，形成一种核心能力，从而形成持续的强势，是核心竞争力提升战略的前提。高校根据自身实际，科学定位，这是形成办学特色、塑造个性的基础，是增强核心竞争力的关键。定位是构建高校核心竞争力的必要步骤和前提。定位准确才能发挥核心优势，抢占核心领域的制高点。因此，科学定位核心优势很有必要。

高校的定位应当是一个立体的概念，正如日本东京大学校长佐佐木毅所言："我们的大学不是单纯的研究机构，而是一个重要的精神生活的组织，所以应该全面考虑大学的定位。"② 立体的定位模式将会是一个全方位、具体的，为高校的发展提供可以依赖的"战略目标"。高等学校定位的含义应是指学校向社会提供劳动的品种、数量和质量。其主要体现在三个方面：人才培养、科学研究和社会服务。从人才培养方面，由于社会需求不同，则对人才的知识结构、技能结构和素质结构要求不同；从承担的科学研究方面，其科学研究可以分为理论创新、技术创新和实际应用技术；从承担的社会服务方面更是多种多样，它包括传播知识、和企业合作提供技术服务，解决技术难题、和社会公共部门合作解决社会政治、经济、文化等方面的问题。而上述三个方面又是相互联系和相互制约的，所以，每所高校承担的任务、服务功能的类型和范围不同，其定位也不同。

高校定位主要有 7 个要素：办学类型定位、功能定位、层次

① 参见教育部中外大学校长论坛领导小组编：《中外大学校长论坛文集》，中国人民大学出版社 2004 年版，第 164—181 页。

② 转引自卢小兵、李敏谊：《世界著名大学校长纵论大学之道》，《新华文摘》2002 年第 12 期。

定位、学科定位、服务方向定位、规模定位和特色定位，其中类型、层次、学科专业水平和特色是关键要素。一所高校的定位往往需要多个要求的整合，需要高校用自身的个性和特色去参与市场竞争、用办学水平和声誉赢得市场，用自己的优势和能力获得发展机遇。

我国高校定位从竞争的角度看主要从以下几个方面来考察。当前和今后一个时期要结合实施《2003—2007教育振兴行动计划》来确定发展定位、办学目标和办学层次定位。办学目标定位是指在某个较长的历史时期内，学校生存发展中带全局性、方向性的奋斗目标，是对学校未来发展趋势、发展方向的科学预见和创新性思考，是一个发展战略目标体系的定位，例如，清华大学"力争到2011年成为世界一流高校"。办学层次主要指的是学术贡献和人才培养的层次，比如，研究型高校就要以科学研究和研究生教育为主要任务，科学研究要以原创性的研究成果为主要评价指标，要为国家和社会培养高层次研究和创新性人才等。不同办学层次的高校之间应有一个互相配合、协调发展的关系，培养低层次人才的高校除了向社会输送合格的毕业生外，还肩负着向培养高层次人才的学校输送生源的责任。

人才培养规格的定位。在高等教育大众化阶段，不同类型、不同规格、不同专业的人才有不同的质量评价标准。例如：学术性、研究型的精英人才、通识型的复合型人才、技术应用型人才、实用型人才，社会对这几种规格的人才在知识、能力、素质等方面的要求是不同的。人才培养规格的定位是指高校在办学过程中以培养哪种规格的人才为主体，从而制订出相应的培养方案和质量评估体系，为推进全校的教学改革提供依据。

办学类型定位。不同类型的高校，它的学术贡献、人才培养层次、对社会服务方式以及在高等教育系统中发挥的功能和作用也有所不同，这些不同导致了高等学校办学类型的多样化、高校分类标准的多样性。同类型的高等学校在其所构成的群体中的办学质量、办学效益的高低是衡量办学水平的重要指标，不同类型的高校不应有高低好坏之分，一所高校的竞争力最关键的是学科适应社会需要的能力。所以，高校办学类型定位是以客观性为标准的，它反映了高等教育系统内教育的分工和协作关系。

办学特色定位。办学特色是指学校与其他学校相比较所表现出来的独特的办学内涵。办学特色可以表现在多个方面，也可以表现在某一方面，一般是指本校在学科特色、人才培养和管理机构等方面所表现出来的与众不同的独特的东西。你无我有、你有我优、你优我特。所以，高校的办学特色定位是形成办学多样化的有效途径，高校品牌是高校在教育市场中具有竞争力的表现，也是高校吸引生源、形成社会声誉的基础。特色是高等教育健康发展的生命力，特色反映质量，特色体现水平。所以，高校领导层必须站在国际高等教育发展的前沿，认真审视自己的办学思路，在加强优势学科和突出特色上下工夫，逐渐形成自己先进的教育理念、鲜明的学科特色、科学的管理机制、优良的办学传统。

社会服务方向的定位。社会服务方向的定位是指高校找准社会服务的空间范畴，即高校在履行人才培养、科学研究、社会服务等职能时所涵盖的地理区域或行业范围。

二、高校核心竞争优势定位

每一所高校在高等教育系统中处于什么位置、扮演什么角色、培养什么层次的人才等，都需要有一个准确的目标定位，在此基础上还要正确分析高校与社会、政府的关系，正确分析国际国内高等教育的发展现实和未来趋势，遵循教育与社会发展的规律，根据社会发展需要和自身的条件，确定学校在整个社会系统中的定位。有的专家提出，社会分工是高校类型划分、定位的最终依据。

这种定位分为两块：一是办学层次定位，寻找竞争对手和伙伴，立足本层竞争；二是核心优势定位，如人才培养规格、档次、特色的定位，特色学科和优势学科建设的定位等。根据两者定位情况，形成高校的综合定位。如果说定位是高校生存和发展的基础，高校理念就是大学生存和发展的灵魂。高校理念是现代高等教育的核心问题，因为"大学的理念，是研究大学在自身发展和社会发展中的角色定位问题，涉及大学的性质与目的、职能与使命等相关的概念，从根本上回答大学是什么的问题，它揭示大学的性质，反映人们对大学的追求。它属于观念性、精神性的范畴，与操作性、行为性的实践活动既相区别又相联系，后者受前者所指导"①。世界一流大学都具有明确的办学理念，并能为广大教职员工和一代代学生熟知并坚守，成为激励力量，成为大学的灵魂和精神。

第二节　高校核心能力的培育

一所大学的竞争力要素是多方面的。这就要求其培育核心竞争力时，在多种竞争要素中作出筛选，使其在某一方面或某几方面的能力凸显出来，从而为形成核心优势打下基础。核心能力的培育主要在于规划大学的远景、创建有核心优势的学科、吸引和培养优势竞争人才、培育先进的学校文化及知识管理。

---

① 邢宝居：《试析大学教育理念来源》，《中国高教研究》2004 年第 3 期。

一、规划高校远景

明确的远景目标，并且有可以付诸实施的途径和保障是高校通往未来的航标。哈佛大学荣誉校长陆登庭认为，创建世界一流高校必须首先要明确详尽地规划高校的主要发展目标、实践进程以及实现这些目标的关键因素。高校能否对其组织使命作出适合自身特点和社会发展要求的判断和把握，从而科学地确定组织目标和发展战略，指引学校的工作按一定的方向有条不紊地运行，对高校的发展是至关重要的。高校的使命就是高校所承担的社会职能，是人们对高校所应该履行的社会职责的价值判断，是高校存在的社会价值基础。目标是使命的具体化，是高校管理活动的起点和依据，也是培育核心竞争力的必要途径。对高校使命的理解和把握，其核心是对高校基本学术活动的认知，集中表现为在教学、科研、社会服务三者关系上的价值取向和职能活动模式的不同选择。应该根据自身的历史传统、办学条件、外部环境，分析优势和劣势，进行准确的目标定位，坚持个性化的发展模式，这是管理创新的基础和前提。远景规划对高校创建和良好声誉的形成具有重大意义，在规划高校远景时，应着重把握处理好以下几个方面的问题：一是规划的可行性，即规划应该实事求是、量力而行，而不能纸上谈兵；二是规划的实效性，即应该注重质量的提高和学校综合能力的整体推进，而不能仅仅追求单纯规模的扩大和数量上的扩张；三是规划的优势性，即规划应该立足高校的自身优势、围绕自身特点来进行，而不能搞遍地开花、四面出击、乱铺摊子。①

---

① 参见王生卫、李惠玲：《论大学的核心竞争力及其培育》，《北京航空航天大学学报》（社会科学版）2004 年第 17 卷第 1 期。

二、创建核心优势学科

学科的创建与发展是一所高校的重要任务之一，也是高校保持和获取核心竞争力的重要因素。"学科建设是一个学校建设的核心，某一学科建设失败或学科建设跟不上全国、乃至全球的发展步伐，将会影响学校的整体建设和学科声誉；而一个学科的建设成功又可能改变一个学校的格局或学术地位"①。因此加强学科建设，提高学科核心竞争力是大学核心竞争力的核心组成部分。学科的成长发展是诸多因素综合作用的结果，其中，学科研究方向和优先领域、学科带头人和学术梯队、学科基地和其他工作条件、学科组织制度和运行机制是学科核心竞争力的核心要素。从这层意义上讲，培育学校核心竞争力应注意以下几点：一是学科建设要有准确的定位，不仅要考虑科技及教育发展趋势、考虑多年来学校形成的学科优势与特色，而且要保持学科的稳定性、前沿性和明确的研究方向；二是学科建设要加强学科队伍建设和基础设施建设，只有队伍建设和物质基础建设搞好了，学科建设才能有坚固的基石，才能获得成功；三是学科建设要有广泛的学术交流和高水平的成果产出，这也是提升学科建设的重要表征和途径；四是学科建设要把创新融于其中。学科建设的核心和灵魂是学科创新，离开了学科创新，学科建设只能是低水平的、重复性的，不可能建设一流学科，因此，必须用创新营造学科竞争优势。②

---

① 参见冯跃中：《浅谈高校学科建设和学科管理》，《北京邮电大学学报》（社会科学版）2002 年第 2 期。

② 参见王生卫、李惠玲：《论大学的核心竞争力及其培育》，《北京航空航天大学学报》（社会科学版）2004 年第 17 卷第 1 期。

三、培育先进的高校文化

创新学术理念、优化文化环境是高校的灵魂和精华，没有先进文化的高校是没有凝聚力和竞争力的。先进的高校文化能激发人们的斗志，是有强大辐射力的优秀文化，它鼓励拼搏进取和创新精神，创造自由的学术氛围和以人为本的育人环境，提倡"勇者上、平者让、庸者下"的竞争。如果把高校的文化理解为高校的理想、信念、氛围、价值准则和行为规范的话，那么高校的基本活动即教学、科研活动是在高校特定的文化环境中运行着和受其支配的，而关于教学、科研职能活动模式及其相互关系的认识及由此形成的有关观念和准则构成高校的学术文化，它是高校文化的重要组成部分，也是高校组织文化建设的核心内容。高校的文化极具个性色彩，每一所高校都在长期的学术活动中形成自己独特的文化传统。高校文化建设实质上就是对自身传统的扬弃，根据时代精神和高校使命对自身传统的不断发展与创新。从一定程度上讲，高校文化更是一种高校精神，也是高校在长期发展过程中积淀起来的学校内在的气质与品性。高校文化可以通过一定的途径培养出来，从而对孕育学校核心竞争力起调节作用。培育先进的高校文化，重点应该把握好以下几点：一是要把高校文化的培育同学校特色、历史和传统协调起来，把传统文化与现代精神紧密联系起来；二是要极力突出学术氛围，弘扬研究与创新意识；三是要弱化行政管理的公权意识，强调专家学者在治校中的关键作用，努力创造出一个宽松的、自由的进行学术交流与争鸣的良好的学术氛围。①

---

① 参见王生卫、李惠玲：《论大学的核心竞争力及其培育》，《北京航空航天大学学报》（社会科学版）2004 年第 17 卷第 1 期。

四、知识管理

高校知识管理是在校园信息化、网络化的基础上，建立以知识生产与知识传播为焦点的校内外知识网络，有效地发掘和利用一切知识资源（显性的与隐性的）及相关资源，实现知识与信息的共享，提高学校整体和全校人员的知识能力。高校核心竞争力的培育来自高校组织内的集体学习、经验规范和价值观的传递，来自于组织成员的相互交流和共同参与。通过创新价值观和管理观念、优化校园知识共享体系、改进激励机制、强化知识产权、激活知识价值等有效措施，加强对信息的有效控制和对知识进行有效管理，不仅决定整体创新素质和创新能力，也是提升高校核心竞争力的重要途径。[①] 通过知识管理提高高校核心竞争力应该着重做好以下几个方面的工作：

（一）变革思想观念，营造知识管理文化氛围

知识管理是价值观和管理思想的变革，它以信息技术为基础却又不仅仅限于信息技术，知识管理的最大挑战是价值观和管理观念的创新。知识管理之所以依赖于组织文化的变革，是因为知识的共享性要求高校建立起开放和信任的氛围，打破信息流动的界限，知识管理只有在和谐、团结、宽容的氛围中才能达成。

（二）构建扁平化组织结构，激活知识价值

管理组织是管理思想的载体，也是先进的管理方法和手段的应用得以巩固和提高的依托。在知识成为组织运作的核心资源时，组织结构的设计就必须考虑能否有效地激活知识的价值。高校组织结构以扁平化为改革方向，以基层作为管理权力和信息的基点，通过减少管理的层次，可以减少决策与行动之间的时间延

---

① 参见杨昕、孙振球：《大学核心竞争力的研究进展》，《现代大学教育》2004年第4期。

滞与信息失真，使组织的能力变得柔性化，加快高校对市场和竞争动态变化的反应，增强在不确定环境下的适应性。

（三）建立校园知识库，优化大学知识共享体系

知识库在任何知识管理的组织构架中都是一个非常重要的组成部分，因为它为组织提供了一个最基本的展开知识管理的"知识空间"。高校知识库包括课件库、辅助资源库、电子图书馆等，高校把特有的成熟的课件、教案、教学实践等资源集成为课件库，把教学背景资料、史料、案例、教学参考资料集成为辅助资源库，把图书馆建设成检索方便、涵盖全面的电子图书馆。知识库的建设既要符合通用标准和模式，又要注意发挥本校学科优势。同时要做好学校、社会、政府之间的良好交流与互动，以便更好地激发高校的知识创新。

（四）改进激励机制，提升人力资本价值

高校教师往往具有强烈的成就动机与事业责任感，提升专业领域的声誉、成就、学术地位与评价是他们物质利益之外的强烈需求。当前高校通常仅以职称评定来满足教师这一需求，这是远远不够的，应当在实施职称评定的同时，还要对知识分享、知识创造、知识积累进行激励。从创造成果的角度看不应着眼于个人创造的有形成果的多少，而应重视其在传播、协调新思想方面作出的贡献。管理层应通过激励机制向高校员工发出信号、形成导向，使知识工作者人力资本不断攀升，从而推动高校知识管理战略的实施。

（五）强化知识产权制度建设，激励大学知识创新

高校的知识管理同样存在风险，如知识创新风险、泄密风险、人员流动风险等，因此，高校应加强知识产权制度的建设。完善的知识产权保护，一方面可以减少高校知识创新的不确定性，避免重复开发，使高校的知识创新体系形成良性循环，激励高校的知识创新，调动发明创新主体的创新积极性，并使由知识

产权保护得到的利益可以投入到新的创新活动中去；另一方面还可以促进高校知识创新成果的转化和流动，促进高校和企业的联姻，从而更好地发挥高校的技术优势。

（六）加强高校知识管理系统建设，构建数字化校园

知识管理系统的建立是高校实施知识管理的先决条件，也是构造知识交流网络的要求。建立以网络技术为支撑的知识管理系统能为高校提供知识交流的平台，为知识共享提供友好的界面。为了推进高校知识管理的进程，必须建立一个高速、安全、可靠的宽带、有线、无线相结合，遍布校园各个角落的多媒体网络平台，将其作为沟通组织内部各个部门的桥梁，并为师生提供便捷、有效的获取信息的渠道。同时要做好接口功能，实现校内外资源的有效流通以及递增网络收益。[①]

第三节　学习力的提高和核心资源的整合

高校是一个知识资源集合体，不仅有丰富的有形资源，而且还有许多无形资源，以及各种特殊的技术和人力资源。如何整合这些资源，发挥其在提升核心竞争力过程中的作用，是大学管理工作者十分关注的问题。

提升高校核心竞争力，进行高校资源整合不仅要立足于内部资源的整合，还要发挥外部资源的优势，积极与外部资源整合，从而使内外资源有机融合，提升高校的核心竞争力。因此，在进行资源整合时，重点要把握好内部资源和外部资源的整合。

---

① 参见林莉、刘元芳：《知识管理与大学核心竞争力》，《科技导报》2003 年第 5 期。

一、核心资源的内部整合

高校的社会职能是培养人才、发展科学、服务社会。高校类似于一个社会小舞台，它不仅有技术、制度等内容，更有效益的内容，它围绕着管理者——校长、授业者——教师、学习者——学生一条主线发展，通过校长的管理，老师的传道，学生的学习，从而推进高校的循环发展，使一代代学生在学习中发展，在发展中成功，在成功中完善，从高校这个小舞台走向社会这个大舞台；另外，高校的另一条线路是把健康的饮食条件、良好的学习环境、丰富的课余生活有机融合。后勤提供学生的饮食服务，身体是"革命的本钱"，在高校这个小舞台上，学校要实现学生生活的"小康"水平，为学生提供良好的饮食条件，从而使学生"衣食无忧"，把全部精力投身于学习之中；良好的学习环境有利于促进学生的学习效率，藏书万卷的图书馆为学生提供了知识的海洋，使学生感觉到有学不完的知识和数不清的前沿知识，促进学生的求知欲。"师者，所以传道授业解惑也"（韩愈《师说》），一个好的老师不仅传授给了学生书本知识，同时也让学生学会了做人、做事，使学生成为知识丰富、情操高尚、人格健全、能力出众的人才。由此可见，老师、学生是高校丰富的资源，如何发挥这些资源的潜在优势，则意味着高校的发展潜力；饮食条件、学习环境则是资源生长的土壤，只有土壤适合资源成长，才会发挥拥有资源的优势；管理者则是协调土壤与资源的调配者，如何诱导和发挥每一个构成要素的最佳贡献能力，则是管理者能力的表现。所以，对一所高校内部资源的有效整合是提高高校核心竞争力的关键一环，而创建学习型组织，建立老师和学生的学习团队又是对资源整合的关键一环。采用什么样的方法进行整合，每一所高校须根据自己学校的定位和特色，采取不同的手段和方式来进行，从而凸显出一所高校的竞争力。整合内部资源必须注意以下几个问题：

一是要系统分析学校的资源状况，探索优势资源，找出本校特色，围绕优势和特色，充分发挥高校的政策、人才、智力、地缘和组织管理等优势，使高校的优势更突出，特色更明显。例如，香港科技大学在其成立后准确给学校定位，充分利用香港的地缘、环境和人才优势，大力发展商学院，在短短十年间，其商学院就被英国《金融时报》评为世界五十佳，美国将其会计专业排名为世界第一。这种成功，同它的资源整合是分不开的。

二是高校核心资源整合更应注重软件核心竞争力的培养与运用，应充分激发学校在办学理念、高校精神方面所蕴涵的价值，充分发挥学校的组织和管理功能，使高校不仅能协调运作，而且能保持较高的运行效率。

二、核心资源的外部整合

一所高校是生活在社会这个大舞台中的，它与社会及其他高校之间有着千丝万缕的关系。一所高校一般在某一方面具有特色，不同的高校拥有不同的核心优势，不同的高校拥有不同的资源，因此，要促进高校之间的和谐发展，高校之间、高校与社会其他单元之间就需要优势互补，借鉴其他社会单元的长处，弥补自己高校的劣势，使高校的劣势在外界因素的作用下发挥最大的效用，使高校在凸显自己特色的同时，做到优劣势的共同发展。

一是整合高校资源应处理好高校核心能力与多元化发展、扩大规模与内涵式发展、核心定位与多层次发展以及特色办学与合作型发展的关系。每所高校都有自己的核心优势，在营造高校核心竞争力时应围绕核心优势，凸显特色，展示学校发展潜力。同时，由于社会发展的多元性和多层次性，高校也应满足社会发展的需要，不断扩大办学规模。在多层次上求发展，形成一定的比较优势。另外，一所学校在发挥它的特色的同时，及时寻求外部合作，借鉴其他学校的办学特色，弥补自己学校的不足，实现以特色为龙头，带动自身全面发展的办学目标。

二是要加强对外合作，创建知识联盟形成资源合作。知识联盟具有巨大的战略潜能，具有学习灵活、风险小、成本低、效率高等优势，它可以使不同高校共享资源，合作创造新的知识或进行知识和技能的转移，有利于从战略上更新或创造新的核心竞争力。[①]

三、核心竞争力的提升与学习力

高校核心竞争力本质——学习力的解析，对于高校应用核心竞争力理论、发展竞争优势具有重要的实践价值。高校核心竞争力的本质是和构成要素紧密相连的整体。构成要素（学术生产能力、人才生产能力、管理力、文化力）的归结点是学习力，同样学习力作为核心竞争力的核心要素支撑着四个构成要素，使它们共同促进高校的发展。正是这种双向互动结构，为评价高校核心竞争力，继而提升高校核心竞争力提供一个全新的分析思路。

一般而言，高校增强竞争优势有三种途径：一是跟着各种"排行榜"评价指标，寻找差距，全面改进；二是根据核心竞争力构成要素寻找不足，加以改进；三是依据核心竞争力本质解释模型，抓住关键因素，促其提高。显然，通过复杂的评价体系确实可以找到许多问题，有针对性地改进，也有一定的收效。但是这种效果往往是短时的或者是微弱的，按照彼得·圣吉的观点，这是一种"补偿性反馈"（Compensating feedback），意指善意的干预引起了系统的反应，然而这反应又反过来抵消干预所创造的利益。这种现象根源于忽视了核心竞争力本质解析结构，片面

---

① 参见李焕云、林健：《基于知识联盟的企业核心能力培育》，《科研管理》2001 年第 3 期。

地去改善局部的表面问题。因此,高校核心竞争力的提升,应该遵循一个合理的技术路线,即高校核心竞争力(学习力)→要素提升→全面提升→核心竞争力,从每一层的核心要素抓起,实实在在地逐级增强自身核心竞争力,从而使高校能在市场和环境中获得持续竞争优势。

因此,高校核心竞争力提升的关键环节是学习力的提升。高校核心竞争力的本质是学习力,通过学习力的矛盾运动和循环向上运动,带动了高校核心竞争力构成要素的提升,继而扩散到核心竞争力影响要素的提升,最终提升高校核心竞争力。同理,通过对高校定位策略和核心竞争力的培育策略及资源整合策略来提升高校核心竞争力,从而影响高校核心竞争力构成要素的提升,最终推动高校学习力的提升。由此可见,高校核心竞争力的提升必须从学习力的提升开始,学习力的提升有助于高校核心竞争力的提升,从而从本质上提升高校核心竞争力。

本章提出了高校核心竞争力的提升对策,在核心能力正确定位的基础上,提高学习力,进行高校资源整合,培育高校核心竞争力,从而完善了高校核心竞争力的理论并推动其在实践中的应用。

第十二章　高校核心竞争力分析模型案例分析

高校核心竞争力分析模型的建立为高校识别自身的核心竞争力、制订提升战略奠定了坚实的基础。然而无论是高校核心竞争力模型还是以此提出的应用构想，都必须经过实践的检验——实证。本章将选择不同类型的高校的案例进一步验证所建立模型的实用性。

第一节　研究型高校核心竞争力分析模型案例分析

培植世界一流大学的特色

——清华大学提升核心竞争优势探析

清华大学主体所在地——清华园，地处北京西北郊名胜风景园林区，明朝时为一私家花园，清朝康熙年间成为圆明园的一部分，称熙春园，道光年间分为熙春园和近春园，咸丰年间改名为清华园。

2003 年，第六教学楼、信息技术研究院楼、纳米科技楼、附中学生宿舍楼、紫荆学生公寓等工程项目陆续竣工，竣工总建筑面积达到 21.04 万平方米。2004 年，原信息产业部酒仙桥医院、玉泉医院并入我校。两个医院占地总面积 8.5 公顷，建筑面积 14.6 万平方米，目前在建项目包括紫荆学生公寓区的研究生、留学生公寓和高级培训学员公寓、理化楼、公管学院大楼、老年学研究中心等，总面积达到 15.4 万平方米。截至 2004 年 3 月，学校建筑面积达到 218.7 万平方米，学校占地总面积达到 404.4 公顷。校园内绿草青青，树木成荫，湖光山色，景色优雅。各个不同时期的建筑自然形成各具风格的建筑群落，为师生创造了适宜的工作、学习、生活环境。

清华大学的前身是一所留美预备学校，一批民族精英从这里踏出国门，游学西土，学业有成，归国报效。1928 年改为大学以后，进一步发展了"古今贯通，中西融会"的办学特色。在 20 世纪 30—40 年代担任校长的梅贻琦先生以及众多德高望重的师长，励精图治、严谨治学，培养了一大批优秀人才。新中国的建立，为清华大学的发展提供了广阔的天地。蒋南翔校长与广大教职工一起，引导学生又红又专，德智体美诸方面生动活泼地得到发展，成功地将清华建设成为一所高水平的多科性工业大学，被社会誉为"红色工程师的摇篮"。"文化大革命"十年，清华饱受摧残，是党的十一届三中全会的指引和党中央的直接关怀，使学校的建设和发展进入了历史上前所未有的黄金时代。回顾九十年的风雨历程，清华大学是中国近现代史上，最早沟通中国与西方文化教育的桥梁；是为中华民族的振兴培养高层次人才的摇篮；是我国实施"科教兴国"战略值得信赖的坚强堡垒。

清华诞生于中华民族灾难深重的年代，从襁褓时期就带有民族屈辱的印记，直到现在，清华大学的校园里还保留着外国侵略者焚烧掳掠的遗迹。"知耻而后勇"，这些屈辱造就了清华学子"雪耻兴邦"的崇高理想、"自强不息、厚德载物"的博大精神和"行胜于言"的刚毅校风。在拯救民族危亡的"一二·九"运动中，在争取和平民主的"一二·一"斗争里，清华师生都曾奋起战斗，发挥了先锋作用。在清华的历史上，有为革命而献身的烈士四十多位，有表现了我们民族英雄气概的闻一多、朱自清先生，他们以自己的宝贵生命和高尚节操铸造了不朽的精神丰碑。全国解放以后，广大师生以建设社会主义祖国的高昂热情，无私奉献。毕业时，惟一的愿望是"到祖国最需要的地方去"。他们像生命力极强的种子，无论撒播在天南地北，也无论土地的富饶或贫瘠，都能生根、开花、结果，作出无负于祖国和人民的好成绩。近年来，"我的事业在中国"正在成为新一代青年人激励报国之志的响亮誓言。可以说，爱国奉献始终是清华精神中高昂的主旋律。

一所高校的生命力，归根到底是由它能够在多大程度上满足社会发展需要来决定的。我们高兴地看到，九十年来，在推动我国和世界的科学发展、文化繁荣和社会进步的历史阶梯上，到处都有清华人在辛勤劳作，建功立业。我们可以列举出一连串大师、学者、科学家、艺术家、政治家、革命家的名字，他们的业绩骄人，彪炳史册。在1999年表彰的为"两弹一星"作出突出贡献的23名科学家中间有14位曾在清华工作或学习，在中国科学院和中国工程院的院士中间，有401位曾是清华的教师或学生，有300多位清华校友担任过或正在担任着国家副部级以上的领导职务。"清芬挺秀，华夏增辉"，今日清华在海内外享有的声誉，是十万多名清华学子埋头奉献、共同奋斗的丰硕成果。

在培养人才的同时，清华大学对新中国科学技术的进步也作出了重要的贡献。从设计中华人民共和国国徽和人民英雄纪念碑，到获得联合国"世界人居奖"的北京菊儿胡同工程；从我国自行研究设计的第一座屏蔽实验原子反应堆，到研制成功世界上第一座投入运行的5兆瓦核供热堆，以及不久前建成临界的10兆瓦高温气冷实验堆；从北京密云水库的设计、黄河泥沙治理，到新疆石河子碾压混凝土薄拱坝下闸蓄水；从第一台数控机床的研制成功，到计算机集成制造系统（CIMS）获得美国工程师协会的"大学领先奖"；从建设全国第一个电视实验室，到中国教育科研计算机网（CERNET）通达150个城市的800多所学校；从核燃料的成功萃取为"两弹一星"研制作出贡献，到航天清华一号卫星的成功发射；从自行研制成功我国高校第一台通用电子数字计算机，到高速并行计算机"探索108"的诞生；从核探测技术的开创性成果，到大型集装箱检查系统在祖国海关顺利运行；以及在纳米材料、生物芯片、高温超导等领域一些突破性的进展……这是清华大学为国争光、为民造福的历程，是清华人引以为自豪的奋斗足迹。

经过长期的酝酿准备，清华大学提出了建设综合性、研究型、开放式的世界一流大学的奋斗目标，决心争取在2011年，即建校一百周年之际，使清华大学跻身于世界一流大学的行列。

为了实现这一目标，清华大学正在做着以下五件事情：

第一件事是调整学科总体布局，向综合性大学过渡。从1984年开始，我们陆续组建了经济管理学院、理学院、人文社会科学学院、生命科学研究院、法学院、公共管理学院，由于中央工艺美院加盟，使清华有了美术学院，最近还在筹建医学院。现在清华已经成为一个涵盖理、工、文、法、经济、管理和艺术等学科、共有11个学院、44个系的综合性大学。各类学科之间的综合与会通，是产生高素质、创造性人才的摇篮，是孕育新知识、新学科的母胎。新的学科布局，强化了全面素质的养成，为每一个走进清华大学的年轻人提供了宽阔的知识基础和自由选择的天地，有利于宽口径、复合型、创造性人才脱颖而出。

第二件事是加强科技创新，向研究型大学过渡。为了培养具有创新意识的高层次人才，我们努力转变观念，深化教育教学改革，推进本科—硕士生统筹培养方案，促进研究生教育发展，使在校研究生与本科生的比例达到了 0.8∶1。以促进教学科研相结合和提高研究生培养质量为重点，努力构建高水平研究型大学的人才培养体系。

在科学研究方面，已经有一批重点学科进入国际前沿阵地，已经获得了一批具有国际先进水平的研究成果。近二十年来，清华获得国家科技三大奖 279 项，累计授权专利 1116 项，在国内外发表的学术论文数量迅速增加、水平不断提高，"九五"期间的科研经费以每年 20% 的速度增长。在今后的十年内，在继续加强和发展工科优势的同时，争取理科、经管、人文、社科、艺术等方面都能取得一批对我国经济和社会发展有重大影响的成果。

第三件事是加强与海内外的联系，向开放式大学过渡。为了发挥大学服务功能，向社会开放，我校同 15 个省、市、自治区建立了合作关系，在北京、深圳分别建立了研究院；积极发展远程教育，为各地区培养人才；加强与企业的合作，已有 130 多家国内外著名企业成为清华大学与企业合作委员会的成员；学校科技产业和大学科技园发展迅速，正在成为中关村科技园中一个引人注目的亮点。开放式的办学方针使清华大学逐渐发展成为建立地区创新体系的重要支撑、新型人才培养的基地、高新技术的辐射源，在国家经济发展、科技创新和社会进步中的重要作用日渐明显。与此同时，扩大对国外的开放。我校与海外 126 所大学签订了合作交流协议；与海外公司、机构联合建立的实验室和培训中心有 59 个；人员互访、学术交流日渐频繁，特别是同世界著名大学与企业的科技合作与交流不断加强。为适应高等教育国际化的发展趋势，清华大学正努力使自己成为国际科技、教育和文化交流的桥梁与窗口。

第四件事是改革用人制度，建设一支高水平的师资队伍。人才难得，高水平的人才尤其难得。近年来我们出台了多种计划和措施，吸引海内外人才和支持校内骨干人才成长，收到了较好的效果。学校现有两院院士 45 人，教授 900 多人。通过逐步深化的用人制度改革，使"一流、竞争、流动"的观念渐渐成为清华教师的共识，随着今后五年到十年的进一步努力，清华大学将日益成为优秀人才云集的地方。

第五件事是增强基础设施建设，大力改善育人环境。目前，电子化图书馆已初步建成，校内高速计算机网络已通达教学科研、教工家庭、学生宿舍等 140 多栋楼，入网计算机达 24000 多台。理学院建筑群、主楼前区等一批新建筑相继落成，使学校的教学科研条件有了较大的改善；建筑面积为 35 万平方米的大学生公寓区已破土动工，学生住宿条件将得到根本的改善。近年我们还推出了包括绿色教育、绿色科技、绿色校园建设的"绿色大学计划"，成为国家环保局批准的绿色大学示范工程，以环境保护和可持续发展为出发点，进一步改善生态环境，使清华园更加整洁、美丽、更加具有文化意蕴。

清华大学九十年的历史证明，大学精神是学校的灵魂和动力。我们一刻也没有忘记抓紧精神文明建设。我们必须高举邓小平理论伟大旗帜，认真贯彻落实江泽民关于"三个代表"的重要思想；必须坚持社会主义办学方向；必须坚持"解放思想、实事求是"的思想路线；必须坚持用爱国主义、集体主义和社会主义思想教育青年学生，保持和发展"自强不息、厚德载物"的优良传统和"行胜于言"的实干作风。如果我们不能在精神文明建设上保持第一等的工作水平，则一流大学的建设就将沦为一句空话。清华大学将勇敢地承担起历史的责任，为中华民族的伟大复兴而努力奋斗。

（上述部分材料出自清华大学主页）

[案例分析]

省份	高校校名	类型	高校核心竞争力													
			显性要素							隐性要素						
			学术生产能力			人才生产能力				管理力				文化力		
			名师	学科竞争力	学问生产能力	生产规格	生产质量	生产数量	就业率	管理者	争取发展经费和空间	创建良好的学术环境	提高办学效益	校园精神	校园文化	校风
北京市	清华大学	研究型	170000	99900	190057	7	10	27000	1	10	27010	10	10	10	10	10

指标 ＼ 高校	清华大学
显性结果	0.9601
隐性结果	1
综合评价结果	0.9763

在前述高校核心竞争力分析模型验证中我们可以看出清华大学的各项指标都是在同类高校中处于第一，综合排名第一，显示了一流高校的实力和竞争力。在我们考察的 14 项指标中分值均是较高值。

什么是"中国特色的世界一流大学"？"一流大学应该坚持正确的办学思想，注重形成优秀的办学传统，形成鲜明的办学风格，发展优势学科，努力建设一支高素质、高水平的教师队伍，为国家和民族的兴旺发达作出贡献。一流大学应该站在国际学术的最前沿，紧密结合先进生产力的发展要求，依托多学科的交叉优势，努力进行理论创新、制度创新、科技创新，特别要抓好科技的源头创新，并推动科技成果加速转化为现实生产力。一流大学应该成为继承传播民族优秀文化的重要场所和交流借鉴世界进步文化的重要窗口，成为新知识、新思想、新理论的重要摇篮，努力创造和传播新知识、新理论、新思想，不断促进社会主义文化的发展。一流大学应该成为培养人才的重要基地，不断为祖国为人民培养出具有正确的世界观、人生观、价值观，具有创造精神和实践能力的全面发展的人才。"①

清华大学名师荟萃，学术底蕴浓厚，学问生产力强，人才培养质量高，建校以来培养了大批对国家事业发展作出巨大贡献的杰出人才，人才规格之高，在同类院校中也是很少见的。清华大学的毕业生无论是就业率还是工作的流向都是毕业生中的佼佼者，人才生产质量层次之高，反映出清华大学的人才培养要求和管理者的水平。清华大学十分注重科研的转化能力，他们拥有自己独立的品牌企业，成果转化能力之强在同类院校中也是不多见的。国家每年对清华大学的投入和清华大学自己在社会资源的整合上使清华始终成为令人瞩目的一流高校，并且不断向更高层次发展。清华大学的人文氛围和校园精神经过近百年的努力，已经形成自己的特色，清华学子以清华人而自豪。

综合各方面因素，清华大学核心竞争力体现在以下几个方面：

（一）学术生产能力是核心竞争力的品牌

梅贻琦老校长的"大学之大，不在于高楼之多少，而在于大师也"正说明清华大学在大师、名师吸引和培养上做足了文章，也正是因为有一大批杰出的人才在为清华的明天努力拼搏，才造就了清华的辉煌。

---

① 江泽民：《在庆祝清华大学建校 90 周年大会上的讲话》，《人民日报》2001年4月29日。

清华大学的科学研究生产能力也是同类高校中的佼佼者，一大批高尖端的专利产品和享有独立知识产权的核心开发技术在国内外不断引起震动。顾秉林教授认为，科学研究是高层次人才培养的基础。大学的本质属性和根本职能是培养社会发展所需要的高级专业人才。科学研究的功能是由大学的本质派生的，高水平的科学研究是造就高层次、高素质拔尖创新人才的必由之路。

清华大学具有学科综合，人才集中，人员流动大，信息更新快等特点，所以在国家知识创新体系中具有优势地位；基础研究不仅需要投入，更需要氛围、机制，面向科技前沿加强基础研究。清华大学努力规划和实施科技创新平台建设。清华大学的科技企业已经成为实现学校为社会服务功能的重要平台，是科技成果转化和产业化的重要基地，对国家的技术创新和学校的教学、科研具有推动和促进作用。

（二）人才生产能力是清华大学核心竞争力的骄傲

清华大学从招生开始就在挑选全国的精英人才，招生计划宁缺毋滥，着手精英人才教育。清华大学提出了"真刀真枪搞毕业设计"口号，重视本科生科研能力培养，提出本科生研究训练计划，建立引导优秀教师既搞教学又搞科研的激励机制，开设新生研讨课，提倡名师上讲台。

（三）管理力是清华大学核心竞争力的源动力

建设一流大学，要有很好的声誉，要有一流的管理，要凝聚一流的教师，要有先进的办学思想，要出一流成果、育一流人才。这就需要高校做到以科学研究为主导，学科调整为主线，国际化信息化为手段，全面推进素质教育。只有以特色立校，扬长避短，才能以特色强校、以特色取胜，才能凸显学校的品牌与地位。清华大学根据自身条件，努力建设好特色学科、优势学科，

营造宽松和谐、积极向上的学术环境。① 加强一流人才的管理与
开发，加强学科建设的管理和运用，加强人才生产能力的管理和
培养，加强科研生产能力的转化和管理，在清华大学内形成了系
统管理、整体管理思维模式，从而不断有效提升清华大学的核心
竞争力，打造品牌，打造特色。

（四）文化力是清华大学核心竞争力的灵魂

清华大学的历史源远流长，是一个独特的文化机构。不同高
校的最根本区别在于其内在的文化精神，大学的精神、文化氛围
和底蕴是大学的灵魂，建设一流大学的核心是营造一种向上的校
园文化和精神氛围。清华大学营造了独特的人文特色和校园文化
精神，像磁石一样，吸引了大批有才能的年轻人，把他们积聚起
来，形成有活力、创造力的科技研发地，不断为国家和社会奉献
大批精英人才和又红又专的人才。

第二节　教学研究型高校核心竞争力分析模型案例分析

一流的水利学府

——河海大学核心竞争力分析

河海大学是一所以水利为特色，工科为主，理、工、经、
管、文、法多学科协调发展的教育部直属全国重点大学，1958
年至 2000 年间隶属水利部管理，是实施国家"211 工程"重点
建设以及设有研究生院的高校之一。

河海大学校本部位于南京市鼓楼区，并在常州市、南京市江

---

① http://www.chinaedulm.com/jdrw/04/2004730/307513.shtml.

宁区设有校区，总占地面积 2301.96 亩。校本部坐落在南京市清凉山北麓，环境优雅，绿树成荫，花香四季，众多人文景观更增添了校园的文化氛围，先后荣获全国部门绿化"三百佳"和江苏省"花园式高校"、"园林式单位"称号。学校于 1986 年 2 月在江苏省常州市国家级高新技术开发区设立校区，于 2001 年 9 月正式启用新建的河海大学江宁校区，校园建设及教学、生活设施更趋现代化。

1995 年以来，在水利部、教育部和地方政府的支持下，特别是通过"九五"建设和"211 工程"建设，学校投入了大量资金，开展了大规模的基本建设，改善了办学条件、扩大了办学规模、提高了办学层次、优化了学科结构、增强了科研实力、提高了培养质量，使学校的综合实力得到了进一步提高。目前，学校正在继续"十五"计划、"211 工程"重点建设。

河海大学下设水资源环境学院、水利水电工程学院、土木工程学院、环境科学与工程学院、交通学院、海洋学院、机电工程学院、计算机及信息工程学院、电气工程学院、商学院、公共管理学院、外国语学院、理学院、现代农业工程系、材料科学与工程系、法律系 16 个专业院系。拥有 3 个国家重点学科，8 个省部级重点学科，9 个国家级以及省部级重点实验室、5 个国家级以及省部级工程研究中心，5 个博士后流动站，33 个博士点，73 个硕士点，16 个工程硕士专业学位领域及工商管理硕士（MBA）专业学位授权点，46 个本科专业。其中水利工程、土木工程两学科综合实力处于全国领先位置，尤其是水利工程学科总体实力最强，支撑及相关学科门类较多，水利及支撑学科人才梯队的综合实力处于国内一流地位。2004 年 9 月，各类学历教育在校学生 3 万余名，其中研究生 5678 名，本科生 18617 名。

河海大学现有教职工近 3000 名，其中中国科学院、中国工程院两院院士 1 名，中国工程院院士 1 名，长江学者 2 名；副高以上人员 780 余名,其中正副教授 511 名;博士生导师 139 名,其中有 10 名院士受聘担任学校的教授、博士生导师。

1995—2004 年,学校承接的科研项目经费近 11 亿元,其中纵向和各类基金项目占总经费的 40%。近年来,承接的科研项目质量不断提高,承担了一批国家层面重点、重大研究计划和重点、重大工程科研项目。如国家自然科学基金、"863 计划"、"973 前期专项"、"948 项目"等国家层面科技计划项目;三峡、南水北调、小浪底、长江口航道治理、淮河入海水道、二滩、溪洛渡、龙滩、小湾、糯扎渡、万家寨、向家坝、锦屏等重大水利、水电工程项目;南京地铁、沪宁高速公路、广东汕汾高速公路、南京长江二桥、润扬长江大桥等重大交通工程建设项目。其中一批科研成果取得重大突破,达到国际先进水平。1995 年以来,学校已有 262 项科技成果获奖,其中国家级奖 19 项,省部级奖 185 项。在国内外各类学术刊物和会议上发表论文 11822 篇,出版各类科学专著 245 余部,申请专利近 94 项。

为增强学校主动适应经济建设、社会发展需要的活力,加大高等教育为经济建设服务的力度和广度,拓展社会参与办学的渠道,于 2001 年 12 月成立了河海大学合作发展委员会。全国政协原副主席、华东水利学院首任院长钱正英同志出席成立大会,并出任委员会名誉主任。24 名海内外知名人士和著名学者担任个人委员,130 家单位委员来自各级政府、部门和水利、电力、交通、环保、教育、金融、部队等系统的企事业单位。合作发展委员会以"面向未来、加强合作、优势互补、共同发展"为宗旨,与国内外各界建立稳定、全面、紧密的合作关系,是河海大学利用高校在知识、人才和信息等方面的优势直接为国家经济建设和社会发展服务的有效形式。

河海大学有广泛的国际交流和合作,是国务院首批批准的可授予外国留学生博士、硕士、学士学位的学校,已为 40 多个国家和地区培养了数百名博士、硕士与学士，与 20 多个国家和地区的近 50 所大学建立了校际协作关系。

近十年来，学校获国家及省部级优秀教学成果奖、优秀重点课程奖、优秀教材奖等 60 多项；学校被评为全国以及江苏省的"党的建设和思想政治工作先进高校"、多次被评为水利部、江苏省文明单位，连续 12 年被授予"全国大学生社会实践先进集体"，5 次荣获"全国民族团结进步模范单位"称号。经过几代河海人的艰苦奋斗，河海大学进入了一个崭新的发展阶段。展望未来，河海人将牢记江泽民同志的重托和厚望："面向未来，开拓进取，进一步发展水利教育事业"，在新世纪实现新的跨越，为把河海大学建成具有国际一流水利学科与若干优势学科、多学科综合发展、具有广泛国际影响的高水平研究型大学而努力奋斗。

（上述部分材料出自河海大学主页）

［案例分析］

省份	高校校名	类型	高校核心竞争力												
			显性要素						隐性要素						
			学术生产能力			人才生产能力				管理力			文化力		
			名师	学科竞争力	学问生产能力	生产规格	生产质量	生产数量	就业率	管理者	争取发展经费和空间	创建良好的学术环境	提高办学效益	校园精神	校园文化	校风
江苏省	河海大学	教学研究型	2780	477	1012	6	3	30000	0.9	7	600	6	6	6	6	6

指标 \ 高校	河海大学
显性结果	0.5046
隐性结果	0.7484
综合评价结果	0.5645

河海大学在同类高校中各项指标并不都是最优，但在某几项指标上仍有较强的竞争优势，比如名师、学问生产能力指标上有一定的竞争优势，但在其他指标上需进一步强化。综合各方面情况，河海大学的核心竞争力主要体现在以下几个方面：

（一）学科竞争力是河海大学核心竞争力的生命线

河海大学最具特色的学科是什么？那当然是"水"字头的学科，如水利工程、水文水资源等。河海大学拥有3个国家重点学科，8个省部级重点学科，5个博士后流动站，31个博士点，70个硕士点，其中水利工程和土木工程两个学科的综合实力处于全国领先位置，拥有国家重点实验室和国家工科基础课程（力学）教学基地，具备雄厚的教学和研究实力。

一所高校的水平、地位、声誉和社会影响力是由自己最高水平的学科决定的，高校的发展必须努力办好自己的特色学科。高水平特色学科的形成、保持和发展，需要若干相近学科的相互支撑，因此，办好以特色学科为中心的若干学科群是极为必要的。但是，由众多因素决定的高校规模的内在合理界限又决定了慎重选择学科群的重要性。另一方面，由于社会需求多样性和科学技术的发展，还应该特别重视新兴学科和交叉学科的发展。新兴学科是在传统学科深化基础上诞生的，具有新的生命力，呈现着新的发展方向；交叉学科是利用多学科优势，多视角研究重大问题，是另一重要的发展方向。

（二）人才生产能力是河海大学核心竞争力的标志

由于水利的大发展，需要高素质的人才，近年来，河海大学的毕业生特别抢手，特别是既懂工程又懂管理；既能造坝修水库，又具备现代生态环境意识，树立了人与自然和谐相处理念的复合型人才很受欢迎。水利工程专业的毕业生供不应求，社会要6个学生，而河海只能提供1个。多年来学校毕业生的一次就业率一直稳定在93%以上。

第三节　教学型高校核心竞争力分析模型案例分析

走出围城的高师院校

——江苏盐城师范学院核心竞争力分析

　　盐城师范学院是江苏省属高等师范本科院校，坐落在沿海开放城市盐城市市区。学院现有在校生19200多人，其中全日制学生12700人，成人学历教育学生6500余人。全日制教育设有中文、法政、社会发展、外语、教育、音乐、美术、数学、物理、化学、生物、地理、体育、计算机和经贸学院15个系（院）和民办二级学院——黄海学院。现有40个本科专业，其中师范类17个，非师范类23个。

　　学院拥有一支热爱师范教育事业、政治素质较高、业务能力较强的师资队伍和管理队伍。现有教职工1200多人，其中专任教师720人，教授等正高职42人，副教授等副高职245人，博士61人，硕士研究生330人。有23名教师应聘担任南京大学、华东师大、同济大学、河海大学、苏州大学等高校的博士和硕士研究生导师。学院还从国内外著名高校聘请了30多名兼职教授。外语等专业长期聘请外籍教师任教。学院还与韩国西南学校、英国安格利亚理工大学建立了友好校际关系，并在全省同类高校中较早地开展了留学生教育。

目前，学院占地 660 多亩，校舍建筑面积 30 万平方米，占地 800 亩的新校区建设即将开始。全院现有教学仪器设备总值 6000 多万元，盐城师范学院在短短的几年中，就使实验室总数从建院时的 36 个增加为 54 个，先后建立了 10 个研究所和 1 个跨国研究机构，促进了科研群体与科研梯队的形成。其中，"滩涂生物资源与环境保护实验室"为省级重点建设实验室；光盘检索室为国家星火计划项目 CNKI 知识一级站；面积 25000 平方米、藏书 150 万册的图书馆，将成为盐城市最大的图书情报信息中心；镜像站点、电子阅览室、网络机房、双语调频台、闭路电视系统、卫星电视接收系统、多媒体教学系统、多媒体课件制作系统、多功能教室、校园微机管理网络等现代化的教学设施，在同类学校中居于领先水平。

该校在国内外以及省级以上刊物发表学术论文 3580 篇，出版专著 188 部，其中，被国际核心学术榜 SCI、EI 收录的论文 130 篇，获得拥有自主知识产权的国家专利 10 多项，完成各项各类科技项目 100 多项，获市厅级以上科技成果奖 182 项。据有关机构的评估结果显示，2004 年该校科技创新能力位居全国普通高校第 288 位，名列全国同类院校前茅。

由此可以看出，盐城师范学院的核心竞争力得到了不断的增强，它不仅具有较强的学术生产能力，而且具有较强的人才生产能力。而其办学质量的不断提高，又使其学生就业率始终位于全省前列。2003 年其就业率居全省第 7 位；2004 年其就业率居全省第 5 位。

学院自成立以来，先后获得江苏省文明单位、江苏省安全文明单位、园林式单位、全国大学生社会实践活动先进单位、江苏省优秀校风建设单位等荣誉称号。

（上述部分材料出自盐城师范学院主页）

[案例分析]

省份	高校校名	类型	高校核心竞争力														
			显性要素							隐性要素							
			学术生产能力			人才生产能力				管理力				文化力			
			名师	学科竞争力	学问生产能力	生产规格	生产质量	生产数量	就业率	管理者	争取发展经费和空间	创建良好的学术环境	提高办学效益	校园精神	校园文化	校风	
江苏省	盐城师范学院	教学型	282	53	12150	5	6	18091	0.9751	6	400	5	4	4	3	5	

指标 \ 高校	盐城师范学院
显性结果	0.6295
隐性结果	0.2885
综合评价结果	0.5597

　　高校的办学定位非常重要。它包括以发展目标定位为核心的类型层次定位、服务方向定位、学科特色定位和人才培养定位等。一所高校在高等教育系统中处于什么位置、扮演什么角色、培养什么层次的人才，都需要有一个准确的目标定位。

　　盐城师范学院的办学目标是既保持传统师范专业的优势与特色、又加大非师范专业建设力度，构筑综合性、教学型、富有特色的本科院校。

（一）学术生产力为地方经济发展服务是盐城师范学院核心竞争力的标志

切准与地方经济和社会实际的结合点，积极改造传统学科、巩固提高基础学科、加快发展应用学科、大力扶持交叉与新兴学科，加大兼职硕士生导师推荐和联合培养研究生的力度，创造条件打造学科群、学科梯队与人才梯队，积极组织力量参与地方经济建设和重大科技项目的研究，构建以本科教育为主，师范、非师范、高职并重，适当发展研究生教育的办学格局和以文理为主、文理教法工管艺等相互渗透与协调发展的学科体系以及科技创新体系，力争在近期内建成省级重点学科 2—3 个、省级重点建设实验室和省级示范实验中心 2—3 个。

坚持"以评促建、以评促管、评建结合、重在建设"的方针，高起点、高标准、高效率、高质量地做好各项评建工作，积极改革与经济建设和社会发展不相适应的教学内容、教学方法、教学手段，以本科教学水平评估的标准来规范教学行为，推进教学基本建设的规范化和现代化，实施完全学分制，突出学生创新能力和实践能力的培养，有计划地启动双语教学，力争在近期内使本科专业数达到 60 个左右，其中省级品牌专业和特色专业建设点不少于 5 个，而学生就业率保持在省属高校的前列。

（二）人才生产力的质量是盐城师范学院核心竞争力的生命线

加强人才队伍的整体规划，依托科学有效的激励机制，实施学术型人才、教学型人才和管理型人才的建设工程，试行教师队伍生涯发展计划，完善教师成长机制和管理体系，集中财力加强学科建设所急需的师资队伍和新建专业所急需的师资队伍建设，组建优秀学术团队，改善人才队伍的学缘结构、学历结构、职称结构和年龄结构，初步打造出一支数量充足、结构合理、素质优良、业务精湛、富有学术活力的高水平教师队伍，力争使全院包括教授在内的正高职人员在 4 年内达到 65 人、博士研究生达到 100 人；在全院 800 名专任教师中，高级职称者达到 40%，具有研究生资格的达到 60%，具有博士资格的达到 15%，并培养和引进 8—10 名能在相关学科中发挥领军作用的知名学者。有优秀的师者才有优秀的人才产出，有优秀的人才生产环境才有优秀的产品产出，而这一切直接决定盐城师范学院人才生产力水平的高低。

（三）形成特色是盐城师范学院核心竞争力形成的奋斗方向

高校的比较优势集中体现在办学特色方面。办学特色是高校的生命力之所系，也是高校的魅力之所在。从一定意义上说，高校的办学特色不仅体现在高校教学、科研和管理的特定内涵上，更体现在高校改革和发展的价值取向上，它是对高校利用教育资源所取得的突出教育成果的肯定和已经具备的教育优势的确证。

办学特色作为一所高校区别于其他高校的办学风格，它是在长期办学过程中逐步形成的。我们说，目标特色产生导向力，学科特色产生生长力，模式特色产生发展力，环境特色产生吸引力，校长特色产生感召力，教师特色产生影响力，学生特色产生竞争力。办学特色的形成过程，是一个逐步积累、逐步完善的过程，是一个由隐性优势向显性优势转化的过程，是一个办学者的办学主张与社会特定需求相适应的过程，是一个发挥学生特长、进行科学育人的过程，是一个学校在办学目标指导下实施优化改革的过程，是学校领导班子解放思想、实事求是、形成自己的教育观点、办学思路和教育风格的过程。

在这个过程中，盐城师范学院作为地方高校，在与综合性大学竞争中无学科优势、在业内与地处中心城市的高校相比无地域优势的情况下，清醒地分析竞争主体、找准竞争优势，以求立于不败之地。盐城师范学院适应不断变化着的社会需求和地方实际，并以此为导向，坚持以学科建设为龙头、以学术为先导、教学科研并重的办学理念，将教学科研、学生培养与地方经济社会发展需要结合起来，正确把握学校发展的方向特别是学科发展的方向，对学校发展特别是学科发展作出准确定位，对师资队伍中各学科专业教师的比例作出相应的调整，并要求各系和大多数教师都要从市县甚至乡镇找到自己的科研项目，积极搭建"综合性、教学型、有特色、开放式"的办学模式。

第一，综合性。它既是创办综合性高师院校的转型需要，又是学科专业发展的现实需要。该院将在固本强基、扩大非师范专业的同时，着力打破学科界限，促进学科专业的交叉融合，并提供优质师资和专业指导，以服务于基础教育。

第二，教学型。盐城师范学院将构筑起以本科教学为主导、以发展部分优势学科的研究生教育为辅佐的办学体系，构筑起以技术的应用研究为主导、以学科研究为辅佐的知识生产体系，构筑起以培养专业基础宽厚扎实、实践能力较强的应用型人才为核心的社会服务体系，构筑起以优化教师知识结构、让学生学到在一类高校才能学到的本科课程为核心的基础理论教学体系。

第三，有特色。科学定位是高校特色的前提，办学理念是高校特色的灵魂，学科特色是高校特色的核心，服务社会是高校特色的关键，优秀人才是高校特色的标志。所以，盐城师范学院的特色培植将继续从学科建设、人才培养和区域服务方面去凝练。

第四，开放式。盐城师范学院将继续强化"校外就是外"的开放意识，多渠道、多形式地建立学校与社会各界的新型关系，加强与高层次高校和地方经济的合作，发展国内留学项目，加强教育实习基地、生源基地、实验基地、科研基地、就业基地建设，实施本院教师与境外教师在进修、讲学以及科研合作方面的双向互动，扩大留学生教育规模，强化与国外大学以及研究机构在学术上的实质性的合作交流，在与国内外的校际合作、校企合作、校银合作、校地共建的联手互动中，实现双赢与多赢。

第四节　专科、民办高校核心竞争力分析模型案例分析

注入新鲜的活力

——三江学院核心竞争力分析

三江学院地处"六朝古都"——历史文化名城南京，筹办于1992年。1993年首次招生，1995年经教育部（原国家教委）批准，成为全国首批、江苏省第一所独立设置的全日制民办普通高校。2002年2月，经教育部批准，三江学院升格为全日制普通本科高校，成为江苏省第一所民办本科高校，也是全国最早的四所民办本科高校之一。

三江学院的办学指导思想是在党的教育方针指导下，在国家与省教育主管部门的领导下，充分利用民办办学机制的优势和特点，使学生在人格品质、社会责任感、专业技能、身体素质和社会综合能力几方面都得到均衡发展，成为适应社会主义市场经济发展，满足社会各方面、各层次需求的，具有高度文化修养和文明水平、富有创新精神的高素质应用型人才。

三江学院围绕这一办学指导思想，重视加强专业建设和教学改革，并取得了一定的成效。三江学院电气工程及其自动化专业被遴选为江苏省"特色专业"建设项目，中文系"读写练"、"古代汉语"两门课程先后获得江苏省教学改革二等奖，是江苏省民办高校中最早获奖的专业和课程。同时，三江学院还十分重视学生英语和计算机应用能力的培养。自1994年以来，江苏省教育厅已在三江学院定点设有全国大学英语四、六级考试和江苏省普

427

通高校计算机等级考试考点。1998 年 6 月，江苏省教育厅又在三江学院设立江苏省普通高等专科学校英语应用能力考试考点。2004 年 2 月，三江学院成为教育部大学英语教学改革试点单位之一，是全国民办高校中惟一的一家。2004 年 4 月，三江学院在全省计算机等级考试中，合格率和优秀率在一百多所高校中名列前茅。2005 年 4 月，教育部考试中心在三江学院设立了"全国计算机应用技术证书考试（NIT）"独立考点；同月，教育部"自动化系统工程师资格认证（ASEA）"培训中心在三江学院电气系设立，三江学院成为全国惟一设立此培训中心的民办高校。学校还特别注重学生的社会实践能力的培养，已与爱立信、宏图三胞、福中电脑、新华海电脑、印度蒙纳什软件公司、飞思卡尔公司（原摩托罗拉公司）等多家著名企业签署了产学研合作协议。

三江学院现设有 18 个系 51 个本、专科专业及成人教育学院和高等职业技术学院。学校视教学质量为生命线，十分重视教师队伍的建设。现已形成了一支 400 多人（包括外籍教师）的师资队伍，其中正副教授占 58％以上。在这一师资队伍中，有相当一批是长期在南京大学、东南大学等南京地区著名高等学府中从事教学、经验丰富、学术造诣深的资深教授和硕士、博士生导师。同时，学校还积极引进外籍教师承担不同类型的教学任务。三江学院还建立了一支 70 人左右、独具特色的"双师型"的班导师队伍，专职负责学生的思想政治教育、"两课"教学和生活管理。

三江学院的文理各专业都设有自己的专业实验室。2005 年 1 月，15000 多平方米的新实验大楼落成并交付使用，学校的实验条件走上了一个新的台阶。三江学院拥有 41 间多媒体教室和多功能语音室，先进的数码投影设备等已成为三江学院每堂外语听力课和口语课不可缺少的设施；目前用于教学的计算机已达

2475 台，建成了千兆光纤校园网，目前校园网络基本覆盖了整个教学区和行政办公区，学生也能够利用学校的计算机网络直接查阅学习资料并进行网上选课。现代化的图书馆藏书 41 万多册、报刊 1140 种，还设有电子图书阅览室（电子图书 48 万册、电子期刊 7000 多种）和语音听力资料室。三江学院拥有容纳万名以上学生的宿舍、食堂等设施。还设有银行、邮局、超市、浴室、公用电话等。

三江学院毕业生就业认真贯彻执行"双向选择，自主择业"的政策，采用积极向用人单位推荐与毕业生自主择业相结合的方式。自 1995 年向社会输送首届毕业生以来，至目前（2005 年 4 月）已有十届毕业生。前九届毕业生的就业率均近 100％，第十届毕业生截至 2004 年 12 月 20 日，就业率已达 94.4％。

三江学院一直重视对外交流和合作办学。2004 年 3 月，经省教育厅批准，三江学院获得接收外国留学生的资格。2004 年 11 月，三江学院与江苏省教育国际交流服务中心（教育厅下属机构）签署了"专升硕"国际预科学院合作项目协议，省内专科生经考核合格，可赴英国、法国、澳大利亚、日本、白俄罗斯就读研究生。2005 年 4 月，经省教育厅批准，三江学院分别与美国佐治亚州恰达河齐技术学院（汽车技术服务与营销专业）、新西兰怀卡托理工学院（工商管理类专业、计算机应用技术专业）签订了合作办学协议。同时，自 1995 年以来，三江学院先后有近四百名学生赴美国、加拿大、英国、法国、澳大利亚、日本、瑞士、新西兰等国留学深造。

（上述部分材料出自三江学院主页）

[案例分析]

省份	高校校名	类型	高校核心竞争力												
			显性要素						隐性要素						
			学术生产能力			人才生产能力				管理力			文化力		
			名师	学科竞争力	学问生产能力	生产规格	生产质量	生产数量	就业率	管理者	争取发展经费和空间	创建良好的学术环境	提高办学效益	校园精神	校园文化	校风
江苏省	三江学院	第四类	2400	218	1030	3	6	8000	0.944	8	100	7	6	5	5	6

指标 \ 高校	三江学院
显性结果	0.4163
隐性结果	0.1101
综合评价结果	0.3871

　　三江学院作为民办高校，在学术生产能力、人才生产能力、文化力都不是很强的情况下，只有不断提升管理力，通过整合各种可利用资源，把有限的物质资源通过非物质资源即人力资源的竞争优势不断获取新的增长点，从而在学术生产能力、人才生产能力和文化力方面创造业绩，构建民办院校的应有竞争地位。

　　有数百名中外大学校长参加的"第二届中外大学校长论坛"，却没有一位中国民办大学的校长参加。可以肯定，中国民办大学校长的缺席，并不是有意地忽略或遗忘，而是因为他们的实力还不够强大。在夹缝中求生存、在风雨中求发展的中国民办大学，迄今还没有哪一所的综合实力能与出席论坛的中国大学相匹敌，因而在讨论向世界一流大学冲刺和建设高水平大学如此重大的战略问题的时候，他们自然会被排除在外。

在当前教育形势下，着力打造文化个性软实力才是民办高校提升核心竞争力的节点所在。原中国教育部高教司司长、著名教育家王冀生研究员介绍说，目前我国高等教育正处于深刻转变之中，在办学中也出现了一些问题，比如大学人文精神的滑坡、办学目标的功利化倾向、用行政本位取代文化个性、大学缺乏主体意识和鲜明个性等等。这些问题在民办高校中也有不同程度的反映。办学者应该认识到的是，文化个性也是大学的核心竞争力所在，也就是说有没有深厚的文化底蕴和鲜明的办学个性是决定大学竞争力强弱的标志。所幸现在一些民办高校和独立学院已经认识到这一点，并且开始在办学过程中灌输进去。厦门大学高教研究所所长邬大光教授也认为，在我国，民办高校赖以生存的制度优势空间会越来越小，而当我国高等教育规模扩张到一定量的时候，民办高校赖以生存的市场空间也会越来越紧凑。这时民办高校要博弈市场，就需要进行制度创新，现在一些民办学校正在进行尝试，比如设置专科后流动站、双语教学、学科法人制度和校企合作等等，这也是一种有益的市场探索。①

三江学院经过多年的努力，在多学科、多领域内形成了特色，构建起获取核心竞争力的"价值链"结构。这一价值链的每一个环节都是构成民办高校竞争力不可或缺的因素，但所起的作用却不尽相同。

（一）知名度和新生招生

知名度影响到招生，影响到学校的生存。知名度既是高校价值链中的起始环节，但也可以说是终结环节。

---

① 参见 http：//news. jschina. com. cn。

（二）办学资金和硬件设备

这是高校正常运转的物质保证，也是最表层的竞争力标志。

（三）学科建设和教学水平

学校要以教学为中心，高校的实力主要体现在学科建设，重点学科、精品课程和重点实验室是高校教学工作的重中之重。

（四）科研成果和毕业生

高校的产品，一是科研成果的数量、质量及社会效益，二是毕业生的数量、质量和社会评价。这既体现学校的贡献，也是学校影响力和美誉度提高的关键。

（五）师资队伍建设

学校知名度的提高、学科建设的上档次、教学质量的保障、科研成果的取得和高素质学生的培养，最终都要决定于教师队伍，即教师的数量、素质、结构、配置、积极性、合作与竞争。

（六）管理运作体制

这涉及管理观念、指导思想、管理原则、规章制度、承担部门（分工）、管理方法等，只有形成有效的内部管理体制与人力资源管理运行机制，才可能有效地处理好人的问题，保障人的能力的形成、提高、发挥和利用。

以上六个方面正是高校核心竞争力构成要素中学术生产能力、人才生产能力、管理力和文化力在民办高校的细化和发展。其中人的因素是高校竞争力的核心，而核心竞争力的形成标志是其保障因素——人力资源管理运行机制是否有效。① 从对上述民办高校的分析中，我们可以看到民办高校在许多环节还不具有自己的优势。民办高校要生存和发展，只有也只能依靠自身的体制的优势。

---

① 参见马士斌：《"战国时代"：高校核心竞争力的提升》，《学海》2000 年第 5 期。

通过本章的案例分析研究，我们可以得出，高校核心竞争力对于不同类型的高校其内涵和侧重点有不同的结论。在通用模型的指导下，不同类型的高校在构成要素 4 个二级指标和 14 个三级指标中各有自己的侧重点，这就是说整合资源的能力特色尤为重要。但不同类型的高校具有较强核心竞争力的共同点却都在于其学习力比较强。

主要参考文献

一、中文部分

1. 林善浪、吴肇光：《核心竞争力与未来中国》，教育科学出版社 2003 年版。

2. 中国人民大学竞争力与评价研究中心研究组：《中国国际竞争力发展报告（2001）——21 世纪发展主题研究》，中国人民大学出版社 2001 年版。

3. 陈向清：《质的研究方法和社会科学研究》，教育科学出版社 2000 年版。

4. 教育部中外大学校长论坛领导小组：《大学校长视野中的大学教育》，中国人民大学出版社 2004 年版。

5. ［美］谭劲松、张阳：《战略管理》，中国水利水电出版社 1998 年版。

6. 管益忻：《论企业核心竞争力：开创战备管理新纪元的第一选择》，中国经济出版社 2000 年版。

7. 迈克尔·波特：《国家竞争优势》，华夏出版社 2002 年版。

8. 林正范：《高等教育管理新论》，山西高校联合出版社 1994 年版。

9. 冒林、刘义恒：《高等学校管理学》，南京大学出版社

1997 年版。

10. 彼得·圣吉：《第五项修炼——学习型组织的艺术与实务》，上海三联书店 1998 年版。

11. 彼得·F·德鲁克等：《知识管理》，中国人民大学出版社、哈佛商学院 1999 年版。

12. 保罗·S·麦耶斯主编：《知识管理与组织设计》，珠海出版社 1998 年版。

13. 伯顿·R·克拉克：《高等教育新论——多学科的研究》，浙江教育出版社 1988 年版。

14. 伯顿·R·克拉克：《高等教育系统》，浙江教育出版社 1994 年版。

15. 弗朗西斯·赫瑞比：《知识管理员工》，机械工业出版社 2000 年版。

16. 王德禄等：《知识管理：竞争力之源》，江苏人民出版社 1999 年版。

17. 齐建国等：《知识经济与管理》，社会科学文献出版社 2001 年版。

18. 郁义鸿：《知识管理与组织创新》，复旦大学出版社 2001 年版。

19. 赵曙明、沈群红：《知识企业与知识管理》，南京大学出版社 2000 年版。

20. 金吾伦：《知识管理：知识社会的新管理模式》，云南人民出版社 2001 年版。

21. 王方华等：《知识管理论》，山西经济出版社 1999 年版。

22. 经济合作与发展组织编，杨宏进、薛澜译：《以知识为基础的经济》，机械工业出版社 1997 年版。

23. ［美］维娜·艾莉著，刘民惠等译：《知识的进化》，珠海出版社 1998 年版。

24. 迈克尔·波特：《竞争战略》，华夏出版社1997年版。

25. 张维迎：《大学的逻辑》，北京大学出版社2004年版。

26. 张石森：《哈佛商学院核心竞争力全书》，中国财政经济出版社2003年版。

27. 斯蒂芬·P·罗宾斯：《组织行为学》，中国人民大学出版社1997年版。

28. 达尔·尼夫主编，樊春良、冷民等译：《知识经济》，珠海出版社1998年版。

29. ［英］安德鲁·坎贝尔、凯瑟琳·萨默斯·卢斯著，严勇、祝方译：《核心能力战略——以核心竞争力为基础的战略》，东北财经大学出版社1999年版。

30. 史东明：《核心能力论：构筑企业与产业的国际竞争力》，北京大学出版社2002年版。

31. 马陆亭：《高等学校的分层与管理》，广东教育出版社2004年版。

32. 王兴成等：《知识经济》，中国经济出版社1998年版。

33. 远见编译：《巨人论谈知识经济》，中国经济出版社1998年版。

34. 王平换：《企业战略管理》，重庆大学出版社2002年版。

35. ［美］迈克尔·波特著，陈小锐译：《竞争优势》，北京华夏出版社1997年版。

36. 教育部中外大学校长论坛领导小组编：《中外大学校长论坛文集》，中国人民大学出版社2004年版。

37. 弗兰西斯·培根：《新工具》，转引自北京大学哲学系外国哲学史教研室编译：《十六—十八世纪西欧各国哲学》，商务印书馆1975年版。

38. 刘光临：《论社会转型中大学核心竞争力》，《经济师》2004年第2期。

39. 世界银行（2002.12）：《构建知识社会：高等教育面临的新挑战》，《世界高等教育：改革与发展趋势（第三辑）》2004年第7期。

40. 赵彦云、汪涛、王丽娟：《2001年中国国际竞争力评价和分析》，《新华文摘》2002年第9期。

41. 《2002年全国教育事业发展统计公报》，《中国教育报》2003年5月13日。

42. 张炜：《核心竞争力辨析》，《经济管理》2002年第12期。

43. 杜云月、蔡香梅：《企业核心竞争力研究综述》，《新华文摘》2002年第9期。

44. 王毅：《企业核心能力：理论溯源与逻辑结构剖析》，《管理科学学报》2000年第3期。

45. 李悠诚等：《企业如何保护核心能力载体——无形资产》，《对外经济贸易大学学报》2000年第4期。

46. 张瑞敏：《海尔的市场整合力就是核心竞争力》，《中外管理》1999年第2期。

47. 郭斌：《基于核心能力的企业组合创新理论与实证研究》，浙江大学1998年版。

48. 王秉安：《企业核心竞争力理论探讨》，《管理科学》2000年第7期。

49. 王利政：《企业核心竞争力结构解析》，《中国软科学》2004年第5期。

50. 邹海林：《论企业核心能力及其形成》，《中国软科学》1999年第3期。

51. 范徵：《论企业知识资本与核心能力的整合》，《经济管理·新管理》2001年第22期。

52. 金碚：《论企业竞争力的性质》，《中国工业经济》2001

年第 10 期。

53. 罗海成：《基于企业核心竞争力的基本战略研究》，《福建行政学院福建经济管理干部学院学报》2001 年第 2 期。

54. 王秉安：《核心竞争力观念对当代企业管理理念的影响》，《福建行政学院福建经济管理干部学院学报》2001 年第 2 期。

55. 吴晓波：《动态学习与企业的核心能力》，《管理工程学报》2000 年增刊版。

56. 李相银：《核心竞争力：从内部寻求竞争优势》，《暨南学报（哲学社会科学版）》2001 年第 4 期。

57. 李向波、元汉江：《企业核心能力的特征及管理问题的探讨》，《技术经济与管理研究》2001 年第 2 期。

58. 韩承明、于淑莲：《提高企业竞争能力标准谈》，《技术经济与管理研究》2001 年第 2 期。

59. 武博：《企业核心竞争力的价值取向与管理》，《工业企业管理》2002 年第 4 期。

60. 宋远方：《知识管理与企业核心竞争力培养》，《管理世界》2002 年 8 月。

61. 张维炯：《品牌资产和企业核心竞争力》，《上海管理科学》2002 年 1 月。

62. 李国英：《企业资源配置力与企业竞争力》，《理论月刊》2001 年第 11 期。

63. 袁维海：《提升我国产业核心竞争力若干思想》，《管理现代化》2002 年第 2 期。

64. 黄煦图：《论企业核心竞争力的培育》，《南方经济》2001 年第 10 期。

65. 马扬、张玉璐：《高等教育收益率研究》，《比较教育研究》2001 年第 9 期。

66．邬大光、王建华：《第三视野中的高等教育》，《高等教育研究》2002 年第 2 期。

67．曾晓东、孙贵聪：《研究大学类企业行为提升大学管理的专业化水平》，《比较教育研究》2002 年第 4 期。

68．赖德胜、武向荣：《论大学的核心竞争力》，《教育研究》2002 年第 7 期。

69．王继华、文胜利：《论大学核心竞争力》，《中国高教研究》2001 年第 4 期。

70．张卓：《研究型大学的基本特征和评价体系》，《南京航空航天大学学报（社会科学版）》2002 年第 2 期。

71．孟丽菊：《大学核心竞争力的含义及概念塑型》，《教育科学》2002 年第 3 期。

72．李惠玲、王生卫：《论大学的核心竞争力及其培育》，《中国电力教育》2003 年第 2 期。

73．别敦荣、田恩舜：《论大学核心竞争力及其提升途径》，《复旦教育论坛》2004 年第 1 期。

74．聂秋华：《竞争与发展——在中层干部会议上的讲话》2001 年 9 月 7 日。

75．宋东霞、赵彦云：《中国高等学校竞争力发展研究》，《教育发展研究》2003 年第 2 期。

76．李景渤：《从核心竞争力的视角看我国西部地区高校如何发挥地域特色》，《贵州师范大学学报（社科版）》2002 年第 4 期。

77．罗红：《核心竞争力培养与竞争教育平台》，www.doule.net/homepage/jiaoyuii/—llk。

78．胡建华：《试析研究型大学的本质——学问的生产能力》，《南京航空航天大学学报（社会科学版）》2002 年第 4 期。

79．陈传鸿：《着力改革重在建设促进本科教学再上新台阶》,《中国大学教学》2000 年第 4 期。

80. 张晓琪:《面向市场办学是新形势下大学校长的首要任务》,《湖南社会科学》2002 年第 2 期。

81. 应智国:《论专业群建设与高职办学特色》,《嘉兴学院学报》2001 年第 4 期。

82. 马士斌:《"战国时代"高校核心竞争力的提升》,《学海》2000 年第 6 期。

83. 刘一平:《牢固确立现代高等教育管理理念》,《求是》2003 年第 12 期。

84. 周进:《大学中学科核心竞争力》,《科技导报》2001 年第 10 期。

85. 陈克:《高等学校核心竞争力研究》,《学术交流》2004 年第 7 期。

86. 王秉安:《企业核心竞争力探讨》,《管理科学》2000 年第 7 期。

87. 路风等:《寻求加入 WTO 后中国企业竞争力的源泉》,《管理世界》2002 年第 2 期。

88. 熊川武:《学校"战略管理"》,《高等师范教育研究》1997 年第 2 期。

89. 刘晖:《从〈罗宾逊报告〉到〈迪尔英报告〉——英国高等教育的发展路径、战略及其启示》,《比较教育研究》2001 年第 2 期。

90. 谢维和:《当前中国高等教育的转型及其主要取向》,《中国高等教育》2001 年第 6 期。

91. 周远清:《21 世纪:建设一个什么样的高等教育》,《中国高教研究》2001 年第 3 期。

92. 项振乐、杜欢政:《论高等学校战略管理》,《有色金属高教研究》1998 年第 6 期。

93. 唐才进：《战略管理与高校发展规划》，《交通高教研究》1994 年第 3 期。

94. 胡鹏山：《论加强高校的战略管理》，《上海高教研究》1997 年第 3 期。

95. 彭庚、李敏强、寇纪松：《组织学习与学习型组织研究》，《中国软科学》1999 年第 12 期。

96. 陈乃林、孔孙懿：《学习型组织及其发展》，《教育发展研究》1999 年第 5 期。

97. 肖余春：《21 世纪人力资源管理的新方向》，《江西教育学院学报（社会科学版）》2000 年第 4 期。

98. 牟宗荣、王扶明：《学习型组织：高校内部管理机构改革的新视点》，《青岛化工学院学报（社会科学版）》2000 年第 4 期。

99. 魏大鹏：《面向 21 世纪：创建"学习型大学"》，《天津轻工业学院学报》2001 年第 4 期。

100. 孟繁华：《构建现代学校的学习型组织》，《比较教育研究》2002 年第 1 期。

101. 胡汉辉、沈群红：《西方知识资本理论及其应用》，《经济学动态》1998 年第 8 期。

102. 蒋云尔：《企业知识管理基本要素研究》，河海大学博士论文，2002 年 12 月 7 日。

103. 郭强：《论 KM 与 CKO 制度的构建》，《情报资料工作》1999 年第 6 期。

104. 朱晓峰、许发见：《知识管理和竞争情报》，《情报理论与实践》2000 年第 4 期。

105. 应力、钱省三：《知识管理的内涵》，《科学学研究》2001 年第 3 期。

106. 邱均平、段宇锋：《论知识管理与竞争情报》，《图书情报工作》2000 年第 4 期。

107. 高勇、钱省三、应力：《知识管理的内涵及实施》，《华东经济管理》2001 年第 6 期。

108. 徐锐：《知识型企业的知识管理特征》，《图书情报工作》2000 年第 1 期。

109. 陈通、程国平：《企业知识管理主体解析》，《中国软科学》2001 年第 3 期。

110. 白波、张晓玫：《关于企业知识管理的几个理论问题》，《图书情报工作》2001 年第 8 期。

111. 郭睦庚：《知识的分类及管理》，《决策借鉴》2001 年第 4 期。

112. 胡汉辉、沈群红：《西方知识经济资本理论及其应用》，《经济学动态》1998 年第 8 期。

113. 杨昕、孙振球：《大学核心竞争力的研究进展》，《现代大学教育》2004 年第 4 期。

114. 清华大学教育研究所：《美国麻省理工学院校长报告》，《教育研究参考资料》1997 年第 16 期。

115. 王斌林：《大学核心竞争力及其识别》，《现代教育科学》2004 年第 2 期。

116. 林莉、刘元芳：《知识管理与大学核心竞争力》，《科技导报》2003 年第 5 期。

117. 朱永新、王明洲：《论大学的核心竞争力》，《教育发展研究》2004 年第 7—8 期。

118. 王生卫、李惠玲：《论大学核心竞争力及其培养》，《北京航空航天大学学报（社会科学版）》2004 年第 1 期。

119. 陈运华、谢菊兰：《高等教育国际化进程中高校核心竞争力的培育与构建》，《江西教育科研》2004 年第 7 期。

120. 杨宁、王建东、冯志敏：《试论原始创新与一流大学的互动关系》，《高教探索》2001 年第 2 期。

121. 芮明杰、方统法：《论知识型企业学习能力的塑造与增强》，《上海管理科学》2002 年第 1 期。

122. 陈国权、马萌：《组织学习的过程模型研究》，《管理科学学报》2000 年第 3 期。

123. 李德进：《学习和学习力》，《人民论坛》2004 第 9 期。

124. 成长春：《基于灰色系统的高校办学效益预测》，《南京工程学院学报》2003 年第 4 期。

125. 范文、张伟、马陆亭：《英格兰高等教育拨款》，《研究动态》2000 年第 6 期。

126. 肖鸣政：《大学排名何时走向科学与公正》，《新华文摘》2004 年第 13 期。

127. 成长春、陈红转：《高校核心竞争力战略预警系统》，《福建行政学院学报》2003 年第 6 期。

128. 左相国：《高校"核心竞争力"的构成要素分析》，《中国冶金教育》2003 年第 5 期。

129. 唐贵伍：《构建核心竞争力提升高职高专办学水平》，《教育理论与实践》2003 年第 10 期。

130. 马凌、卢继勇：《人力资源开发与企业核力竞争力》，《重庆邮电学院学报（社会科学版）》2003 年第 5 期。

131. 《学习力——领导干部能力高低的一个重要标准》，《领导科学》2004 年第 4 期。

132. 成长春、张阳：《提升高校核心竞争力》，新华日报（理论版）2003 年 6 月 15 日。

133. 徐文龙：《学习力：最本质的竞争力》，《解放日报》2002 年 3 月 27 日。

134. 徐通模：《对中国高等教育在经济全球化趋势中机遇与挑战的一些思考》，2001 年经济全球化与高等教育国际论坛。

135. 马莉：《知识管理的历史回顾》，http.//www. chinakm. com/share/list. asp? id＝434 2000 年 9 月。

136. 宋建敏：《知识分类观点综述》，http.//www. chinakm. com/share/list2002 年 1 月 4 日。

137. 梁祥凤：《高校核心竞争力研究》，http.//grad school. ustc. edu. cn/ylb/zzjb/yjsjj/2004. 2/content/tsl. htm 2004 年 8 月。

138. 程路：《愿景 & 学习》，http.//www. HROOF com/home。

139. 罗红：《核心竞争力培养与竞争教育平台》，http.// www. doule. net/homepage/jiaoyuii/。

140. 成长春：《以知识为基础的高校核心竞争力特征分析》，《江苏高教》2005 年第 3 期。

141. 柯昌万：《陕西提升高校核心竞争力》，http.//www. jschina. com. cn/gb/ischina/edu/trend/userobiect/ail75148. html。

142. 张声雄：《学习力——学习型组织真谛之一》，http.// www. 21tb. com。

143. 中国学习论坛首届年会组委会：《学习力 创新力 竞争力》，http.//www. sina. net 2003 年 12 月 19 日。

二、英文部分

1. A. Afuah, *Innovation management：strategies，implementation and profits*. New York：Oxford University Press，1998.

2. V. Allee, *The knowledge evolution：expanding organizational intelligence*. British：Butlew orth—Heineman.

3. Igor. Ansoff, *Corporate strategy*. McGraw － Hill，1965.

4. Blenneth. Ardrews, Richard D. Irwin. Inc. (1987) *The concept of corporate strategy*. Homewood，1971.

5. K. R. Anderws, *The concept of corporate strategy*. BurrRidge: IL: Dow Jones—Irwin, 1971.

6. C. Argyris, Schon D. *Organizational learning: a theory of action perspective*. Reading Massachusetts: Addison Wesley, 1978.

7. J. Baldridge, T. Deal. *The dynamics of organizational change in education*. Berkeley CA: Mc Cutchan Publishing Company, 1983.

8. Andrew, Kathleen Summers Luchs. Campbell, *Core competence—based strategy*. International Theomoson Business Press, a Division of International Thomson Publishing Inc, 1997.

9. Afford D. Chandler, Jr. *Strategy and structure chapters in the history of the American industrial enterprise*. Cambridge, Mass: The MIT Press, 1962.

10. Alfred D. Chandler, Jr. *Scale and scope: the dynamics of industrial capitalism*. Cambridge, Mass: The Belkans Press of Harvard University Press, 1990.

11. J. Child, A. Kieser Development of organizational over time, in N. C. Nystrom and W. H. Starbusk (eds), *Handbook of Organizational Design*. Oxford: Oxford University Pess, 1981, pp. 28 — 64; E. H. Shein, *Organizational Culture and leadership*. San Francisco: Jossey—Bass, 1992.

12. D. J. Collis, C. A. Montgommery. *Corporate strategy: a resource—based approach*, Mc—Graw—Hill Companies, Inc, 1998.

13. M. Dodgson, *Organizational learning: a review of some literature*. Organization studies, 1993.

14. Edith, Perrose. *The theory of the growth of the firm*. New York: Oxford University Press, 1959.

15. N. Eurich, *Corporate classrooms: the learning business*. Princeton, N. J. : Princeton University Press, 1985.

16. B. Fidler, et al. *Effective Local Management of Schools*, Longman, 1989.

17. Frappanolo, Carl and Wayne Toms. *Knowledge management: from terra incognito to terra firma imaging world*, October, 20th, 1997.

18. S. C. Goh, 'Toward a learning organization: the strategic building block' in *Sam Advanced Management Journal*, Spring, 1998.

19. Richard G. . Hamermesh, *Making strategy work*. New York: Joho Wiley & Sons, 1986.

20. Charles W. Hofer, and Schendel Dan. *Strategy formulation: analytical concepts West Company*. St. Paul, Minn, 1978.

21. Hiroyuki and Rehl Thomas. Itami, *Mobilizing invisible assets*. Harvard University Press, 1987.

22. David and Marhin Rarker. Jary, *The New Higher Education*. Stoke: Stafford Shire University Press.

23. Edmund, P. Learned, Christensen, Roland, C. Andrews, Williar Guth. (1969) *Business policy: text and cases*. Richard D. Irwin, Inc. Homewood, Illionis; Anddrews Kenneth R. *The concept of corporate strategy*, 1965.

24. Patricia. Maguire, *Doing Participatory Research: a feminist approach*. The Center for International Education School of Education. Amherst, Massachusetts, USA: Universi-

ty of Massachusetts, 1989.

25. Monika &.Takeuchi. *The knowledge—creating company: how Japanese companies create the dynamics of innovation.* Oxford University Press, 1995.

26. S. et al. Murgatroyd, *Total quality management and the school.* Open University Press, 1993.

27. Nanaka, Kujiro and Hirotaka Takeuchi. *The knowledge-creating company.* New York: Oxford University Press, 1995.

28. S. W. Nason, *Organizational learning disabilities: an international perspective.* USA: University of South California, 1997.

29. E. C. Nevis, and Gould J. M. *Understanding organization as learning system.* http://www. sol—ne. org/, 1997.

30. Peter et al. Park, *Voices of change: Participatory research in the United States and Canada.* London: Bergin&.Gervey, Westprot, Connecticut.

31. Philip, Selgnick. *Leadership in administration.* New York: Harpar, 1957.

32. Michael E. Porter, *Competitive strategy.* The Free Press, 1980.

33. Michael E. Porter, *Competitive advantage.* The Free Press, 1985.

34. Michael E. Porter, *Competitive advantage of nations.* The Free Press, 1990.

35. M. E. Porter, S. Stern. *The New Challenge to America's Prosperity: Findings from the Innovation Index.* Washington: Council on Competitiveness, 1999.

36. Amidon D. M. Rogers，The challenge of fifth genera-tion R&D in *Research — Technology Management*，39（4），1996.

37. Peter. Scoff，*The meaning of mass higher education*. Buckingham：Open University Press，1995.

38. Mile et al. Terziovski，*Creating core competence through the management of organizational innova-tion*. Foundation for Sustainable Economic Development，2001.

39. G. Thompson，*Unfulfilled prophecy：the evolution of corporate colleges*. University of Saskatchewan Publication Forthcoming，1998.

40. A. Toffler，*The adaptive corporation*. New York：McGraw Hill，1985.

41. Oxford Cater for Staff Development，*Course design for resource—based learning*，1997.

42. RAE（Research Assessment Exercise）team，*A guide to the* 2001 *research assessment exercise*，Nothavon House.

43. Ateneo de Manila. *University — Institute of Philippine Culture*（IPC）. http：//www. admu. edu. ph/ipc/.

44. Britain's University's，*The times higher education supplement*，http：//www. thesis . co. uk.

45. Alfred D. Jr. Chandler，'Organizational capabilities and the economic history of the industrial enterprise' in *Journal of Economic Perspectives*，vol. 6，no. 3（summer），1992.

46. V. et al. Chiesa，'A development of a technical innova-tion audit' in *Journal of Products Innovation Management*，1996.

47. Sheila. Corral，*Knowledge management — are we in the*

knowledge management business? http：//www. ariadne. ac. uk/ issue18/ knowledge－mgt.

48. Neef. Dale，*The knowledge economy*. *British*：*Butterworth－Heinemann*.

49. Thomas H. et al. Davenprot，*The mysterious art and science of knowledge－worker performance*. 2002.

50. Digital Learning Institute. *E－learning design methodology*. http：//www. digitallearning. re. kr/r－d4. htm.

51. Digital Learning Institute. *E － learning theory*. http：//www，digitallearning. re. kr/r－d3. htm.

52. M. Dodgson，'Organizational learning：a review of some literatures'，*in Organization Studies*，1993.

53. P. F. D rucker，'The age of social transformation' in *The Atlantic Monthly*，Nov. 1994.

54. P. F. Drucker，'The discipline of innovation' *in Harvard Business Review*，76（6），1998.

55. J. Duderstadt，'The future of the university in an age of knowledge' in *Journal of Asynchronous Learning Networks*，vol. 1，Issue 2. August，1997.

56. Edviusson，Leif ＆ Patrick Sullivan. 'Developing a model for management intellectual capital' in *European Management Journal*，vol. 14，no. 4，1996.

57. S C. Gos，'Toward a learning organization：the strategic building block'，in *Sam Advanced Management Journal*，Spring，1998.

58. Donald E. Hanna，'Higher education in an era of digital competition' in *Emerging Organizational Models*，JALN，vol. 2，Issue 1－March.

59. Robert H. Hayes, 'Strategic planning—forward in reverse?' in *Harvard Business Review*, November — December, 1985.

60. Bin Hidayat, Hussain, MNI Bhd. 'Creating a learning organization: integrating training. Performances Management and Knowledge Management, e—jirm' in *The Electronic Journal of Insurance and Risk Management*, vol. 1.

61. *Knowledge Management*, http: //www. skyrme. com/ insights/22KM. htm.

62. Dorothy. Leonard—Barton, 'Core capabilities and core rigidities: a paradox in managing new product development' in *Strategic Management Journal*, vol. 13, 1992.

63. Lves, William et al. *The history of knowledge management*, http: //www. chinakm. com/share/list.

64. J. Maanen, Van and Schain E. H. 'Toward a Theory of Organizational Socialization', in *Research in Organizational Behavior*, 1, 1979.

65. Yogesh. Malhotra, 'Toward knowledge ecology for organizational white—waters' in *Knowledge Ecology Fair*, 1998.

66. M H. Meyer, 'Revitalizing your product lines through continuous platform renewal' in *Research Technology Management*. March—April, 1997.

67. N. and E. Nash, Hawthorne. 'Formal recognition of employer — sponsored instruction: conflict and collegiality in post-secondary education, college station' in *Association for the Study of Higher Education*, ERLC Higher Education Report. no. 3 (ERIC Document Reproduction Service No.) 1987.

68. National Committee of Inquiry into Higher Education.

'Higher education in the learning society' in *The Daring Report*, *Summary Report*, 1997.

69. National Committee of Inquiry into Higher Education. 'Higher education in the learning society' in *The Daring Report*, *Report* 5, 1997.

70. NR— SCHEV. *Revised policy for approving academia*. March 21, 2002.

71. D. Olcott 'Renewing the vision: past perspectives and future imperatives for distance education' . *The Journal of Continuing Higher Education*, vol. 45, no. 3, Fall, 1997.

72. CK, Hamel G. Prahalad, 'The core competence of the corporation' in *Harvard Business Review*, May—June, 1990.

73. W. Richard, 'Word—based learning and quality assurance in higher education' in *Assesment & Evauation in Higher Education*, (3), 1994.

74 G. B. Richardson, 'The organization of industry' in *The Economic Journal*, September, 1972.

75. Report. Robbins *Higher education committee on higher education Cmnd 2145*. London: HMSO, 1963.

76. R • Rothwell 'Towards fifth generation process innovation' in *International Marketing Review*, Il (I), 1994.

77. R. W. Rycroft, and D. E. Kash. *Managing complex networks-keys to 21st century management* , 42 (3), *Research Technology Management*, 42 (3), 1999.

78. Elias and Ray Edwards. Sadie, 'Knowledge is power for government and business alike' . *Government Issues White Paper*. 10. 31, 1998.

79. Howard K. Stevenson, and Lyzing. ' Corporate

strength and weaknesses' in *Sloan Management Review*, Spring, 1976, vol. 17, no. 3.

80. T. A. Steward, *Intellectual capital: a new wealth of company fortune*, June3.

81. Bill. Warters, '*Collaboration and conflict resolution, skill: a core Academic competency conflict management*' in *Higher Education Report*. vol. 1, no. 4, Nov/Dec. http: // www. campas—adr org/CMHER/Report Articles/Edition 1—4/ Corecomp 1—4 html, 2000.

82. Andrew. Warton, *Common knowledge document world*, October, 1998.

83. B. Wenerfelt, 'A resource—based view of the film' in *Journal of Strategic Management* 5 (2), 1984.

84. Zhuge Hai. 'A knowledge flow model for peer—to— peer team knowledge sharing and management' in *Expert System with Application*, (23), 2002.

附录一

关于提升高校核心竞争力调查问卷

_____学校

_____校长（书记）：

您好！

近年来，随着我国加入 WTO 和知识经济的蓬勃发展，高等教育国际化、大众化的步伐不断加快，高校面临的竞争愈来愈激烈。如何在这场竞争中立于不败之地，关键的要素就是要提升自身的核心竞争力。为此，国内许多高校领导和高等教育专家在不断加强高校核心竞争力的研究和实践。

为了促进高校核心竞争力研究进一步科学化、规范化，我们设计了这份问卷，请您在百忙之中帮忙填写！调查结束后，我们将及时向您反馈统计结果和研究成果，供您工作决策时参考。

江苏盐城师范学院院长　　成长春　敬

2004 年 11 月 17 日

1. 您所在的高校属于（　　）

（1）研究型　　（2）教学研究型　　（3）教学型　　（4）专业型

（5）部属高校　　（6）省属高校　　（7）省市共建　　（8）民办

（9）外资办学　　（10）其他

2. 您的基本情况（　　）

学术地位：（1）院士　　（2）博导　　（3）硕导　　（4）教授
　　　　　　（5）副教授　　（6）其他

职　　　务：（7）党委书记　　（8）校长　　（9）副书记
　　　　　　（10）副校长
　　　　　　（11）其他

3. 您校的经费预算约 ＿＿＿＿＿ 亿：主要来源（1）省主管部门 ＿＿＿＿＿％；（2）市政府＿＿＿＿＿％；（3）收费＿＿＿＿＿％；（4）基金会资助＿＿＿＿＿％；（5）创收和其他＿＿＿＿＿％

4. 您校资金投入比例（2003，2004 年）

（1）学术研究占＿＿＿＿＿％

（2）师资队伍建设占＿＿＿＿＿％

（3）生活设施占＿＿＿＿＿％

（4）教学设施占＿＿＿＿＿％

（5）学生活动占＿＿＿＿＿％

（6）征地新校区建设占＿＿＿＿＿％

（7）其他

5. 您校学生规模（2004 年底）（＿＿＿＿＿万）

其中博士生占＿＿＿＿＿％，硕士生占＿＿＿＿＿％，本科生占＿＿＿＿＿％，专科生占＿＿＿＿＿％

6. 您校的就业率：2002（　　）2003 年（　　）

7. 您认为当前研究高校核心竞争力（　　）

（1）很有必要　　　　（2）有必要

（3）无所谓　　　　　（4）没有必要

8. 提升高校核心竞争力的意义在于（　　）

（1）增强我国国际竞争力的战略基础

（2）高校持续竞争优势的真正源泉

（3）我国高校整体迎接入世的战略举措

（4）提升高校管理水平和办学效益的客观需要

（5）其他

9. 关于核心竞争力，有个形象的比喻：多样化公司就像一棵大树，树干和主枝是核心产品，分枝是业务单元，树叶、花朵和果实是最终产品，提供养分、维系生命、稳固树身的就是核心竞争力。您认为

（1）很准确　　　　　　（2）比较形象

（3）尽管形象但是不太适合高校实际

（4）不太准确　　　　（5）其他

10. 您认为高校核心竞争力是（　　　）

（1）具有足够特色的，能给高校带来潜在的、相对竞争对手的巨大优势和持久竞争的能力以及充分利用资产的能力

（2）从竞争角度来说明的高校内部活动中的一种重要活动

（3）具备有价值的、稀缺的、难以模仿和非替代性的资源和能力

（4）积累性学识（知识）

（5）高校参与市场竞争所形成的融入其内质中支撑其竞争优势的、独特的可持续的生存和发展的能力系统

（6）其他

11. 您认为高校之间的竞争本质上在于（　　　）

（1）核心竞争力的竞争　（2）教育教学质量的竞争

（3）办学条件的竞争　　（4）学术地位的竞争

（5）名师的竞争　　　（6）人才的竞争，人才学习力的竞争

（7）其他

12. 壳牌石油公司德格明言：惟一持久的优势，或许就是具备这样的能力——比你的竞争对手显赫得更快。有"全球第一CEO"之称的杰克·韦尔奇所说："最终的竞争优势有赖于一个组织的学习能力。"您对他们的观点

（1）符合高校实际，完全赞同

（2）有道理，但不完全符合高校实际

（3）仅是一家之言不能认同

（4）其他

13. 高校核心竞争力的构成要素应包括（　　）

（1）学术生产能力　　　（2）人才生产能力

（3）管理力　　　　　　（4）文化力

（5）其他

14. 学术生产能力应包括（　　）

（1）名师　　　　　　　（2）学科竞争力

（3）学问生产能力　　　（4）教授数

（5）副教授数　　　　　（6）博士数

（7）硕士数

15. 人才生产能力应包括（　　）

（1）生产规格　　　　　（2）生产数量

（3）生产质量　　　　　（4）在校生数

（5）就业率

16. 管理能力应包括（　　）

（1）管理者　　　　　　（2）争取发展经费和空间

（3）创建良好学术环境（4）提高办学效益

17. 文化力（　　）

（1）校园精神　　　　　（2）校园文化

（3）校风

18. 您校保持竞争优势是因为（　　　）

（1）学科建设竞争力　（2）名师

（3）毕业生质量高，用户满意度高

（4）雄厚的资金实力　（5）优美的校园

（6）校长　　　　　　（7）教学质量

（8）办学效益　　　　（9）独特的管理理念及方法

（10）独特的校园文化和校园精神

（11）办学声誉　　　（12）其他

19. 您认为我国高校总体上竞争意识（　　）

（1）强　　　　　　　（2）较强

（3）一般　　　　　　（4）不强

（5）其他

20. 您认为贵校在国内高校中（　　）

（1）很有竞争优势

（2）有一定竞争优势

（3）基本没有竞争优势

（4）无优势

（5）其他

21. 您的学校在世界同类高校中（　　）

（1）很有竞争力

（2）较有竞争力

（3）基本没有竞争力

（4）无竞争力

（5）其他

22. 在我国应如何提升高校核心竞争力（　　）

（1）进入核心竞争力现状评估

（2）在制度创新上下工夫

（3）建立学习型组织

（4）加强知识管理

(5) 建立高校间战略联盟，发挥优势互补

(6) 其他

23. 您认为目前国内众多的大学排名榜（ ）

(1) 很有意义　　　　　　(2) 比较有意义

(3) 无所谓　　　　　　　(4) 没有意义

24. 您校的管理理念是：

_____

_____

25. 您校的校风是：_____

您校的校园精神是：_____

26. 您对我们的研究有何建议：

_____

_____

_____

附录二

研究型高校指标体系参考标准

研究型高校

（符合下列情况之一请打"√"或填相关数值。）

1. 名师

（1）至少有院士（指中科院、工程院、第三世界科学院院士）5 名及以上

（2）教授数/教师数＞5％

（3）博士生导师数/教师数＞5％

（4）国内外学者或知名人士担任客座教授、名誉教授和兼职教授数占教师数的比例＞5％

（5）国家重大学科带头人、国家重点课题主持人、部委学部委员数至少两名以上

2. 学科竞争力

（1）国家重点一级学科数至少有 2 个以上

（2）有独特的学科体系

（3）设有研究生院（目前全国只有 56 家）

（4）拥有硕士点、博士点、博士后流动站

（5）有全国重点学科、重点实验室、部级研究基地

3. 学问生产能力

（1）获得国家最高科学技术奖

（2）成果获国家自然科学奖

（3）硕士生、博士生毕业优秀论文数占毕业生数 30％以上

（4）年国家、部级科研成果奖突出

（5）承担国家重点科研项目数突出

（6）在 SCI、CSSCI 等国际权威杂志上发表论文数年超过 10 篇以上

4. 教授数

请按材料中提供的有关数据直接填写

5. 副教授数

请按材料中提供的有关数据直接填写

6. 博士数

请按材料中提供的有关数据直接填写

7. 硕士数

请按材料中提供的有关数据直接填写

8. 生产规格

具有完备的人才生产培养体系

本科——硕士——博士——博士后；留学生

9. 生产数量

在校生人数 20000 人以上

10. 生产质量

（1）毕业流向好：

a. 部委机关

b. 部省直属国营企业

c. 考上研究生的数占本科毕业生数的 40％以上

(2) 就业率＞95％

11. 在校生数

请按材料中提供的有关数据直接填写

12. 就业率

请按材料中提供的有关数据直接填写

13. 管理者

(1) 校领导班子具有先进的教育思想观念、鲜明的教育理念、明确的办学思路

(2) 具有结构合理、素质高的管理队伍

(3) 管理者创新能力强，倡导服务型管理模式

14. 争取发展经费和空间

(1) 政府投资额度比重大（"211 工程"院校）

(2) 产学研结合程度好，有较好的社会资源利用度

(3) 社会资源整合程度高

15. 创建良好的学术环境

(1) 建立优秀人才培养工程

(2) 校园学术讲座氛围浓厚

(3) 名师、专家、学者发挥作用程度好

(4) 国内外知名学者讲座率高

(5) 重大科研项目承担较多，并能带动校园年轻梯队人员参与

16. 提高办学效益（投入与产出的效果）

(1) 学校的规划，投入起点高，结构合理

(2) 资金的投入对人才的生产有较大的影响作用

(3) 投入对学校整体提升力影响较大

17. 校园精神

校园精神是在长期的办学实践中逐步形成的，是全体师生之于自己学校共同的精神追求和价值准则。校园精神主要表现在办学理念、校风、校训、校歌、规章制度等文化的方面，同时也表现在学校的建筑布局、文化景观等物质的方面，是学校办学特色最核心的内容。一般院校都会将此凝练成简洁的词语。

18. 校园文化

校园文化是指在一定的校园内，经长期历史积淀而形成的，以校内师生为主体创造并共享的校园精神气候与氛围。它包括校园物质文化、制度文化和精神文化三个层面。一般院校都会将此凝练成简洁的词语。

19. 校风

校风，是指由学校师生员工长期共同努力所形成的较为稳定的行为作风。一般院校都会将此凝练成简洁的词语。

教学研究型高校指标体系参考标准

教学研究型高校

（符合下列情况之一请打"√"或填相关数值。）

1. 名师

（1）至少有院士（指中科院、工程院、第三世界科学院院士）1名及以上

（2）教授数/教师数＞3％

（3）研究生导师数/教师数＞3％

（4）国内外学者或知名人士担任客座教授、名誉教授和兼职教授数占教师数的比例＞3％

（5）国家重大学科带头人、国家重点课题主持人、部委学部委员数至少1名以上

2. 学科竞争力

（1）国家重点一级学科数至少有1个以上

（2）有独特的学科体系

（3）设有研究生院（目前全国只有56家）

（4）拥有硕士点、博士点、博士后流动站二级学科30个以上

（5）有全国重点学科、重点实验室、部省级研究基地

3. 学问生产能力

（1）获得国家最高科学技术奖

（2）成果获国家、部、省级自然科学奖

（3）硕士生、博士生毕业优秀论文数占毕业生数30％以上

（4）年国家、部级、省级科研成果奖突出

（5）承担国家、部、省级重点科研项目数突出

（6）在SCI、CSSCI等国际权威杂志上发表论文数年超过5篇以上

4. 教授数

请按材料中提供的有关数据直接填写

5. 副教授数

请按材料中提供的有关数据直接填写

6. 博士数

请按材料中提供的有关数据直接填写

7. 硕士数

请按材料中提供的有关数据直接填写

8. 生产规格

具有较好的人才生产培养体系

本科——硕士；留学生

9. 生产数量

在校生人数 15000 人以上

10. 生产质量

(1) 毕业流向好：

a. 部委机关

b. 部省直属国营企业

c. 考上研究生的数占本科毕业生数的 30％以上

(2) 就业率＞95％

11. 在校生数

请按材料中提供的有关数据直接填写

12. 就业率

请按材料中提供的有关数据直接填写

13. 管理者

(1) 校领导班子具有先进的教育思想观念、鲜明的教育理念、明确的办学思路

(2) 具有结构合理、素质高的管理队伍

(3) 管理者创新能力强，倡导服务型管理模式

14. 争取发展经费和空间

(1) 政府投资额度比重较大

(2) 产学研结合程度好，有较好的社会资源利用度

(3) 社会资源整合程度高

15. 创建良好的学术环境

(1) 建立优秀人才培养工程

(2) 校园学术讲座氛围浓厚

(3) 名师、专家、学者发挥作用程度好

（4）国内外知名学者讲座率高

（5）部省级重大科研项目承担较多，并能带动校园年轻梯队人员参与

16. 提高办学效益（投入与产出的效果）

（1）学校的规划，投入起点高，结构合理

（2）资金的投入对人才的生产有较大的影响作用

（3）投入对学校整体提升力影响较大

17. 校园精神

（校园精神是在长期的办学实践中逐步形成的，是全体师生之于自己学校共同的精神追求和价值准则。校园精神主要表现在办学理念、校风、校训、校歌、规章制度等文化的方面，同时也表现在学校的建筑布局、文化景观等物质的方面，是学校办学特色最核心的内容。）一般院校都会将此凝练成简洁的词语。

18. 校园文化

（校园文化是指在一定的校园内，经长期历史积淀而形成的，以校内师生为主体创造并共享的校园精神气候与氛围。它包括校园物质文化、制度文化和精神文化三个层面。）

一般院校都会将此凝练成简洁的词语。

19. 校风

（校风，是指由学校师生员工长期共同努力所形成的较为稳定的行为作风。）

一般院校都会将此凝练成简洁的词语。

教学型高校指标体系参考标准

教学型高校

（符合下列情况之一请打"√"或填相关数值。）

1. 名师

（1）有院士（指中科院、工程院、第三世界科学院院士）

（2）教授数/教师数＞2％

（3）研究生导师数/教师数＞1％

（4）国内外学者或知名人士担任客座教授、名誉教授和兼职教授数占教师数的比例＞2％

（5）有国家、省重大学科带头人，国家、省重点课题主持人，部委学部委员

2. 学科竞争力

（1）有国家重点一级学科

（2）有独特的学科体系

（3）设有研究生培养

（4）拥有硕士点二级学科 10 个以上

（5）有全国、部、省重点学科，重点实验室，部、省级研究基地

3. 学问生产能力

（1）获得国家最高科学技术奖

（2）成果获国家、部、省级自然科学奖

（3）本科生、研究生毕业优秀论文数占毕业生数 20％以上

（4）年国家、部级、省级科研成果奖较多

（5）承担国家、部、省级重点科研项目数较多

（6）在 SCI、CSSCI 等国际权威杂志上发表论文数年超过 2 篇以上

4. 教授数

请按材料中提供的有关数据直接填写

5. 副教授数

请按材料中提供的有关数据直接填写

6. 博士数

请按材料中提供的有关数据直接填写

7. 硕士数

请按材料中提供的有关数据直接填写

8. 生产规格

具有较好的人才生产培养体系

专科——本科；留学生

9. 生产数量

在校生人数 10000 人以上

10. 生产质量

（1）毕业流向好：

c. 部、省、市级机关

d. 部省市级直属国营企业

c. 考上研究生的数占本科毕业生数的 10％以上

（2）就业率＞95％

11. 在校生数

请按材料中提供的有关数据直接填写

12. 就业率

请按材料中提供的有关数据直接填写

13. 管理者

(1) 校领导班子具有先进的教育思想观念、鲜明的教育理念、明确的办学思路

(2) 具有结构合理、素质高的管理队伍

(3) 管理者创新能力强，倡导服务型管理模式

14. 争取发展经费和空间

(1) 政府投资额度比重较大

(2) 产学研结合程度好，有较好的社会资源利用度

(3) 社会资源整合程度高

15. 创建良好的学术环境

(1) 建立优秀人才培养工程

(2) 校园学术讲座氛围浓厚

(3) 名师、专家、学者发挥作用程度好

(4) 国内外知名学者讲座率高

(5) 部省级重大科研项目承担较多，并能带动校园年轻梯队人员参与

16. 提高办学效益（投入与产出的效果）

(1) 学校的规划，投入起点高，结构合理

(2) 资金的投入对人才的生产有较大的影响作用

(3) 投入对学校整体提升力影响较大

17. 校园精神

（校园精神是在长期的办学实践中逐步形成的，是全体师生之于自己学校共同的精神追求和价值准则。校园精神主要表现在办学理念、校风、校训、校歌、规章制度等文化的方面，同时也表现在学校的建筑布局、文化景观等物质的方面，是学校办学特色最核心的内容。）一般院校都会将此凝练成简洁的词语。

18. 校园文化

（校园文化是指在一定的校园内，经长期历史积淀而形成的，

以校内师生为主体创造并共享的校园精神气候与氛围。它包括校园物质文化、制度文化和精神文化三个层面。)

一般院校都会将此凝练成简洁的词语。

19. 校风

(校风,是指由学校师生员工长期共同努力所形成的较为稳定的行为作风。)

一般院校都会将此凝练成简洁的词语。

专科、民办高校指标体系参考标准

专科、民办高校

(符合下列情况之一请打"√"或填相关数值。)

1. 名师

(1) 有院士(指中科院、工程院、第三世界科学院院士)

(2) 教授数/教师数>1%

(3) 研究生导师数/教师数>1%

(4) 国内外学者或知名人士担任客座教授、名誉教授和兼职教授数占教师数的比例>1%

(5) 有国家、省重大学科带头人,国家、省重点课题主持人,部委学部委员

2. 学科竞争力

(1) 有国家重点一级学科

(2) 有独特的学科体系

(3) 设有研究生培养

（4）拥有硕士点二级学科 1 个以上

（5）有全国、部、省重点学科，重点实验室，部、省级研究基地

3. 学问生产能力

（1）获得国家最高科学技术奖

（2）成果获国家、部、省级自然科学奖

（3）本科生、研究生毕业优秀论文数占毕业生数 10％以上

（4）年国家、部级、省级科研成果奖较多

（5）承担国家、部、省级重点科研项目数较多

（6）在 SCI、CSSCI 等国际权威杂志上发表论文数年超过 1 篇以上

4. 教授数

请按材料中提供的有关数据直接填写

5. 副教授数

请按材料中提供的有关数据直接填写

6. 博士数

请按材料中提供的有关数据直接填写

7. 硕士数

请按材料中提供的有关数据直接填写

8. 生产规格

具有较好的人才生产培养体系

专科——本科；留学生

9. 生产数量

在校生人数 6000 人以上

10. 生产质量

（1）毕业流向好：

e. 部、省、市级机关

f. 部省市级直属国营企业

c. 考上研究生的数占本科毕业生数的 5％以上

（2）就业率＞75％

11. 在校生数

请按材料中提供的有关数据直接填写

12. 就业率

请按材料中提供的有关数据直接填写

13. 管理者

（1）校领导班子具有先进的教育思想观念、鲜明的教育理念、明确的办学思路

（2）具有结构合理、素质高的管理队伍

（3）管理者创新能力强，倡导服务型管理模式

14. 争取发展经费和空间

（1）政府投资额度比重较大

（2）产学研结合程度好，有较好的社会资源利用度

（3）社会资源整合程度高

15. 创建良好的学术环境

（1）建立优秀人才培养工程

（2）校园学术讲座氛围浓厚

（3）名师、专家、学者发挥作用程度好

（4）国内外知名学者讲座率高

（5）部省级重大科研项目承担较多，并能带动校园年轻梯队人员参与

16. 提高办学效益（投入与产出的效果）

（1）学校的规划，投入起点高，结构合理

（2）资金的投入对人才的生产有较大的影响作用

（3）投入对学校整体提升力影响较大

17. 校园精神

（校园精神是在长期的办学实践中逐步形成的，是全体师生

之于自己学校共同的精神追求和价值准则。校园精神主要表现在办学理念、校风、校训、校歌、规章制度等文化的方面，同时也表现在学校的建筑布局、文化景观等物质的方面，是学校办学特色最核心的内容。）一般院校都会将此凝练成简洁的词语。

18. 校园文化

（校园文化是指在一定的校园内，经长期历史积淀而形成的，以校内师生为主体创造并共享的校园精神气候与氛围。它包括校园物质文化、制度文化和精神文化三个层面。）

一般院校都会将此凝练成简洁的词语。

19. 校风

（校风，是指由学校师生员工长期共同努力所形成的较为稳定的行为作风。）一般院校都会将此凝练成简洁的词语。

附录三

Abstract

A tendency of globalization in higher education calls for an integrative participation of China's Higher Education Institutions (HEIs) in international competitions. Meanwhile, the speed-up steps of mass tertiary education bring about intensive internal competitions among HEIs in the educational market. Other factors such as governmental assessment, folk ranking, fights for student resource, contests for market allocation of employment, and the severe scarcity of governmental investment, all require that HEIs improve their competitive strength, and especially explore the core competence for sustainable competitive advantages. By means of inference and induction, this book discusses theoretically and empirically an Analysis Model of HEI Core Competence (AMHEICC), ranging from the conception of HEI Core Competence (HEICC) to its characteristics, nature and components, hence offers a theoretical support and practical basis for its evaluating, early warning, and upgrading.

This book is divided into 12 chapters in 3 parts.

The first part is composed of 5 chapters for a theoretical description of HEICC in terms of the research rationale and purpose, theoretical background, competitive agents and connotation analysis. The research rationale covers some concrete aspects of the present conditions of the research on HEICC, the research logic, the basic structure, and research methodology of the book. The theoretical background consists of a systematic demonstration of AMHEICC, including its theoretical basis (core competence theory, strategic administration theory, learning organization, etc). The purpose of this research is to seek for the advantages of HEICC by studying the competitive agents and the competitive environment. Based on an analysis on the conception, characteristics and nature of HEICC, this book summarizes that HEICC means "strength", and knowledge is essential characteristics of it. Learnability is both the nature and external representation of HEICC.

The second part involves investigation and analysis, composed of chapter 6, 7 and 8. By investigating and statistic analyzing, the book tests and proves the rationality and scientificness of the components in AMHEICC, establishes the criteria for identifying HEICC, analyzes the overt elements (academic productivity and talent productivity) and covert elements (essential connotations of administrative competence and cultural competence), and builds a general model for HEICC analysis after a systematic construction and empirical study that resorting to the identifying — vagueness principle and statistic investigation.

The third part, chapter $9-12$, is the deepening and systematic summarizing of the book. It demonstrates the visualized assessment of HEICC, its strategic early warning and upgrading. AMHEICC has been successfully applied to analyze HEICC of four HEIs at different levels in the hierarchy of China's higher education system.

后 记

对高校核心竞争力的研究，现在已经成为高等教育理论工作者和管理工作者高度关注的课题。理论工作者侧重移植企业核心竞争力理论，改造充实后形成新的理论体系，为促进高校可持续发展服务；而工作在第一线的高校领导则侧重在工作实践上探索高校核心竞争力的内涵及提升战略，这在理论上大大丰富了核心竞争力的内涵，更使这一理论与高等教育紧密结合，从而指导高校健康、有序、可持续发展。由此，寻求并提升高校核心竞争力对于促进高校的新一轮发展具有很重要的现实意义。

高校核心竞争力是面向激烈的市场竞争，从高校内部寻求竞争优势和可持续发展的力量源泉。作者长期在高校从事教学和管理工作，在工作实践中深深感受到，高校要寻求可持续发展的竞争优势就必须在资源、能力上下工夫，而对资源占有份额的多少也表现为"整合资源的能力"，因而"能力"是高校发展的真正源泉。为了寻求这个"能力"到底是什么，本人借在河海大学攻读博士学位之机，于2003年和2004年分别申报并获准江苏省教育厅自然科学基金项目"江苏高校核心竞争力研究"和江苏省哲学社会科学基金项目"高校核心竞争力研究"。

这部论著既是两个课题的研究成果，同时也是本人博士论文的结晶。

在我完成学业期间，张阳老师倾注了大量的心血，从论文的选题到构思以及行文都给予悉心指导，我能申请并获准省哲学社会科学规划项目和教育厅自然科学基金项目，得益于导师的启发，在此深表谢意！

感谢在河海大学读书期间许长新教授、杨建基教授、郑垂勇教授、赵永乐教授、王济干教授、杨晨教授、石高玉教授、姚纬明教授、章仁俊教授、史安娜教授、印凡成教授、丁长青教授、何似龙副教授、张燕燕老师等给予的教诲。

感谢福建行政管理学院王秉安教授、南京大学龚放教授、南京师范大学胡建华教授和广西百色地委宣传部罗红教授从不同专业角度给我的指点。

感谢汪群博士、周海炜博士在我完成论文期间给予的帮助。

感谢温潘亚博士、史虹博士、刘雪博士、何山博士和"高校核心竞争力研究"课题组的陈洪转博士、殷凤春硕士、顾玉兰博士、郭锡健主任、林峰硕士、李健明博士、张海平处长以及我的研究生敖红英、印建兵、徐学兰、蔡华、姜萍的支持。

感谢盐城师范学院陈金干研究员、常柏林教授、朱其爽副教授、夏斯存同志以及我的同事薛家宝教授、张建祥副教授、戚永祥副教授、缪志红副研究员给予的支持和帮助。

感谢我的夫人葛中芳和女儿成敏敏在我求学期间给予的充分理解和支持。

在拙作出版之际，我要感谢江苏省哲学社会科学规划办公室徐之顺主任及其他同志，江苏省教育厅科技处、社政处的同志们以及江苏省委组织部干部五处的同志。感谢多年来辅助我成长的著名教育家原上海大学校长杨德广教授、著名思想政治教育专家华东师范大学邱伟光教授、南京师范大学党委书记沈健教授、南京大学桑志芹教授。

最后我要特别感谢在拙作出版过程中，中央办公厅曹招根博士以及人民出版社哲学室方国根编审和责任编辑李之美的大力支持和悉心指导。

俄罗斯国家教育科学院院士、中国中央教科研所所长朱小蔓教授、河海大学商学院院长博士生导师张阳教授在百忙之中欣然作序，在此深表谢意！

成长春

2005 年 7 月 10 日

责任编辑:李之美　方国根

图书在版编目(CIP)数据

赢得未来──高校核心竞争力研究/成长春 著.
─北京:人民出版社,2006.6(2006.12 重印)
ISBN 7－01－005516－5

Ⅰ.赢…　Ⅱ.成…　Ⅲ.高等学校－竞争－研究－中国
Ⅳ.G649.2

中国版本图书馆 CIP 数据核字(2006)第 032529 号

赢得未来
YINGDE WEILAI
──高校核心竞争力研究
成长春　著

人民出版社 出版发行
(100706　北京朝阳门内大街 166 号)

北京瑞古冠中印刷厂印刷　新华书店经销
2006 年 6 月第 1 版　2006 年 12 月第 2 次印刷
开本:880 毫米×1230 毫米 1/32　印张:15.375
字数:370 千字　印数:3,001－6,000 册
ISBN 7－01－005516－5　定价:29.80 元
邮购地址　100706　北京朝阳门内大街 166 号
人民东方图书销售中心　电话(010)65250042　65289539